S0-BRD-063

MYTHES ET DIEUX DES INDO-EUROPÉENS

*Du même auteur
dans la même collection*

LOKI

MYTHES ET DIEUX DES INDO-EUROPÉENS

Georges DUMÉZIL

MYTHES ET DIEUX DES INDO-EUROPÉENS

Textes réunis et présentés
par Hervé Coutau-Bégarie

Champs/l'Essentiel
FLAMMARION

Note de l'éditeur

La réalisation de cet ouvrage a été rendue possible grâce à l'amabilité du Collège de France et des éditions Gallimard, Latomus et Payot, que nous remercions de nous avoir accordé l'autorisation de reproduire les textes de Georges Dumézil. Notre gratitude va également à Madame Perrine Curien et à Monsieur Claude Dumézil.

© Gallimard, pour
   Mythe et Epopée, tome I, 1968 et 1986
   Idées romaines, 1969 et 1980
   L'oubli de l'homme et l'honneur des dieux et autres essais, 1985
   Discours de réception de M. Georges Dumézil à l'Académie française et Réponse de M. Claude Lévi-Strauss, 1979

© Latomus, *L'idéologie tripartie*, 1958

© Payot, *Mariages romains*, 1979

© Collège de France, *Leçon inaugurale*

© Flammarion, 1992, pour les autres textes de Georges Dumézil et pour la présentation de Hervé Coutau Bégarie

© Flammarion, 1992
ISBN : 2-08-081232-7
printed in France

PRÉSENTATION

La vie de Georges Dumézil constitue une aventure intellectuelle fantastique par son ampleur et sa continuité. Dès la préface de sa thèse, *Le Festin d'immortalité*, on trouve posé le problème qui l'occupera à titre principal pendant toute sa vie, celui de la découverte de la mythologie indo-européenne. Même si la démonstration qui suit est fausse, le programme esquissé dans cette préface restera valable jusqu'à la fin. En 1928, quatre ans seulement après *Le Festin d'immortalité*, l'article « Amirani et son chien » ouvre la série des études caucasiennes qui vont constituer l'autre grand volet de l'activité scientifique et des publications de Georges Dumézil jusqu'à sa mort et même au-delà, si l'on ose dire, puisque les cahiers de textes oubykhs continueront à paraître pendant plusieurs années.

Exemplaire par sa continuité, l'œuvre l'est également, et surtout, par son ampleur. Ampleur du résultat, puisque le catalogue de ses œuvres compte près de cinq cents titres, dont une soixantaine de livres et trois cents articles de revues, mais aussi ampleur de la documentation : tous les peuples indo-européens, à l'exception des Baltes qui n'ont laissé de leur mythologie que des traces à peine visibles, ont été mis à contribution. Deux mythologies ont fourni le noyau central, celles des Romains et des Indiens. Mais les Iraniens sont eux aussi constamment présents (c'est par le groupe indo-iranien que Dumézil a eu en 1930 la première intuition de la trifonctionnalité), et la mythologie germanique a également fourni un champ d'études considérable : François-Xavier Dillmann rappelle qu'« à côté de travaux essentiellement consacrés à la mythologie germanique tels que *Mythes et Dieux des Germains* (1939), *Loki* (1948), *La Saga de Hadingus : Du mythe au roman* (1953 et 1970) et *Les Dieux des Germains* (1959), Georges Dumézil n'a pratiquement jamais manqué d'utiliser avec profit la leçon de mythes scandinaves au cours de ses grandes études comparatives indo-européennes ». Il n'est pas une seule langue du groupe indo-européen que Georges Dumézil n'ait explorée à un moment ou à un autre pour les besoins de son enquête.

Quant à l'ampleur de sa documentation caucasienne, autre grande passion de sa vie, elle est sans équivalent, puisqu'il a été pratiquement le seul linguiste au monde à avoir une connaissance directe et poussée de plusieurs langues de chacun des trois grands groupes linguistiques du Caucase (du Nord-Est, du Nord-Ouest et du Sud). Sa tendresse particulière pour la langue oubykh, qu'il a sauvée de l'oubli, ne l'a pas empêché d'apporter une contribution notable à l'étude des autres langues : il a ainsi fait connaître le dialecte besleney (du tcherkesse), et l'étymologie dont il était le plus fier était celle du nom du ciel en arménien, qu'il avait réussi à faire reconnaître après quelques joutes épiques. Sous son titre modeste, *Le Verbe oubykh* constitue l'esquisse d'une véritable grammaire comparée des langues caucasiennes du Nord-Ouest.

Il faut également mentionner des études « accessoires » sur le quechua (langue des Indiens du Pérou) qui ont abouti à de curieux rapprochements entre les noms de nombres en turc et en quechua, ainsi que des « fantaisies mythologiques », dont la plus célèbre est *« Le Moyne noir en gris dedans Varennes... »* qui a suscité un étonnement à la mesure de l'originalité du propos. À la fin de sa vie, il avait le projet d'un ouvrage du même genre au titre délicieux : *Les Sept Femmes de Barbe-Bleue*.

Il faudrait considérer tout cela pour saisir l'œuvre de Georges Dumézil dans sa totalité. Une biographie intellectuelle serait à cet égard passionnante. Il en avait un moment caressé l'idée puisqu'il avait annoncé dans la préface de *Mythe et Épopée I* un livre retraçant, « pour l'instruction des étudiants, le cheminement de la recherche, les difficultés rencontrées, les erreurs commises et les considérations qui les ont corrigées ». Cette belle résolution n'a pas tenu longtemps. Partant du principe que « lorsqu'une œuvre d'art est terminée on ne regarde pas les échafaudages », il s'est toujours refusé à écrire ses Mémoires, même si de multiples annotations dispersées fournissent une ample matière que l'on pourra exploiter un jour.

*
* *

S'orienter dans cette œuvre foisonnante, même réduite à son aspect central, n'est pas facile pour le non-initié, qui pourra être dérouté par la dispersion de la matière dans de multiples livres qui s'entrecroisent. Lui-même s'était expliqué sur cette apparente anarchie que lui reprochait vertement un contradicteur.

Je sais bien que M. Page s'impatiente de me voir souvent reprendre la même matière. Dès la première note de son article, il avertit le lecteur : « Les écrits de Dumézil tendent à la répétition et à la refonte et il n'est pas toujours aisé de décider quel texte il faut citer. » En fait, ce qu'il appelle mes répétitions sont de trois ordres. Ou bien, dans quelques présentations d'ensemble, du type « bilan », je résume, plus ou moins longuement, sans progrès, ce qui me paraît être l'état actuel de l'étude sur telle ou telle partie de cet ensemble ; ou bien je reproduis ou je résume, au maximum sans changement, une proposition ou une démonstration antérieure parce qu'elle va servir à éclairer, sur un autre domaine, un nouveau fait homologue qui n'avait pas été reconnu comme tel auparavant ; ou bien je reprends une proposition ou une démonstration antérieure pour l'améliorer par des corrections ou des compléments, un éclairage mieux réglé, bref, comme dit M. Page, *by recasting it*. Je reconnais que cette conduite de mon travail n'est pas confortable pour le lecteur pressé. Mais il faut que ce lecteur admette qu'une « science en train de se faire », comme nous disons volontiers au Collège de France, tirée du néant il y a soixante ans et continuée sans relâche depuis lors à travers bien des difficultés intellectuelles et temporelles, voire des tempêtes, ne pouvait produire une série, dès le début planifiée, d'écrits *ne varietur* s'additionnant sans se chevaucher comme doit l'être un bon exposé d'une « science faite ».

Dumézil était donc parfaitement conscient de cette difficulté. Pourtant, de même que les druides « n'avaient pas voulu immobiliser dans des signes morts une science qu'ils considéraient comme sans cesse renaissante », il a toujours montré la plus grande répugnance à condenser dans des synthèses le résultat de ce qu'il appelait ses « chantiers de fouille ». En 1983, il condamnait fermement « la tentation du manuel » :

> Récemment, un de ces simplificateurs, me donnant à lire son projet de compilation, le commentait en disant : « Il faut que ce soit au point, parce que, dorénavant, c'est à cela qu'on se référera. » Je ne puis que recommander plus de patience et plus de modestie. Les résultats acquis ne sont encore ni assurés, ni organisés à ce point, la recherche est en plein développement, des éléments inattendus sont chaque année dégagés, dont la somme obligera sans doute à rééquilibrer l'ensemble. Et, surtout, une familiarité attentive avec la progression difficile, avec les méandres et les impasses des enquêtes est plus formative, plus excitante même que la lecture d'un manuel prématuré.

À vrai dire, son refus s'expliquait aussi par des raisons personnelles : à plus de quatre-vingts ans, ne sortant plus guère de son appartement de la rue Notre-Dame-des-Champs, il avait l'impression de ne plus être en contact assez étroit avec les nouvelles directions de la recherche et il ne se sentait plus le courage d'entreprendre un livre neuf. Il avait en revanche accepté le principe d'un petit recueil de textes, dont il avait voulu confier l'élaboration à quelqu'un qui ne fût pas spécialiste de la mythologie comparée : « Comme ça, vous ne serez pas tenté de privilégier un champ d'études particulier. »

À sa mort survenue en octobre 1986, le travail d'organisation du volume était tout juste commencé. Il m'avait cependant fixé quelques principes directeurs : ne pas prétendre à l'exhaustivité, mais plutôt essayer de dégager la logique de l'œuvre ; prendre, dans la mesure du possible, des extraits assez longs et sans coupures, de manière que les passages ne soient pas abusivement coupés de leur contexte.

C'est à ces principes que j'ai essayé de me tenir. Il est bien entendu que le choix des textes relève de ma seule responsabilité. Il est probable que Georges Dumézil aurait donné au volume une autre architecture. Le lecteur devra toujours se souvenir que ce recueil ne saurait en aucun cas se substituer aux « originaux » : il n'est, et ne veut être, qu'un *livre d'initiation*. J'espère simplement n'avoir pas été indigne de la confiance qu'il m'a témoignée, et que cet ouvrage permettra à de nouveaux lecteurs de découvrir une œuvre immense qui est, à la fois, une leçon de méthode (même s'il avait horreur du terme) et une fondation sur laquelle les historiens des religions et des mythes devront longtemps s'appuyer.

H. C.-B.

INTRODUCTION

LEÇON INAUGURALE

Georges Dumézil n'a jamais eu beaucoup de goût pour la vulgarisation : son immense bibliographie ne contient guère de synthèses destinées à un grand public « cultivé » mais peu averti de ses recherches. Même une mise au point comme *L'Idéologie tripartie des Indo-Européens* suppose de la part du lecteur un minimum de connaissances sur les Indo-Européens ou les principes de la méthode comparative, préliminaires sur lesquels Dumézil n'éprouvait pas le besoin de s'attarder. En 1949 pourtant, à quelques mois d'intervalle, il avait publié deux textes destinés à présenter ses travaux à un cercle plus large que celui de ses lecteurs réguliers : le chapitre premier, « Matière, objet et moyens de l'étude », de *L'Héritage indo-européen à Rome*, livre primitivement destiné à un public anglo-saxon, et la leçon inaugurale prononcée au Collège de France le 1er décembre 1949. C'est le second de ces textes qui est reproduit ici.

Monsieur l'Administrateur,
Mes chers Collègues,
Mesdames,
Messieurs,

Les recherches que le Collège de France a bien voulu accueillir s'annoncent sous un titre qui peut tromper. On ne traite pas de la « civilisation indo-européenne » comme on traite de la civilisation des Assyriens, des

Chinois ou des Romains, c'est-à-dire par observation directe et description.

Sur quoi se fonderait-on ? On n'a pas d'archives, pas de documents littéraires, pas de monuments. Ou du moins, des *realia* indo-européens qui subsistent peut-être, on ne peut pas, on ne voit même pas comment on pourrait un jour affirmer qu'ils proviennent du groupe humain qui, il y a à peu près cinq mille ans, parlait la langue commune d'où les langues dites indo-européennes sont dérivées, comme, plus tard, les langues romanes devaient naître du latin. Nous voyons bien – justement par la comparaison des langues – que les hommes de ce groupe savaient modeler, tisser, coudre, conduire un char, un bateau, puisque les mots latins *fingo, neo, suo, veho, navis,* comme bien d'autres, ont des correspondants précis depuis l'indo-iranien jusqu'au germanique ; de l'accord de ces trois groupes de parlers historiquement éloignés, l'indo-iranien, le germanique, le latin, nous concluons que les Indo-Européens traitaient un métal qui devait être une variété de bronze ; etc. Mais sur aucune céramique, sur aucune pièce de char ou de barque, sur aucun objet de bronze exhumé par les préhistoriens, nous ne mettons le mot « Indo-Européen ».

L'accord du latin *ensis* et du sanscrit védique *asiḥ* permet d'affirmer qu'une variété d'épée était déjà appelée quelque chose comme *$*ṇsis$ par les Indo-Européens ou une partie d'entre eux. Un musée d'Europe centrale ou orientale recèle peut-être dans une vitrine une épée que son possesseur, trois mille ans avant J.-C., désignait, en effet, usuellement de ce nom. Mais aucun procédé rationnel ne permet de rapprocher cette arme et ce substantif. Plus généralement, entre les belles et croissantes moissons faites sur les champs de fouilles par les archéologues préhistoriens et la notion de « peuple indo-européen » qui ressort, elle, comme une conclusion nécessaire, d'études linguistiques vieilles de près de cent cinquante ans et de plus en plus précises et pressantes, entre cette collection concrète de faits relevant des civilisations matérielles et cette entité nationale, aucune liaison valable ne s'établit. Aussi bien n'est-ce pas de ces traces non identifiables que nous nous occuperons. Nous nous occuperons d'ailleurs fort peu des Indo-Européens.

En réalité, comme tout ce qui se couvre du nom d'« indo-européen », notre étude ne concerne pas la préhistoire, mais l'histoire, la plus vieille histoire accessible de chacun des peuples dont on sait qu'ils contenaient un élément indo-européen assez fort pour avoir imposé sa langue. On s'irrite parfois de ce terme d'« indo-européen », contre lequel on ne peut plus rien ; on souligne comme il est mal formé, puisqu'il fait référence aux habitats terminaux des peuples dérivés et non pas à l'habitat primitif du peuple ancêtre ; et aussi puisqu'il a l'air de mettre en équilibre la seule Inde, d'une part, en Asie, et toute l'Europe unie, de l'autre. C'est vrai. Mais, à tout considérer, cette inadéquation de l'étiquette à son objet est justement ce qui la recommande : elle se trahit pour ce qu'elle doit être, c'est-à-dire un signe *conventionnel*, attribuant à certains faits indiens ou iraniens et à certains faits germaniques, italiques, etc., une communauté d'origine ; un signe avertissant que c'est l'hypothèse d'une communauté d'origine ; d'un héritage commun, qui est l'explication la plus probable des correspondances qu'on remarque entre ces faits historiques si dispersés sur le terrain.

Et tel est bien le but limité que, linguistes ou autres, se proposent les comparatistes : ils savent que la reconstruction vivante, dramatique, de ce qu'était la langue ou la civilisation des ancêtres communs est impossible, puisqu'on ne remplace par rien les documents, et qu'il n'y a pas de documents. Ils se donnent seulement, pour première tâche, de repérer, dans l'Inde, à Rome, en Scandinavie, etc., des faits homologues, et entre lesquels l'homologie soit telle qu'elle suggère, comme son explication la plus vraisemblable, une commune origine ; ils se donnent aussi, comme deuxième tâche, inséparable de la

première, de travailler sur ces correspondances, d'y
reconnaître des rapports d'un nouvel ordre, permettant
de les classer, de les relier, en un mot d'en comprendre
le « système », car tout, dans les représentations
humaines, ou du moins tout l'essentiel, est système,
implicite ou explicite, maladroit ou vigoureux, naïf ou
subtil, mais système ; et le meilleur moyen d'altérer
de telles représentations en les étudiant, c'est, sous
prétexte de prudence et d'objectivité, de ne pas en
chercher *le* ou *les* systèmes.

*
* *

L'idée que des correspondances systématiques entre
faits indiens, romains, etc., existent et qu'elles forment
un champ d'études, ce n'est d'abord qu'une hypothèse
de travail. Le travail avançant, l'hypothèse se vérifie
et l'affirmation se fonde, dès lors, comme dans toute
science à partir d'un certain moment, sur l'observation,
sur une constatation sans cesse renouvelable et
contrôlable. Il y a longtemps que la linguistique
comparative indo-européenne a franchi ces degrés ;
on a même oublié les incompréhensions, les ironies,
les indignations dans lesquelles ont baigné ses
débuts.

Au contraire, pour ce qui nous occupera, c'est-à-dire
pour les faits de civilisation non matérielle, pour les
représentations collectives et les institutions, pour le
culte, les légendes, la structure sociale des peuples
indo-européens, cette heureuse unanimité n'est pas
atteinte. Sans doute, d'abord, parce que les faits à
observer, et leurs liaisons, sont ici plus complexes.
Certainement aussi parce que l'étude a pris trop tôt
son départ, et un mauvais départ, et qu'il en est résulté
un préjugé défavorable. Car cette province d'enquête
comparative n'est guère moins ancienne que l'autre :
dès que la parenté des langues a été reconnue, on s'est
précipité sur les textes ; les Védas, Homère, Virgile,
l'Edda ont été rapprochés, par les mêmes hommes qui

rapprochaient grammaires et vocabulaires, et l'on a cru pouvoir, plus vite même que pour le langage, reconstituer les modes de pensée, de pensée religieuse notamment, des Indo-Européens. Ce fut un feu de paille. Trop d'*a priori*, pas de sens historique, une ignorance à peu près complète des données de l'ethnographie, l'absence de la sociologie, des mirages littéraires comme la mythologie solaire ou fulgurante généralisée, une confusion perpétuelle des faits de langue et des faits de civilisation, qui sont liés, mais distincts, plus d'enthousiasme, enfin, que de critique, expliquent cet échec.

Mais l'échec est incontestable : il y a plus de cinquante ans qu'on en est tombé d'accord.

Depuis lors et jusqu'à une époque récente, on a assisté à une réaction, et la réaction, légitime, comme vous voyez, dans son principe, s'est manifestée de diverses manières. La linguistique a mieux affirmé ses limites, répudié, du côté des mythes et des institutions, non pas une solidarité qui est évidente, mais une confusion, un impérialisme compromettants. D'autre part, pour chaque province du monde indo-européen, les savants spécialistes, philologues traitant les textes et historiens penchés sur les peuples, non seulement ont considéré comme nuls et non avenus les résultats des premières générations de comparatistes, en quoi ils avaient en général raison, mais encore ont déclaré vaine et dangereuse toute nouvelle aventure comparative. C'est encore un état d'esprit très répandu. Un savant suédois qui a consacré une longue et fertile carrière à l'étude de la religion grecque, M. Martin P. Nilsson, invité, en 1932, à l'Institut allemand de Rome, à parler sur les religions des deux peuples classiques, commençait en ces termes :

> Ces deux religions (grecque et romaine) sont issues d'une même souche, comme le sont les deux peuples. On cite souvent pour preuve l'identité des noms du dieu atmosphérique (« *des Wettergottes* »), Zeus, Jupiter, qui, chez ces deux peuples, est devenu le plus grand dieu ; malheureusement, cela renseigne peu, et ce qu'on peut produire d'autre n'est pas considérable. Hestia-Vesta

atteste le culte du foyer, propre à la famille patriarcale. *On ne se trompera pas en admettant que la religion que les envahisseurs ont apportée avec eux en Grèce et en Italie était une* Naturreligion *peu développée, comme nous en rencontrons chez les peuples primitifs, et que nous pouvons facilement nous représenter.*

Voilà le verdict que rendait, il y a dix-sept ans, un des maîtres les plus justement écoutés de la philologie classique, celui qui fut, jusqu'aux exclusives hitlériennes, l'un des deux directeurs de l'*Archiv für Religionswissenschaft* et dont on admire encore l'actif éméritat. Ces quelques lignes montrent bien les composantes de l'état d'esprit qui règne depuis cinquante ans. L'héritage indo-européen est théoriquement reconnu (avec excès même, car je ne pense pas qu'on doive dire que, dans leur ensemble, les deux religions, grecque et romaine, soient « *einer gemeinsamen Wurzel entsprungen* [1] »). Mais, de cet héritage, l'appareil de preuves et de conséquences est aussitôt ramené à presque rien : quelques noms de divinités sans substance. Toute mention d'un peuple indo-européen autre que les deux peuples classiques est évitée. Et surtout nous apprenons que, pour prendre une idée de la religion indo-européenne, nous n'avons pas à perdre un temps précieux à confronter les états anciens des religions historiquement pratiquées ni, par le repérage de coïncidences, à tâcher de déterminer des éléments hérités ; nous dirons simplement et facilement que les Indo-Européens avaient une religion de peuples primitifs — le texte nous suggère même, « *la* religion *des* peuples primitifs », comprenons : celle que des écoles de théoriciens ont fabriquée, par le brassage des descriptions ethnographiques les plus diverses, avec un agréable dosage de *mana*, d'arbres et de sources sacrés, de *Waldgeister*, de *Reinigungen* et naturellement de *Zauber*, de magie.

Le résultat de ce verdict, c'est, sur chaque province

---

1. « Jaillies d'une racine commune » (H. C.-B.).

indo-européenne, pour les spécialistes, à la fois une simplification du problème des origines et une liberté totale pour le résoudre. Partout, en matière religieuse, le problème se formulera ainsi : « Comment, sur cette *Naturreligion* qu'on veut bien nous dire indo-européenne, mais qui n'a rien de distinctif, qui est moins un héritage particulier qu'une sorte de minimum vital de toute société, comment, à partir de ce niveau inférieur et indifférencié, les Indiens védiques, ou les Grecs, ou les Latins, comment chaque groupe a-t-il *créé*, de toutes pièces, indépendamment, la forme très précise de religion que ses documents écrits nous présentent ? »

*
* *

Nous suivrons ici d'autres voies. Il nous paraît que, après les illusions des anciens comparatistes, la réaction, d'abord saine, a dépassé le point d'équilibre et tracé de nouvelles illusions. Nous ne nous sentons pas le droit de régler la question de l'héritage indo-européen à si peu de frais, en l'identifiant sommairement à une *Naturreligion* moyenne. Ce n'est pas là une matière, s'il y en a jamais, qui puisse se traiter *a priori, die wir uns leicht vorstellen können* [1] ! Cette facilité même nous inquiète : ce qu'on acquiert bon marché ne fait pas d'usage. Nous préférons observer, comparer tout ce qui, historiquement, ici et là, a chance d'être mêlé à du passé indo-européen, sans décider d'avance ce que nous trouverons, ce qui restera en facteur commun, ni à quel niveau de complexité se situera ce résidu. Il ne s'agit pour nous que de bien organiser et de bien interpréter l'observation.

L'observation se fait par *comparaison*, c'est-à-dire en tenant sous un même regard analytique des données primaires fournies par diverses sociétés ; elle dégage ces données secondaires qu'on appelle « faits comparatifs », c'est-à-dire des *concordances sur un fond de*

---

1. « Que nous pouvons nous représenter facilement » (H. C.-B.).

différences ; ces concordances et ce fond différentiel, à leur tour, doivent recevoir *l'explication* la plus plausible. Confronter, mesurer et limiter les concordances, les expliquer, ce sont les trois étapes de toute démarche comparative, y compris la nôtre. Je ne les considérerai pas toutes les trois devant vous, mais la dernière : je n'ai pas le temps, je me suis d'ailleurs plusieurs fois expliqué sur les deux premières, et il m'a semblé qu'on admet assez volontiers qu'il est possible — en dehors de Zeus-Jupiter et de Hestia-Vesta — de comparer certains faits, d'établir certaines concordances entre des traits d'organisation sociale ou familiale, ou entre des mythes ou légendes des Indiens ou des Indo-Iraniens, d'une part, des Italiques, des Germains, etc., d'autre part. Mais que signifient, que prouvent ces concordances ?

En principe, les concordances relevées entre deux sociétés historiquement séparées (je dis « deux » pour simplifier) peuvent s'expliquer de *quatre* manières : soit par le hasard, soit par une nécessité naturelle, soit par l'emprunt direct ou indirect, soit par une parenté génétique, celle-ci pouvant être ou bien filiation de l'une des parties à l'autre, ou bien fraternité sur un même niveau, héritage des deux à partir d'une même troisième société antérieure. Notons tout de suite que, dans les cas qui nous intéressent, la dernière explication, par une parenté génétique, ne pourra être que de la variété « héritage commun », et non « filiation » : de même que, pour les langues, le grec, le latin, etc., ne sont pas sortis du sanscrit, mais en sont des langues sœurs, de même aucune des sociétés, donc des civilisations indo-européennes que nous utiliserons, n'est, par filiation, sortie d'aucune autre. Notons aussi que cette explication des concordances par une parenté génétique, ainsi précisée en explication par un « héritage commun », se trouve, d'avance, permise, même recommandée, par le fait que les sociétés dont les civilisations seront comparées parlent des *langues* issues d'une même langue mère, et que plusieurs de ces langues, notamment, ont en commun, riche et cohérent, un vocabulaire religieux, politique, juridique, moral ; or, entre les notions de « langue » et de « civilisation », à ces époques anciennes plus que de nos jours, les rapports sont étroits. Pourtant, malgré cette présomption favorable, il sera de bonne méthode de ne proposer l'explication par « héritage commun » que si les trois autres explications — par le hasard, par la nécessité naturelle, par l'emprunt — sont moins probables ou même improbables. Ce sera affaire d'appréciation dans chaque cas particulier, compte tenu du plus ou moins de solidarité des divers cas. En gros, on peut dire que les correspondances seront d'autant moins attribuables au hasard qu'elle seront plus nombreuses et surtout mieux liées en système ; et elles seront d'autant moins attribuables à la nécessité naturelle qu'elles seront, en soi, plus originales et aussi, en fait, géographiquement et historiquement, plus strictement limitées au domaine indo-européen, soit jusque dans leur principe, soit au moins dans la forme particulière qu'elles y revêtent. Je discuterai rapidement, de ce point de vue, quelques faits développés dans des travaux antérieurs.

*
* *

La rencontre onomastique de Zeus et de Jupiter n'a, en effet, que peu d'intérêt ; peu d'intérêt même la situation de l'un et de l'autre comme « *höchster Gott*[1] » en tête de deux panthéons très différents. Mais, si nous laissons la Grèce, où l'héritage indo-européen est sûrement mince, écrasé sans doute sous l'apport des brillantes civilisations préhelléniques de la mer Égée, si, laissant la Grèce, et laissant aussi les noms propres qui, en matière de structure religieuse, de théologie comparée, n'ont pas l'importance qu'on leur attribue

---

1. « Plus grand dieu » (H. C.-B.).

souvent, nous confrontons le système théologique des plus vieux Romains à celui des Indo-Iraniens, les analogies qui se remarquent entre les plus hauts dieux des uns et des autres s'inscrivent, cette fois, dans tout un contexte.

Le type de grand dieu, céleste et souverain, que ces analogies signalent, occupe, ici et là, non pas seulement, vaguement, la tête de tout le reste, mais une place exactement homologue en tête d'un système triparti de dieux hiérarchisés, dont les deux autres niveaux — un niveau guerrier et un niveau populaire et producteur — sont encore, à Rome et chez les Indo-Iraniens, les mêmes (à Rome, vous savez à quoi je fais allusion : à la plus vieille triade divine, à celle que desservent, hiérarchisés, les trois flamines majeurs).

Regardant alors de plus près comment, à Rome, la vieille théologie, le vieux culte et les légendes analysaient et utilisaient le plus grand dieu, on le voit développé dans deux directions : d'une part, les *Jupiter* de Romulus, c'est-à-dire l'auteur des *auspicia*, le *Stator*, faiseur de miracles violents, le *Feretrius*, donneur de victoires royales ; et, d'autre part, le *Dius*, qui a donné son nom au plus exact, au plus ritualiste des prêtres romains, au *flamen dialis*, le Dius des serments, Dius *Fidius*, parent de cette Fides qui est, avec Terminus, dieu des limites et de la propriété, la divinité de prédilection de Numa ; donc, un Jupiter spécifié en dieu magicien, fatal et violent, et un Dius juriste et statique. En se transportant à nouveau chez les Indo-Iraniens, on constate que, là aussi, la théologie place au premier niveau de sa hiérarchie triple, non pas un dieu, mais deux dieux souverains étroitement associés, l'un plus cosmique, plus magicien, plus terrible, l'autre, dont le nom même signifie « Contrat », plus orienté vers l'homme, plus juriste, plus bienveillant.

Poursuivant la même division sur un autre plan de représentations collectives, non plus dans la théologie, mais dans l'épopée, on constate, aussi bien dans les récits sur les origines de Rome que dans les récits sur l'antiquité fabuleuse de l'Inde, une bipartition, de même sens, du « héros fondateur » : Purûravas, le roi violent, outrancier, un peu démoniaque, fils du dieu guerrier, ancêtre de la dynastie lunaire, équilibre Manu, le calme et pieux législateur Manu, ancêtre, lui, de la dynastie solaire ; de la même manière s'opposent et s'équilibrent à Rome les deux pères de la ville, le Luperque, l'excessif Romulus, fils de Mars, et le grave et religieux législateur Numa.

Faisons déjà une halte. Que l'idée d'une tripartition de la société, et même du monde, en un niveau sacerdotal, un niveau guerrier et un niveau producteur, ne soit pas le monopole des Indo-Iraniens et des Romains, c'est certain ; mais ce n'est pas non plus un fait universel. Dans ce qu'on sait de l'ancien monde en particulier — y compris les grandes sociétés rayonnantes, les Égyptiens, les Sémites occidentaux, les Babyloniens et, à en juger par leur action sur les Hellènes historiques, les Préhellènes, et les lointains Chinois — une telle tripartition, théorique ou pratique, n'est attestée que chez des peuples indo-européens, ou chez quelques autres, mais après des contacts précis avec des Indo-Européens identifiés. De même, l'autre représentation, l'idée que la Souveraineté est double, qu'elle a deux faces, l'une plus cosmique, plus magique, plus terrible, l'autre plus humaine, plus juridique, plus pieuse, rappelle — d'assez loin cependant — des types de bipartition connus dans le monde : royauté double, par exemple, avec un roi gouvernant et un roi prêtre, ou avec un roi de la paix et un roi de la guerre.

Mais, d'abord, les formes que revêtent, chacune prise à part, l'une et l'autre de ces représentations, à Rome et dans l'Inde védique précoce, sont particulièrement nettes : d'un côté, triades hiérarchisées, et bien liées, de dieux fortement caractérisés ; de l'autre, couples de figures divines antithétiques et articulées, doublés de couples de héros fondateurs dont la personnalité, simple de formule, est richement illustrée. Et surtout, ces deux représentations, à Rome comme dans l'Inde, ne se montrent pas à nous indépendantes, dans deux cadres différents ; par une fusion de la Souveraineté et du niveau religieux de la hiérarchie tripartite, elles sont imbriquées l'une dans l'autre, ajustées, le couple des Souverains complémentaires formant et formant seulement le premier terme de la hiérarchie tripartite.

Ajoutez à cela que, à Rome comme dans l'Inde, des récits racontent comment s'est constituée la société tripartite, ici divine, là humaine, et que ces récits sont de même sens, racontant d'abord un dur conflit entre les représentants des deux niveaux supérieurs et ceux du troisième, non encore associés, séparés même par le mépris, puis une paix brusque aboutissant à une union totale, que plus rien ne troublera. Ajoutez, sur le premier niveau, celui de la Souveraineté religieuse, soit directement attestés dans la pratique, soit projetés dans des figures mythiques, des couples de corps sacerdotaux à caractères opposés comme le sont les deux dieux souverains eux-mêmes : à Rome, Luperques de Romulus, flamines de Numa ; dans l'Inde, Gandharvas de Varuṇa, brahmanes couverts par Mitra — flamines et brahmanes, d'une part, Luperques et Gandharvas, d'autre part, présentant d'ailleurs, dans leurs signalements ou dans leurs statuts, d'impressionnantes rencontres. Ajoutez bien d'autres traits qui ont été collectionnés et que je ne puis ici rappeler. Je ne crois pas, bien qu'ayant souvent cherché, qu'en aucun point du monde autre que l'Inde (ou plutôt les Indo-Iraniens) et Rome, et d'autres provinces indo-européennes dont je vais parler, on rencontre, avec ces précisions et ces prolongements conceptuels, épiques, etc., la même charpente complexe. En rencontrerait-on quelques cas dans des lieux éloignés (car, dans l'ancien monde, sur le pourtour et dans les enclaves du domaine indo-européen historique, je viens de le dire, la vérification est facile, est faite, et négativement concluante) que, même alors, l'héritage commun, à Rome et chez les Indo-Iraniens, resterait pourtant l'explication la plus vraisemblable, plus vraisemblable qu'une double fabrication indépendante, et cela pour la raison suivante.

Outre Rome et les Indo-Iraniens, une autre province du domaine indo-européen préchrétien présente la même structure idéologique. Ce sont les Scandinaves, les seuls justement, avec les peuples classiques de l'Europe et de l'Asie, qui nous aient laissé des renseignements systématiques et clairs sur leur pensée.

Là encore, dans des formules, dans des légendes, s'observe un groupement de dieux qui, avec des glissements, les uns propres à tout l'ensemble germanique (comme la généralisation des préoccupations guerrières), d'autres propres à la Scandinavie ou à telle partie de la Scandinavie ou de la société scandinave, s'établissent en tout cas, en gardant leurs distances et leurs rapports, aux trois mêmes niveaux : le souverain-magicien Ôdhinn, puis le frappeur solitaire Thôrr, puis les dieux de la richesse et de la fécondité, Freyr, ou bien Njördhr et Freyr. Ce groupement n'est pas une vue de l'esprit : c'est celui, par exemple, qu'un voyageur allemand chrétien a vu, avec indignation, figurer, fonctionner dans le temple païen d'Upsal ; celui qui garantit dans les sagas des formules de malédiction ; celui qui intervient dans le récit mythique sur les joyaux divins, dans la grande bataille de l'eschatologie, etc. Et c'est le système triparti dans toute sa pureté.

Ce n'est pas tout. Au premier niveau, Ôdhinn n'est pas seul ; il a près de lui un autre dieu qui, lui, porte le nom même du Zeus et du Jupiter méditerranéen, Tŷr, un dieu qui est orienté vers la guerre comme le magicien Ôdhinn lui-même, comme toute chose chez les Germains anciens, mais qui reste néanmoins, à l'assemblée du thing, dans les serments, à la guerre même, un dieu des procédures.

Ajoutez que le récit sur la formation mouvementée de la société divine tripartite, déjà signalé dans l'Inde et, transporté sur la société humaine, à Rome, se retrouve ici, constituant l'histoire de la guerre, puis de la fusion des dieux Ases et des grands dieux Vanes, c'est-à-dire des dieux du niveau d'Ôdhinn et de Thôrr et des dieux Njördhr, Freyr, Freyja. Ajoutez que des symbolismes très précis, sur lesquels je ne puis m'étendre, se retrouvent à ce niveau, aussi bien chez les Scandinaves que chez les Romains : chez les Scandinaves, Ôdhinn, le magicien paralysant, est *borgne* et le procédurier Tŷr, en rançon d'un faux-serment héroïque, nécessaire au salut des dieux, devient *manchot* ; chez les Romains, des deux sauveurs de la République naissante, l'un, le terrorisant Coclès, *n'a qu'un œil* — et il est terrorisant parce qu'il est « coclès », Cyclope — et l'autre, le jureur héroïque Scaevola, le Gaucher, devient gaucher, *manchot*, à l'occasion de son serment (et de ce symbolisme, l'Inde a au moins des traces).

Ainsi se dessine une troisième fois, enrichie même de nouvelles concordances, la structure idéologique complexe que Rome et les Indo-Iraniens avaient en commun. Il était peu probable qu'elle se fût constituée deux fois. Mais trois ? Et justement trois fois chez des peuples parlant des langues indo-européennes, alors que non seulement les peuples non indo-européens du vieux monde que j'ai mentionnés au Sud, Égyptiens, Babyloniens, etc., mais, en outre, les peuples non indo-européens du Nord, les Finno-Ougriens et les peuples de Sibérie, ne présentent à aucun moment rien de tel ? Je crois donc qu'on peut dire que la rareté de la structure, et le fait qu'elle n'apparaît que dans les idéologies de peuples parlant des langues indo-européennes, empêche d'attribuer l'accord constaté aussi bien à une pente ordinaire de l'esprit humain ou de la vie collective qu'à un caprice du hasard. Reste l'héritage commun — ou l'emprunt, dont j'ai fait, jusqu'à présent, abstraction.

*
* *

L'emprunt est une explication qui séduit, qui paraît économique, qui s'insère en tout cas dans un vaste groupe de faits observables, incontestables. Les sociétés humaines, en paix et en guerre, ne cessent de s'emprunter, d'imiter les voisins. L'histoire des littératures et des arts est en grande partie l'étude d'influences ; l'étude de la circulation de thèmes, d'inspirations, de genres, de styles ; l'étude, aussi précise que possible, d'intermédiaires, dans le temps et dans l'espace. Dès avant l'histoire, avec ou sans migrations de peuples, il est certain que les techniques, les figures décoratives, ont fait de longs voyages, et aussi, déjà, des motifs de contes, tel celui de Polyphème ; des foyers, comme tout ce qui dépend de Babylone, ont rayonné par ondes grossièrement concentriques ; à toute époque, des hommes bien doués, individus ou groupes, ont su couvrir d'immenses itinéraires, se faisant bien voir parce qu'ils enseignaient ou racontaient des choses nouvelles et intéressantes. Alors, ces imposantes rencontres entre les idéologies de l'Inde, de l'Iran, de Rome, de la Scandinavie, ne seraient-elles pas dues, toutes ou quelques-unes, à une telle circulation ? La structure, ou de gros fragments, ou des détails à partir desquels le reste pouvait aisément se reformer, auraient été constitués une fois, en un lieu, par une société particulière, et de là, par les voies imprévisibles de l'emprunt, auraient atteint et intéressé telle et telle autre société qui les aurait adoptés.

C'est un grand débat qui s'ouvre ici. Je me garde de nier globalement la validité de toute explication de ce genre dans les problèmes que j'étudie ; je reconnais, au contraire, que, soit entre peuples indo-européens historiquement voisins (non seulement la Grèce et Rome, mais Iraniens et Grecs, Indiens et Iraniens), soit même entre peuples historiquement à la fois séparés par de grands espaces et rapprochés d'une certaine manière par une humanité mouvante, nomade (comme l'étaient les Scandinaves et les Iraniens du Nord au Moyen Age), de multiples actions d'influences se sont exercées. Mais de telles actions ont-elles vraiment pu, à l'époque où il faudrait les reporter, produire des rencontres comme celles que j'ai tout à l'heure brièvement signalées ?

Il y a d'abord le contexte linguistique, qui rend l'emprunt peu probable : personne, que je sache, ne proposerait d'admettre que les mots latins *rex, pater, jus, lex, deus, credo, fides, purus, castus, voveo,* et d'autres, qui expriment des notions fondamentales ou importantes dans la vie politique ou religieuse, aient été empruntés des Indo-Iraniens, chez qui ces mots existent et désignent les mêmes notions ou des notions très voisines : tout le monde, pour les mots, admet l'héritage commun. Or, plusieurs de ces mots (*rex* lui-même, *credo, fides...*), et leurs correspondants indiens, sont fortement engagés, aux mêmes places précises, dans la structure idéologique dont nous débattons l'origine : le héros de la *fides,* c'est Numa, ce n'est pas, ne peut pas être Romulus ; le héros de la *çraddhâ* (qui est la notion indienne étymologiquement apparentée à *credo* et donc sémantiquement superposable à *fides*) est, de même, Manu, ce n'est pas, ce ne peut pas être Purûravas : nous avons ici le même morceau de la structure d'ensemble, noté par le même mot. Dira-t-on que le vocabulaire serait hérité des deux côtés, mais que le système de représentations auquel il est techniquement lié aurait été ensuite fortuitement emprunté d'un des deux côtés ? C'est peu vraisemblable.

Il y a ensuite des difficultés quant aux intermédiaires. À moins de tout attribuer au voyage heureux et à l'action merveilleusement efficace d'un individu ou d'une équipe, entre l'Inde védique ou l'Iran archaïque et la Rome royale, quelle est la voie régulière, quels sont les groupes humains perméables qui auraient pu assurer la transition ? Justement la société grecque, non plus que la langue grecque, ne participe presque pas aux analogies en question, ni les autres peuples navigateurs non indo-européens de la Méditerranée. Quant à la Scandinavie, dans l'ossature de son paganisme attardé du IXe ou du XIe siècle de notre ère, elle offre des analogies non pas avec les structures religieuses de l'Inde ou de l'Iran ou de la Rome de la même époque (époque à laquelle des influences orientales et occidentales ont certainement agi), mais avec l'ossature de la partie la plus ancienne, et périmée dès avant notre ère, de la religion védique et de la religion romaine. Pour ne parler que de ce qui peut venir de l'Orient, pas de bouddhisme, pas de Brahmâ-Vishnu-Çiva, pas de philosophie, pas de mazdéisme, pas de manichéisme : c'est au groupement védique et prévédique « Mitra-Varuna, Indra, Nâsatyas », attesté épigraphiquement 1 400 ans avant notre ère, attesté dans plusieurs hymnes et rituels védiques, mais déjà, dès lors, passé d'actualité, que fait penser, 2 500 ans plus tard, le système scandinave « Tyr, Ôdhinn, Thôrr, Njördhr, Freyr ».

On ne peut certes pas démontrer qu'il n'y a pas eu, 1 500 ou 1 000 ans avant J.-C., soit contact, soit communication par intermédiaire, entre les Indiens ou futurs Indiens et les futurs Scandinaves, ou entre ceux-ci et les envahisseurs de l'Italie. Mais alors on est obligé d'admettre, après cet emprunt très ancien, une très longue et très bonne conservation solitaire, — cette conservation même qui paraît être ce qui gêne certains esprits quand on leur parle d'« héritage indo-européen » et qu'il faudrait au moins que l'hypo-thèse de l'emprunt, pour être supérieure à l'autre, permît d'écarter ; je ne vois donc pas comment l'emprunt précoce, préhistorique, suivi de cette longue conservation, serait, en soi, plus plausible que l'héri-tage. Je vois, au contraire, contre l'emprunt, une difficulté supplémentaire, celle qui a déjà été utilisée tout à l'heure contre les explications par le hasard ou par la nécessité naturelle, mais qui est, ici encore, décisive : il faudrait admettre que ces représentations circulantes, quel qu'en ait été le véhicule, ne se sont accrochées, en tout cas, électivement, qu'*à des peuples parlant des langues indo-européennes*, à l'exclusion des peuples parlant finno-ougrien, ou sémitique, ou égyptien, ou caucasique ; admettre aussi que, sur ce terrain indo-européen, elles se sont si bien acclimatées qu'elles se sont deux ou trois fois installées au centre, en *charpente*, je le répète, de l'idéologie. Cette affinité pour les Indo-Européens, cette option automatique, cette sélection infaillible et ces réussites très localisées, seraient bien étranges et contraires à ce qu'on voit dans tous les cas connus de circulation, d'influence, d'emprunt, où des peuples de toutes langues, de toute origine, sont intéressés.

En répétant le mot « charpente », je viens de toucher un troisième ordre de difficultés qui rend intenable l'explication générale par l'emprunt. Ce n'est pas peu de chose qui aurait circulé, c'est l'idéologie, et c'est gros. Il y a bien eu, plus tard, de grands mouvements prosélytes, bouddhisme, christianisme, manichéisme, islam. Mais ces annexions intellectuelles et morales prenaient appui sur des livres saints, sur des bibliothèques qui se traduisaient en mainte langue, en toute langue ; rien de tel aux hautes époques qui nous concernent. Or, en dehors de cette véritable marée idéologique que fut chaque fois l'expansion d'une religion à Écritures, ce qu'on observe, au temps des Croisades, et plus tard, et plus tôt, c'est surtout la circulation de thèmes littéraires, de thèmes qui se transforment peu, s'adaptent peu, justement parce que, ne s'accrochant nulle part à l'essentiel de la vie des peuples, restant des ornements, des *minora*, d'agréables leçons ou délassements, ils peuvent garder leur caractère, au besoin leur étrangeté.

Mais nous, nous avons affaire à une explication du monde, qui soutient la structure sociale, qui fournit les légendes des origines et, par conséquent, les modèles sur lesquels se règle la vie collective et même individuelle ; une idéologie qui donne à Rome Romulus et Numa, Coclès et Scaevola aussi bien que ses plus grands prêtres et ses plus grands dieux, Jupiter, Mars, et le patron des *Quirites*, et d'autres encore. Cette idéologie présente, des hommes, des choses et de leurs rapports, une analyse précise, maîtresse d'elle-même, et suppose le maniement de multiples sortes d'abstractions. Bref, il s'agit non de balbutiements primitifs, prélogiques, prédéistiques, « manaïques », mais d'une vraie philosophie, à expression à la fois symbolique et discursive, plus intéressée par les questions de l'*ordre* que par les questions de la *nature* ou de l'*être*, réservées aux penseurs de l'avenir, mais une philosophie cohérente, dont les usagers avaient certainement conscience et qui ne fait pas si piètre figure à côté de ses cadettes, les inventions de l'Ionie, de la Grande-Grèce et du Gange. Si la Rome royale avait emprunté ce qu'on voit, dans son idéologie et dans tout ce qui en dépend, d'homologue à l'idéologie indo-iranienne, il ne faudrait plus parler d'emprunt, mais de conversion, de métamorphose. Considérera-t-on une telle métamorphose préhistorique, accomplie sous une influence plus ou moins lointaine, comme un phénomène plus pensable que ne l'est la conservation, dans plusieurs branches d'Indo-Européens séparées par leurs migrations, de l'essentiel de leur commun patrimoine — alors qu'on sait d'avance, par les langues, que ce patrimoine a existé ? Je ne crois vraiment pas.

Pour me résumer, il me paraît que l'hypothèse de coïncidences fortuites et celle de plusieurs fabrications similaires commandées par les conditions de l'esprit humain ou de la vie collective ne correspondent pas à l'ampleur, à la cohérence, à l'originalité des correspondances ; et que l'hypothèse de l'emprunt, dans le cas général, n'est pas ajustée à l'importance vitale des systèmes concordants, ni au fait qu'ils s'observent exclusivement chez des peuples parlant des langues dérivées de l'indo-européen. L'explication qui soulève le moins de difficulté, c'est l'héritage.

Mais, au moment où j'achève cette justification, je dois revenir, insister sur un point : nous ne reconstituerons pas ici, nous n'aboutirons jamais à décrire pour lui-même un fait ou un système de faits « du temps » des Indo-Européens. Pas de *leichte Vorstellungen* [1] ! Comme font les historiens, nous travaillerons sur les documents, et sur les mêmes documents qu'eux, et nous n'en dépasserons pas les enseignements ; simplement, grâce aux procédés comparatifs, avec les moyens et les garanties qu'ils donnent, nous irons un peu plus loin — je ne dis pas « jusqu'au bout » : qui sait où est le bout des choses ? — mais nous irons un peu plus loin dans la lecture des documents. Aux dimensions où l'œil, même armé de verres, ne voit plus directement, les physiciens modernes prolongent quelque temps l'équivalent d'une vision par l'artifice des ultramicroscopes ; de même, nous gagnerons dans le passé la trace, mais une trace précise, de quelques faits antérieurs à ceux qu'on connaissait, et cela en ajoutant aux procédés ordinaires l'observation comparative, la comparaison interprétée que je viens rapidement d'illustrer devant vous. Nous ne disputerons pas la préhistoire aux préhistoriens qui ont leurs problèmes à eux, et leurs techniques. Nous aiderons les historiens des civilisations romaine, indienne, iranienne, etc., à allonger un peu leur histoire, à clarifier surtout la pénombre du début. Ce sera, si vous voulez, sur chacun de ces domaines, de l'*ultrahistoire*.

*
* *

Je ne vous exposerai pas un programme de travaux à entreprendre dans les années qui viennent : une recherche comme celle-ci doit être libre, à l'affût des occasions imprévues. Mais je puis vous donner une idée des types d'enquêtes et de problèmes qui se présentent.

---

1. « Représentations superficielles » (H. C.-B.).

D'abord, nous continuerons l'établissement des concordances indo-européennes en tant que telles. C'est, je pense, notre vocation principale. Elle comporte deux mouvements : explorations nouvelles et retours en arrière, car ce qui a été trouvé doit sans cesse être révisé, en soi, et en liaison avec ce qui se découvre ensuite.

Puis, forts de ce que nous avons déjà trouvé, forts de ce point de départ situé un peu au-delà de l'histoire courante, nous pouvons, nous devons, pour chacune des anciennes sociétés indo-européennes, nous retourner franchement sur l'histoire, nous occuper autant des différences que des concordances, c'est-à-dire préciser comment ce que nous avons reconnu héritage a été pourtant retouché, soit développé, soit desséché, ou autrement éclairé, ou pénétré d'un nouvel esprit, ou associé ou incorporé à d'autres systèmes de représentations ou d'institutions ; déterminer aussi, quand c'est possible, les facteurs de ces évolutions précoces ou tardives : vrais problèmes d'histoire, vous le voyez. À propos de la formation des légendes romaines royales, à propos de la formation de la théologie zoroastrienne, ce type de recherches différentielles a déjà été abordé. Il faut poursuivre et quand, au détour d'une question, un accès favorable apparaîtra, il faudra essayer de procéder de même pour d'autres parties du domaine.

Corrélativement, nous accomplirons une tâche de discussion, de critique. En l'absence de considérations comparatives indo-européennes, les latinistes, les indianistes, les scandinavistes, etc., se sont fait des origines « ultra-historiques » des sociétés qu'ils administrent certaines images. Ils ont résolu à leur manière ce problème des origines, parce qu'il s'impose. Mais, comme toute solution chiffrée donnée à un problème indéterminé, ces images contiennent forcément une grande part d'arbitraire : chacun a adopté, pour l'élément inconnu « héritage indo-européen », une valeur de son choix, en général presque nulle, négligeable (rappelez-vous le texte de M. Nilsson), et calculé ensuite sur cette base les autres éléments, et déduit de ces premiers résultats maintes conséquences. Or, nos études, si elles n'achèvent pas de déterminer le problème (il reste des éléments inconnus, et d'abord le mystère des substrats), contribuent du moins à le déterminer davantage : la quantité « héritage indo-européen », en gros, se fixe. Nous devons donc, aussi aimablement qu'on nous permettra de le faire, et respectueux d'efforts savants et intelligents, nous devons pourtant rétablir un énoncé moins incomplet, donc moins incorrect, des problèmes fondamentaux et de tous ceux qui en découlent, reposer certaines questions qui ont été trop vite éliminées, éliminer, au contraire, de faux problèmes nés des hypothèses initiales arbitraires.

Cette discussion a, pour les philologies elles-mêmes, pour l'appréciation des sources, des suites faciles à prévoir. En général, les constructions arbitraires auxquelles je viens de faire allusion rencontrent des obstacles dans les documents eux-mêmes, indiens, scandinaves, latins, etc. Aussi, depuis cinquante ans, dans toutes les philologies, enregistre-t-on une tendance à suspecter, à annuler la valeur de ces témoins gênants, qui sont les grands témoins : ce sont, nous dit-on, des artistes, qui ont purement et simplement inventé, sans malice ; ou des mosaïstes, qui ont combiné ; ou des esprits bornés, qui n'ont rien compris ; ou des penseurs, qui ont tout changé ; ou même des faussaires — du XVIIIe siècle ; les brâhmanas, les gâthâs avestiques, Snorri, Saxo, Tite-Live, Varron, Servius ne tiennent pas devant une savante critique qui n'a ni frein sur elle, ni barrière devant elle ; qui, de livre en livre, d'article en article, bat ses propres records. Or, les positions que nous occupons mainte-nant un peu au-delà de l'histoire sont un commence-ment de barrière, et les faits comparatifs dont nous disposons, un commencement de frein : nous pouvons critiquer la critique. En fait, dans presque tous les cas, ce contrôle aboutit à une restauration, à rendre la vigueur aux victimes et l'honneur aux suspects. Le premier livre de Tite-Live, si l'on a compris une fois la forme et la mesure de ce qu'il donne, est une source excellente. L'Ovide des *Fastes* est un folkloriste et un mythographe de grande classe. Snorri, l'artiste Snorri, a été aussi un collecteur consciencieux. Les gâthâs de Zoroastre ne sont pas des catacombes sans clef ni soupirail. Les spéculations des brâhma*n*as, les légendes des épopées de l'Inde sont souvent conservatrices, etc. Dès cette année, le samedi, avec le premier livre de l'*Histoire danoise* de Saxo Grammaticus, nous ferons appel d'un de ces jugements.

Un autre type de problèmes concerne les unités intermédiaires qui ont subsisté quelque temps entre l'unité indo-européenne et les sociétés historiquement connues. Dans l'état de la documentation, la plus importante est l'indo-iranienne. Il y en a d'autres : les Latins du VIIIe siècle émergent à peine de l'ensemble italique ; la Scandinavie tient par bien des fibres à l'ensemble germanique. Il faut préciser ces unités en les observant par les deux bouts, par ce qui a suivi et par ce qui avait précédé. Ces considérations conduiront sans doute à retoucher souvent nos premières images — les retouches seront naturellement les bienvenues. Dès cette année, le jeudi, nous aborderons une étude de cet ordre : prolongeant les vues exposées, il y dix ans, à propos des deux principaux dieux souverains, Mitra et Varu*n*a, c'est tout le collège des dieux souverains védiques, des Âdityas, groupés autour de ces deux dieux majeurs, que nous examinerons pour en dégager le système, et, par la considération de représentations iraniennes reconnues homologues, nous tâcherons de déterminer dans quelle mesure ce système est indo-iranien, et dans quelle mesure proprement indien.

Enfin, nous nous éloignerons quelquefois des Indo-Européens : tels phénomènes étudiés dans la forme particulière qu'ils revêtent sur tout ou partie de ce domaine se comprendront mieux quand on les comparera, non plus pour établir une parenté géné-tique, mais pour les classer dans leur type, à des phénomènes plus ou moins homologues signalés sur d'autres domaines, près ou loin d'eux. Ce travail, je le sais, me dépasse. Mais tant que cette maison n'aura pas retrouvé l'enseignement fondé par M. Mauss, rendu à la sociologie comparative, à l'école française de sociologie, un siège digne du renom dont elle jouit à l'étranger, il faudra bien que ceux qui ne sont pas sociologues, mais qui savent ce qu'ils doivent à l'enseignement, à l'exemple, à l'impulsion d'un Marcel Mauss, d'un Henri Hubert, d'un Marcel Granet, rappellent au moins, de temps en temps, l'existence de ces matières capitales.

Voilà, messieurs, les cinq ou six cages qui entourent cet enseignement et où grondent des problèmes mal dénombrables, sûrement nombreux. Samedi, jeudi, nous en saisirons deux, ou ils nous saisiront. À ces duels, comme il convient dans une discipline naissante, nous apporterons hardiesse et humilité, résignés à tomber parfois dans l'erreur, mais résolus, dès que nous la reconnaîtrons ou qu'on nous la fera reconnaître, à la rendre féconde par l'examen des conditions qui l'auront permise ou favorisée. Par le choix généreux d'hommes qui représentent ici des sciences déjà avancées, mais toujours conquérantes, ces murs vont assister une fois de plus, non pas à l'impeccable exposition d'un savoir raffiné, mais à des tâtonnements, à des repentirs, à des approximations successives, à l'horrible naissance de ce qui sera plus tard, beaucoup plus tard, dans les manuels, d'inoffensives, de petites vérités.

PREMIÈRE PARTIE

LE TRAVAIL DE L'ŒUVRE

On l'a déjà dit, la question mythologique qui a préoccupé Georges Dumézil du début à la fin n'a pas varié : c'est la restitution de la mythologie indo-européenne, mythologie dont on n'a aucun témoignage direct et qui ne peut être reconstituée que par la comparaison de ses rejetons dispersés du monde indien à l'extrême Occident irlandais et de la Scandinavie à l'empire hittite. Mais ce cheminement ne s'est pas fait sans heurts : « Dieu écrit droit sur des lignes courbes », et Georges Dumézil n'est parvenu à dégager les principes directeurs de sa recherche qu'après une longue période de tâtonnements jusqu'à la découverte capitale de 1938, qui a ouvert la voie à l'étape des explorations, à laquelle a succédé à la fin de sa vie la période des bilans.

*
* *

Georges Dumézil avait vraiment la vocation de la mythologie puisque, dès son plus jeune âge, il se régalait de la lecture d'Héraclès ou des contes de Perrault et que, dès le secondaire, il s'initiait au sanscrit. Pourtant, il a failli hésiter à la fin de l'enseignement secondaire entre les sciences et les lettres. Il a souvent raconté l'effet prodigieux qu'avait eu sur lui la lecture du livre de Jean Perrin *Les Atomes* (1913) : « On sentait vraiment qu'un monde basculait. » En même temps que Normale supérieure, il trouvera encore le temps de suivre une classe de maths spé. Mais la vocation est trop forte et les lettres l'emportent définitivement.

Reçu à l'École normale supérieure en 1916, il n'y reste que quelques mois avant d'être mobilisé l'année suivante.

Il a raconté à la fin de sa vie ce que l'épreuve de la guerre avait représenté pour lui, comment il avait dû abandonner les péripéties du siège de Syracuse pour être plongé dans la guerre en train de se faire. Après l'armistice il retourne à Normale sup, passe avec succès l'agrégation des lettres et est nommé en 1920 professeur au lycée de Beauvais, mais il n'a pas la vocation de l'enseignement secondaire. Au bout de six mois, il se fait mettre en congé. Il est lecteur à Varsovie pendant quelques mois, puis, tout en vivant d'expédients (il écrit des discours pour un député, corrige des épreuves, est correspondant d'un journal roumain...), il commence la rédaction de sa thèse qu'il soutiendra en 1924 et qu'il fera publier, grâce à la protection d'Antoine Meillet alors tout-puissant, dans la collection des annales du musée Guimet.

Le Festin d'immortalité essaie de reconstituer une mythologie de la boisson sacrée chez les peuples indo-européens : l'ambroisie chez les Occidentaux, l'amŕta chez les Indiens. Dès 1939, Georges Dumézil prendra ses distances par rapport à ce livre, dans lequel « un problème important avait été entrevu mais mal posé ». Le mythe indien est tardif. Quant au mythe germanique de l'hydromel, il est en fait inventé de toutes pièces pour les besoins de la démonstration. Pourtant, ce livre, malgré ses défauts, constitue le point de départ de tout ce qui va suivre, car si la partie démonstrative ne tient pas, le programme esquissé dans la préface ne sera plus remis en cause.

Durant les années qui suivent, Dumézil persiste à reprendre les anciens problèmes posés, avec un résultat peu concluant, par la mythologie comparée du XIXᵉ siècle, dans une optique inspirée à la fois par le naturalisme de James George Frazer (dont le monumental Rameau d'or domine toute la recherche mythologique et folklorique de cette période) et par la linguistique : le point de départ de la recherche demeure, comme chez ses précurseurs malheureux du XIXᵉ siècle, des équations onomastiques. De même que Le Festin d'immortalité partait de l'équation ambroisie-amŕta, le livre suivant, Le Problème des Centaures, est fondé sur l'équation kentauros-gandharva à laquelle Meillet lui a suggéré d'adjoindre februus. Suivront deux volumes plus petits, mais inspirés par la même démarche, Ouranos-Varuna (1934) et Flamen-Brahman (1935). Par la suite, Georges Dumézil a répudié ces ouvrages inspirés par une méthode erronée dans son principe. Dans Le Problème des Centaures, des éléments documentaires sont à la rigueur utilisables, mais la thèse est erronée. *Ouranos-Varuna* et *Flamen-Brahman* ne valent pas mieux, mais ils ont tout de même joué un rôle en maintenant l'attention de Dumézil sur l'idéologie royale.

L'accueil reçu par ces reconstructions hasardeuses est pour le moins réservé, et même souvent franchement hostile. Nilsson, qui domine alors l'histoire de la religion grecque, fait un compte rendu très critique du *Festin d'immortalité*. Meillet lui-même, qui a d'abord imposé Georges Dumézil, prend progressivement ses distances, car l'entreprise de son jeune disciple lui paraît de plus en plus hasardeuse et il ne veut pas compromettre son statut de chef d'école en favorisant la répétition des impasses du XIXe siècle. Il fait un compte rendu très prudent du *Festin d'immortalité* et conseille à Dumézil de poursuivre sa carrière hors de France car il n'y a pas de place pour lui dans l'université française.

En 1925, Dumézil est nommé professeur d'histoire des religions à l'université de Constantinople : Mustafa Kemal Atatürk a entendu dire que l'histoire des religions était un puissant moyen de sécularisation et il l'a imposée au programme de toutes les disciplines, y compris les sciences. Dumézil, qui n'a pu obtenir le poste de lecteur à l'université d'Upsal (le titulaire d'alors s'y trouve tellement bien qu'il s'y fait renouveler tous les deux ans et refuse de rentrer), a accepté cette solution de rechange. Il passera à Constantinople six années, « les plus heureuses à tous égards de ma vie ». C'est là qu'il commence à étudier la linguistique caucasienne. En 1931 il publiera *La Langue des Oubykhs*, peuple que l'on croyait disparu depuis son grand exode consécutif à la conquête russe à la fin du XIXe siècle et qui n'était connu que par les travaux très fragmentaires et imparfaits de l'Allemand Adolf Dirr qui les avait redécouverts. De 1931 à 1933, il est enfin lecteur à l'université d'Upsal où il s'initie aux langues scandinaves.

Rentré en France, il se trouve dans une situation difficile. Sur un plan institutionnel, un élève abandonné par son maître, surtout quand celui-ci a la stature d'un Meillet, n'a plus guère d'espoir de faire une carrière dans l'université ; sans poste, il travaille pendant quelques mois pour le quotidien *Le Jour*, dans lequel il tient une chronique de... politique étrangère. Sur un plan scientifique, ses recherches mythologiques ont abouti à un échec et il songe à se vouer entièrement à la linguistique caucasienne et arménienne à laquelle il consacre neuf livres entre 1931 et 1938.

Deux hommes providentiels vont le sortir d'affaire. Sylvain Lévi le prend sous sa protection à l'École pratique des Hautes Études et l'impose comme chargé de conférences en 1933, puis comme directeur d'études en 1935. Sur un plan scientifique, il va suivre pendant trois ans les conférences du sinologue Marcel Granet qui lui apprend « à trente-cinq ans passés ce que doit être une explication de texte ». Va pouvoir s'ouvrir à partir de 1938 la deuxième période de la recherche dumézilienne.

En 1930, dans un article du *Journal asiatique*, Georges Dumézil avait mis en évidence une structure sociale commune aux Indiens, aux Iraniens et aux Scythes, fondée sur une tripartition de la société. Mais la hiérarchie des trois classes n'était pas encore fixée (chez les Scythes, les guerriers l'emportent sur les magiciens), et surtout Dumézil n'avait absolument pas conscience de l'importance de la division qu'il venait de mettre en évidence : « Il devait circuler dans tout le vieux monde indo-iranien un certain nombre de légendes d'un même type (peu ambitieux) pour expliquer la division (peu importante) de la société. » Deux ans plus tard, dans la même revue, le linguiste Émile Benveniste reprenait la démonstration et lui donnait plus d'ampleur en montrant qu'il ne s'agissait pas seulement de structure sociale, mais d'une conception du monde présente dans tous les secteurs de la société indo-iranienne. Mais à ce moment-là, Dumézil se concentrait encore sur l'idéologie royale et il n'avait songé à aucun rapprochement avec les Indo-Européens occidentaux.

Le déclic va se produire seulement à la fin de 1937 ou au printemps 1938, lors de la préparation d'un de ses cours à l'École pratique des Hautes Études. Dumézil a soudain l'intuition de l'existence, « à côté de l'organe double que forment le *rex* et le *flamen dialis*, d'un autre ensemble : la hiérarchie, sous le *rex* et au-dessus du *pontifex maximus*, des trois *flamines maiores* et par conséquent des dieux qu'ils servent, Juppiter, Mars, Quirinus ». Cette triade sacerdotale lui paraît faire le pendant des triades « sociales » observées chez les Indo-Européens orientaux, et il en tire la conclusion que cette tripartition des activités ou des catégories sociales est le reflet d'un panthéon et, plus généralement, d'une vision du monde qu'il appellera plus tard une idéologie. Cette découverte est présentée d'abord à ses auditeurs (très peu nombreux) de la Ve section des Hautes Études en avril 1938, puis exposée dans deux conférences en mai et en juin à la société Ernest-Renan et à l'Institut français de sociologie. L'accueil des sociologues est d'emblée très favorable : Marcel Granet adhère au schéma proposé, de même que Marcel Mauss. Chez les philologues, Benveniste, qui, comme les autres élèves de Meillet, avait réagi négativement aux premiers écrits de Dumézil, se rallie peu après. En revanche, la réaction des historiens est plus circonspecte : Piganiol exprime une réserve qui se transformera bientôt en hostilité militante. Le texte de la conférence à la société Ernest-Renan est publié dans le dernier fascicule de 1938 de la *Revue d'histoire des religions*. Les circonstances vont empêcher que cet article rencontre un large écho. Mais à l'étranger, certains lecteurs qui deviendront illustres adoptent le schéma proposé dès qu'ils en ont connaissance : le celtisant Myles Dillon en Irlande et surtout l'iranisant Stig Wikander en Suède, qui apportera une contribution capitale en 1947 en montrant la structure trifonctionnelle de la grande épopée indienne, le *Mahābhārata*.

Une fois sa découverte faite, Dumézil entreprend de la vérifier dans les différents secteurs de la mythologie indo-européenne. La mythologie germanique est la première à bénéficier de cette relecture, non point de propos délibéré, mais pour une raison conjoncturelle : Paul-Louis Couchoud lui avait commandé pour sa collection « Mythes et religions » un livre sur les Germains et l'ouvrage était quasiment terminé lors de la découverte de 1938. Dumézil l'a remanié après coup pour y introduire la tripartition fraîchement mise en évidence. C'est ce qui explique le caractère quelque peu décousu de l'ouvrage et la présence de développements qui n'ont rien de triparti.

Le premier cours qui entreprend d'appliquer le schéma triparti en 1938-1939 est consacré à la première fonction, celle de la souveraineté. Un tel choix est dicté non seulement par la hiérarchie fonctionnelle, mais aussi par la familiarité acquise avec la souveraineté lors des travaux antérieurs de Dumézil, notamment *Ouranos-Varuna* et *Flamen-Brahman*. En 1934, Sylvain Lévi « avait accueilli notre *Ouranos-Varuna*, mais il soulevait une difficulté : "Et Mitra ?" Au début de 1938, discutant à la société Ernest-Renan la communication où nous avions confronté la hiérarchie romaine des trois flamines majeures et la tripartition brahmanique de la société, M. Jean Bayet tirait de l'appellation même du *flamen dialis*

une difficulté semblable : "Et Dius Fidius ?" » À partir de
ces deux objections, Dumézil va montrer le caractère double
de la fonction souveraine avec les couples Juppiter-Dius
Fidius à Rome, Mitra-Varuna en Inde... C'est ce dernier
couple qui donne son titre à l'ouvrage commencé dès 1937,
avant la découverte de la trifonctionnalité, et publié à un
très petit nombre d'exemplaires en mai 1940, alors que son
auteur est mobilisé, dans la « Bibliothèque des Hautes
Études ». Vite épuisé, il ne pourra être réédité avant 1948.

Dès le départ de l'enquête sur la trifonctionnalité, le parti
de Georges Dumézil est fixé et il n'en variera pas pendant
près de vingt ans : malgré toutes les critiques que suscitera
une telle démarche, il va multiplier les explorations sur des
domaines bien délimités, remettant à plus tard l'esquisse
d'une synthèse, ainsi qu'il l'écrit en 1940 : « Il nous paraît
de plus en plus que le comparatiste, au point où en sont
nos études, ne doit pas prétendre à ce "fini" qu'on requiert
justement du philologue ; il doit rester souple, mobile et prêt
à profiter des critiques. » Une circonstance heureuse va
faciliter ce dessein : Dumézil est lié avec Brice Parain,
directeur littéraire aux éditions Gallimard, qui lui accorde
une large hospitalité dans sa maison. Les parutions se
succèdent donc à un rythme très rapide. Les petits livres des
années quarante et cinquante ne sont que les conclusions
de ses cours aux Hautes Études et au Collège de France
rédigés dans des délais étonnamment courts. Le record
appartiendra à *Horace et les Curiaces* écrit en moins de trois
semaines.

Dans tous ces livres, les trois fonctions occupent évidemment la première place, mais celle-ci n'est pas pour autant
exclusive, contrairement à ce que soutiendront plusieurs
critiques. Dumézil s'est quelquefois agacé de voir son travail
ramené à une seule formule. À côté de ce thème essentiel,
l'enquête met progressivement en évidence d'autres aspects
de l'idéologie indo-européenne : le caractère double de la
souveraineté, l'existence d'une déesse multivalente, les
guerres de fondation, les rituels de l'Aurore... L'histoire
s'enrichit ainsi d'une frange d'« ultra-histoire » ; de vieilles
questions passionnément débattues par les historiens et les
philologues reçoivent un éclairage nouveau, qu'il s'agisse
d'un problème aussi fondamental que l'histoire des origines
de Rome ou d'un point particulier comme le refus des
druides de mettre leur savoir par écrit. De telles relectures
suscitent naturellement des oppositions véhémentes : « Vous

ouvrez des fenêtres, alors forcément, ça fait des courants d'air », lui déclare un des maîtres de l'Université. Mais elles reçoivent aussi des appuis de poids : outre Benveniste, l'helléniste Louis Robert, le latiniste Jean Bayet... En 1948, Dumézil entre au Collège de France.

À la fin des années cinquante, les « rapports de fouilles » presque annuels s'arrêtent, concurrencés par un retour en force de la linguistique caucasienne quelque peu délaissée depuis la guerre : en 1954, Dumézil a retrouvé des Oubykhs parlant leur langue (la nation oubykh, réfugiée en Turquie, trop peu nombreuse pour conserver son identité en exil, s'est fondue dans l'ensemble tcherkesse), et il a fébrilement entrepris de compléter et corriger ses descriptions trop « impressionnistes » d'avant-guerre ; en dix ans, de 1957 à 1967, paraîtront sept volumes et des dizaines d'articles, l'œuvre étant couronnée par Le Verbe oubykh, paru en 1975, « somme descriptive et comparative, portant sur la caucasique du Nord-Ouest dans son ensemble, mais aussi chef-d'œuvre d'analyse syntaxique et sémantique » (Charachidzé), cosigné par son informateur Tevfik Esenç, le dernier des Oubykhs à parler correctement sa langue.

La mythologie indo-européenne subit logiquement le contrecoup de cette activité linguistique : plusieurs titres annoncés (Jupiter Mars Quirinus V ; Janus : Essai sur la fonction initiale chez les Indo-Européens occidentaux ; Les Dieux souverains mineurs des Indo-Européens) ne verront pas le jour. Entre 1959 et 1966, aucun livre de mythologie indo-européenne ne paraît. Mais ce temps d'arrêt correspond aussi à la préparation de la troisième phase de l'œuvre dumézilienne : « Averti par la sagesse étrusque, je surveillais l'approche de la onzième hebdomade, seuil au-delà duquel il n'est plus permis à l'homme de solliciter la générosité des dieux. Le temps venu, j'ai donc entrepris d'établir un tableau ordonné, et une fois encore contrôlé, de ce que cette multiple quête me paraissait avoir dégagé de probable. » Les bilans sont des livres beaucoup plus gros que leurs prédécesseurs, destinés « à fournir à l'autopsie un cadavre aussi propre que possible ». Entre 1966 et 1979, douze bilans paraissent, entièrement nouveaux ou refondant des études antérieures.

Dans les années quatre-vingt, Dumézil améliore encore un ouvrage ancien, ainsi que l'un de ses tout premiers bilans. Pris par le temps, il renonce à mettre en chantier de nouveaux ouvrages et se « résigne à publier en forme d'esquisses des projets, des dossiers qui méritent mieux sans doute, mais auxquels je ne puis plus consacrer les mois, les années qu'il faudrait. D'autres écoliers s'en inspireront peut-être, ou du moins les mettront à l'épreuve ». Trois volumes d'esquisses paraîtront entre 1982 et 1985. Georges Dumézil travaillait au quatrième volume lors de sa mort, le 11 octobre 1986.

*
* *

Le texte qui suit ne peut donner qu'une faible idée du chemin parcouru entre le point de départ et le point d'arrivée. C'est pourtant l'historique le plus complet (on devrait dire : le moins sommaire) que Dumézil ait daigné consacrer à son itinéraire.

CHAPITRE PREMIER

A LA RECHERCHE DE L' « IDÉOLOGIE » DES INDO-EUROPÉENS

La toujours jeune étude comparative des langues indo-européennes fêtera bientôt son troisième demi-siècle : cent cinquante années d'évolution, coupées de mutations, qui ont bien transformé son premier visage. Les pionniers n'avaient pas entièrement renoncé à rêver sur l'origine du langage, sur la « langue primordiale », et même ceux qui insistaient avec le plus de force sur le fait que le sanscrit, parmi les membres de la famille, n'était pas la mère, mais une sœur, restaient comme envoûtés par une langue qui se présentait à eux non pas dans la fraîcheur d'une matière première, mais déjà analysée, autopsiée presque par des grammairiens plus perspicaces que ceux de la Grèce et de Rome : deux générations de linguistes ont donc attribué à l'indo-européen, contre le témoignage de la plupart des autres langues, le vocalisme simplifié du sanscrit. L'objet même de la nouvelle science ne s'est pas facilement défini : longtemps on voulut atteindre, recréer l'indo-européen, *un* indo-européen académique, celui qui se parlait, pensait-on, « au moment de la dispersion », et ce n'est que petit à petit que l'on comprit qu'il fallait, dès la préhistoire commune, admettre des différences dialectales ; que les mouvements de peuples dont nous ne constatons que les aboutissements avaient été séparés par des intervalles de temps parfois considérables ; et surtout que l'important n'était pas de reconstituer un prototype, ni de s'attarder sur la partie invérifiable des évolutions, mais d'en expliquer comparativement les parties connues. Du moins, à travers ces changements de perspective et de méthode qui étaient tous d'évidents progrès, la « grammaire comparée » n'a-t-elle jamais douté de sa légitimité ni de sa continuité. Tel n'a pas été le destin d'un autre ordre de recherches qui, né presque en même temps qu'elle, avait reçu le nom jumeau de « mythologie comparée ».

Dès le début de leur enquête, en effet, mesurant l'étendue et la précision des correspondances qu'ils découvraient entre les langues indo-européennes, les grammairiens et les philologues firent la réflexion très juste qu'une telle concordance témoignait de plus que d'elle-même. La communauté de langage pouvait certes se concevoir, dès ces temps très anciens, sans unité de race et sans unité politique, mais non pas sans un minimum de civilisation commune, et de civilisation intellectuelle, spirituelle, c'est-à-dire essentiellement de religion, autant que de civilisation matérielle. Des vestiges plus ou moins considérables d'une même conception du monde, de l'invisible comme du visible, devaient donc se laisser reconnaître d'un bout à l'autre de l'immense territoire conquis, dans les deux derniers millénaires avant notre ère, par des hommes qui donnaient le même nom au cheval, les mêmes noms au roi, à la nuée, aux dieux. Avec confiance, enthousiasme même, on se mit donc à la besogne. « On », c'est-à-dire les linguistes et les indianistes : qui pouvait l'entreprendre avec plus de moyens ? La sociologie, l'ethnographie n'existaient pas et la religion appartenait aux philosophes. Il se trouva malheureusement que les moyens mêmes qui paraissaient les qualifier les condamnaient d'emblée à trois graves erreurs d'appréciation.

Sur la matière de l'étude, d'abord. On fit vraiment de la « mythologie comparée ». Certes, dans ces sociétés archaïques, la mythologie était fort importante et c'est surtout de textes mythologiques que l'on dispose. Mais les mythes ne se laissent pas comprendre si on les coupe de la vie des hommes qui les racontent. Bien qu'appelés tôt ou tard — très tôt, parfois, comme en Grèce — à une carrière littéraire propre, ils ne sont pas des inventions dramatiques ou lyriques gratuites, sans rapport avec l'organisation sociale ou politique, avec le rituel, avec la loi ou la coutume ; leur rôle est au contraire de justifier tout cela, d'exprimer en images les grandes idées qui organisent et soutiennent tout cela.

Sur la méthode aussi. Cette mythologie isolée de la vie, dépouillée de ses assises naturelles, on l'interpréta selon des systèmes *a priori*. Les origines de la « mythologie solaire » et de la « mythologie d'orage » sont complexes, mais l'influence du plus grand exégète indien des hymnes védiques a été certainement dominante. Nourris de Sāyaṇa, des hommes comme Max Müller n'ont fait d'abord qu'étendre à l'ensemble des mythes et à toutes les mythologies de la famille quelques thèses hardies d'une école indigène. On sait aujourd'hui que, devant un corpus mythologique, il faut être plus humble, le servir et non le faire servir, l'interroger et non l'annexer à des dossiers avides de matière, en respecter surtout la richesse, la variété, voire les contradictions.

Sur les rapports, enfin, de la mythologie et de la linguistique. Je ne parle pas de la formule qui faisait du mythe une maladie du langage, mais de quelque chose de plus sérieux. Les premiers comparatistes se sont donné pour tâche principale d'établir une nomenclature divine indo-européenne. La consonance d'un nom indien et d'un nom grec ou scandinave leur paraissait être à la fois la garantie qu'ils comparaient des choses comparables, et le signe qu'une conception déjà indo-européenne était accessible. Or, les années passant, très peu de ces équations ont résisté à un examen phonétique plus exigeant : l'Erinys grecque n'a pu continuer à faire couple avec l'indienne Saraṇyu, ni le chien Orthros avec le démon Vṛtra. La plus incontestable s'est révélée décevante : dans le

Dyau védique, le « ciel » est tout autrement orienté que dans le Zeus grec ou le Juppiter de Rome, et le rapprochement n'enseigne presque rien.

Ces trois faiblesses natives firent que des trésors d'ingéniosité, de science, et même de jugement, se dépensèrent en pure perte et que la désillusion, quand elle vint, fut brutale. Abandonnée par les linguistes, de plus en plus conscients des règles et des limites de leur discipline, la mythologie comparée se vit rayer du catalogue des études sérieuses. La tentative faite par de bons esprits pour substituer la libation au soleil et à la foudre comme moyen d'exégèse ne pouvait la réhabiliter.

Et pourtant la réflexion initiale gardait toute sa force. Si distantes dans le temps qu'on suppose les migrations, si diversifiée que l'on conçoive au départ la langue indo-européenne commune, elle a cependant fait son office de langue, elle a été un conservatoire et un véhicule d'idées, et il reste improbable que les peuples qui ont parlé ensuite les langues qui en sont issues n'aient rien conservé, rien enregistré de ces idées dans leurs plus anciens documents. C'est pourquoi, depuis bientôt cinquante ans, un petit nombre d'hommes ont entrepris d'explorer à nouveau ce champ d'études théoriquement incontestable mais, semblait-il, pratiquement inabordable.

Les tâtonnements furent longs : il était plus facile de soupçonner les erreurs de base de la « mythologie comparée » que de les définir précisément et surtout d'y remédier, et chacun des nouveaux pionniers apportait aussi son lot d'illusions. Personnellement, entre 1920 et 1935, j'ai continué à penser que quelques-unes des équations onomastiques de jadis, les moins malaisées à défendre, pouvaient, à condition de recevoir un éclairage rajeuni (et je donnais, parmi les lumières, la première place au *Rameau d'or*), mettre sur la piste de faits importants. C'est pourquoi mes premières tentatives ont été consacrées à quatre anciens problèmes, ceux que signalaient depuis cent ans les couples de mots ambroisie-amṛta (1924), Centaure-Gandharva (1929), Ouranos-Varuṇa (1934), *flamen-brahman* (1935).

Une autre espérance, non moins traditionnelle et solidaire de la première, me faisait attendre beaucoup de la confrontation des deux plus riches mythologies de la famille, la grecque et l'indienne : sauf dans le cas de *flamen,* c'était toujours un nom grec qui s'associait dans mes sujets à un nom védique.

En outre, si j'avais conscience que les mythes ne sont pas un domaine autonome et expriment des réalités plus profondes, sociales et culturelles, je ne voyais pas clairement, dans le cas des Indo-Européens, quelles pouvaient être ces réalités ni comment les atteindre, et je continuais à essayer sur les mythes des uniformes de confection : plus fortement marqué par le *Rameau d'or* que par les sociologues français, j'orientais l'ambroisie vers la fête du printemps, les Centaures vers les déguisements de changement d'année, Ouranos vers la royauté fécondante et, avec une particulière violence, le flamine et le brahmane vers le bouc émissaire, le *scapegoat* cher au vieux maître.

Enfin, comme avait fait le XIXᵉ siècle, je pensais toujours que la matière de la mythologie comparée se réduisait à une série de problèmes connexes certes, mais tous autonomes, sans hiérarchie, appelant et permettant chacun une solution particulière.

Les années décisives, toujours dans mon cas particulier, furent 1935-1938. Avec *flamen-brahman,* je venais d'épuiser ma réserve de problèmes traditionnels et l'échec était évident, au bord du scandale, même, dans le dernier essai : il ne me restait plus qu'à faire halte et à réfléchir sur ces erreurs. D'autre part, en 1934, après une hâtive mais intensive initiation, j'avais commencé à suivre à l'École des Hautes Études les conférences d'un homme pour qui je professais, jusqu'alors de loin, la plus vive admiration, le sinologue Marcel Granet ; pendant trois ans, à côté de Maxime Kaltenmark, de Rolf Stein, de Nicole Vandier — nous n'étions pas plus nombreux — j'ai écouté, regardé ce grand esprit extraire, avec autant de délicatesse et de respect que d'énergie, la substance conceptuelle de textes au premier abord insignifiants, voire insipides ; je ne pense faire tort à aucun de mes autres maîtres en déclarant que c'est en face de celui-là, dans la petite salle de notre section des sciences religieuses à l'École des hautes études, que j'ai compris, à trente-cinq ans passés, ce que doit être une explication de texte. De plus, dans l'erreur même, une circonstance favorable avait préparé la correction : dès mon livre sur les Centaures, au moins en ce qui concerne Rome, les rapports certains des Lupercales et de la royauté m'avaient entrouvert, sur le statut du *rex,* d'autres vues que celles de Frazer ; bien que mal posés et mal résolus, les problèmes d'Ouranos-Varuṇa et de *flamen-brahman* m'avaient ensuite maintenu dans l'idéologie royale et, parmi les débris de tant de constructions, le rapprochement du couple que le *rājan* védique formait avec le brahmane son chapelain et de l'organe double que, d'après une claire définition de Tite-Live, formaient le *rex* et le premier des flamines majeurs, continuait à me paraître objectivement valable, en dehors de toute interprétation, notamment de celle, hyperfrazerienne, que je venais d'en proposer. Enfin, depuis quelques années, une autre donnée, que j'avais contribué à assurer mais dont je n'avais pas mesuré l'importance et que je considérais comme une curiosité isolée, attendait son heure : dans un article de 1930, en marge de mon programme indo-européen, j'avais établi, contre des doutes récents, que la conception de la société qui a abouti au système indien des varṇa, des classes sociales — brahmanes-prêtres, kṣatriya-guerriers, vaiśya-éleveurs-agriculteurs — était déjà indo-iranienne et s'observait non seulement chez les Iraniens d'Asie, mais chez leurs frères européens les Scythes et même, jusqu'à notre temps, chez les descendants de ceux-ci, les Ossètes du Caucase du Nord ; deux ans plus tard, M. Émile Benveniste, que la question intéressait depuis toujours et qui avait bien voulu lire sur épreuves et améliorer mon exposé de 1930, avait encore confirmé par de nouveaux arguments le caractère indo-iranien de la conception sociale tripartie.

C'est la rencontre, ou plutôt l'interpénétration de tout cela — objections des autres et de moi-même, exemple d'un maître incomparable, familiarité avec une matière maladroitement mais constamment maniée —, qui dégagea soudain, au printemps de 1938, les premières lignes d'une forme nouvelle de « mythologie comparée » qui n'était pas encore pure d'illusions, mais qui n'avait pas les défauts des précédentes, et sur laquelle, depuis lors, je n'ai cessé de travailler sans rencontrer l'occasion de repentirs majeurs. Pendant l'année scolaire 1937-1938, dans un cours de l'École des Hautes Études que je destinais à l'articulation des dieux védiques Mitra et Varuṇa, j'avais d'abord voulu aborder une dernière fois l'irritant problème de *flamen-brahman* et je m'étais attardé à en réexaminer les données. L'une d'elles me frappa soudain, dont je n'avais pas jusqu'alors tenu compte : l'existence, à côté de l'organe double que forment le *rex* et le *flamen Dialis*, d'un autre ensemble : la hiérarchie, sous le *rex* et au-dessus du *pontifex maximus*, des trois *flamines maiores* et par conséquent des dieux qu'ils servent, Juppiter, Mars et Quirinus. Cette structure théologique, encore inexpliquée, et d'ailleurs négligée, bien que le caractère préromain en fût confirmé par la structure identique (*Juu-, Mart-, Vofiono-*) de la théologie des Ombriens d'Iguvium, me sembla parallèle à la structure des varṇa, des classes sociales de l'Inde : en dépit de thèses récentes et alors en grande faveur, Mars s'intéresse incontestablement à la guerre ; au-dessus de Mars, Juppiter, dieu céleste, donneur du pouvoir et des signes, administre les plus hautes parties du sacré ; au-dessous de Mars, tous les offices connus du *flamen Quirinalis* le montrent au service de l'agriculture, exactement du grain, à quoi renvoie aussi la fête de son dieu, les *Quirinalia,* en même temps que son nom le rapproche des *Quirites,* que le vocabulaire latin oppose aux *milites.* Insuffisante pour Juppiter et pour Quirinus, cette première vue comparative était en outre déviée par la pesanteur excessive que j'attribuais aux classes sociales indiennes dans le problème où elle venait d'apparaître, celui du rapport entre les types d'hommes sacrés désignés par les mots *flamen* et *brahman*. Les notes que j'ai conservées de cette vieille conférence portent un titre significatif à cet égard : « Juppiter Mars Quirinus : *sacerdotes, milites, quirites* ». L'énoncé n'était pas bon et contenait le germe de faux problèmes qui m'ont fait perdre ensuite beaucoup de temps, tel que celui-ci : pourquoi chacun des dieux romains des trois niveaux a-t-il un *flamen* alors que, dans la structure des varṇa, les brahmanes n'apparaissent qu'au premier niveau, mais l'occupent seuls ? Néanmoins, l'essentiel était acquis : les plus vieux Romains, les Ombriens, avaient apporté avec eux en Italie la même conception que connaissaient aussi les Indo-Iraniens et sur laquelle les Indiens notamment avaient fondé leur ordre social. Il fallait donc reporter cette conception aux temps indo-européens et, par conséquent, il devenait nécessaire d'en rechercher les survivances ou les traces chez les autres peuples de la famille. Cette conclusion fut rapidement justifiée par l'examen de la triade divine qui était honorée dans le temple de Vieil-Upsal et qui domine la mythologie scandinave, Óđinn, Þórr, Freyr, et plus généralement par la considération des deux grandes divisions du panthéon, les dieux Ases, auxquels appartiennent Óđinn et Þórr, et les dieux Vanes, dont Freyr est le plus populaire.

Je ne puis ici résumer le travail des trente ans qui ont suivi. Je dirai seulement qu'un progrès décisif fut accompli le jour où je reconnus, vers 1950, que l'« idéologie tripartie » ne s'accompagne pas forcément, dans la vie d'une société, de la division tripartie *réelle* de cette société, selon le modèle indien ; qu'elle peut au contraire, là où on la constate, n'être (ne plus être, peut-être n'avoir jamais été) qu'un idéal et, en même temps, un moyen d'analyser, d'interpréter les forces qui assurent le cours du monde et la vie des hommes.

Le prestige des varṇa indiens se trouvant ainsi exorcisé, bien des faux problèmes ont disparu, par exemple celui que j'énonçais tout à l'heure : les flamines majeurs de Rome ne sont pas homologues à la classe des brahmanes (brāhmaṇa) et c'est à autre chose, au brahmán dans le sens étroit et premier du mot (un des trois prêtres principaux de toute célébration sacrificielle) que doit être comparé, dans ses rapports avec son dieu quel qu'il soit, le type de prêtre nommé flamen. Ainsi s'est dessinée une conception plus saine dans laquelle la division sociale proprement dite n'est qu'une application entre bien d'autres, et souvent absente quand d'autres sont présentes, de ce que j'ai proposé d'appeler, d'un terme peut-être mal choisi mais qui est entré dans l'usage, la structure des trois « fonctions » : par-delà les prêtres, les guerriers et les producteurs, et plus essentielles qu'eux, s'articulent les « fonctions » hiérarchisées de souveraineté magique et juridique, de force physique et principalement guerrière, d'abondance tranquille et féconde.

Mais avant même cette correction, la vue prise en 1938 avait dissipé les illusions de 1920, qui prolongeaient celles du XIXᵉ siècle. Les mythologies étaient replacées, comme elles doivent l'être, dans l'ensemble de la vie religieuse, sociale, philosophique des peuples qui les avaient pratiquées. Au lieu de faits isolés et par là même incertains, une structure générale se proposait à l'observateur, dans laquelle, comme dans un vaste cadre, les problèmes particuliers trouvaient leur place précise et limitée. La concordance des noms divins perdait, sinon tout intérêt, du moins son illégitime primauté au profit d'une autre concordance, celle des concepts, et surtout des ensembles articulés de concepts. Le témoignage des Grecs, critiques, novateurs, créateurs, cédait le pas à ceux de peuples plus conservateurs, des Italiques notamment et des Germains. Enfin les moyens des nouvelles interprétations n'étaient pas empruntés à des théories préexistantes, frazeriennes ou autres, mais sortaient des faits, que la tâche de l'exégète était seulement d'observer dans toute leur étendue, avec tous leurs enseignements implicites aussi bien qu'explicites et toutes leurs conséquences. À vrai dire, il ne s'agissait plus de « mythologie comparée » : c'est vers cette date que, discrètement, sans avertir personne et sans que personne s'en avisât (autrement, il eût fallu pour le moins une décision ministérielle), j'ai fait disparaître de l'affiche de l'École des Hautes Études, dans l'intitulé de mon enseignement, cette vénérable expression que Sylvain Lévi, en 1935, peu avant sa mort, avait généreusement proposée. On imprima désormais : « Étude comparative des religions des peuples indo-européens. » Et cela même ne suffisait plus. Quand le Collège de France, en 1948, voulut bien accueillir le nouvel ordre d'études, c'est la création d'une chaire de « civilisation indo-européenne » que recommanda mon illustre parrain.

Depuis 1938, date à laquelle lui-même publia un second article sur les classes sociales indo-iraniennes, M. Benveniste n'a cessé d'appuyer ma recherche et, dès le lendemain de la guerre, étendit la sienne à l'Italie. Peu après, d'éminents collègues, comparatistes ou spécialistes de diverses provinces du monde indo-européen, nous rejoignirent. L'exemple fut donné, pour l'Inde, par M. Stig Wikander, alors docent à Lund, dont la première partie du présent livre ne fait que développer une découverte capitale. L'esquisse que j'avais donnée des faits iraniens fut complétée et améliorée par M. Kaj Barr à Copenhague, M. Jacques Duchesne-Guillemin à Liège, M. Geo Widengren à Upsal, et par le regretté Marijan Molé à Paris. Jan de Vries en Hollande, M. Werner Betz à Munich, M. Edward G. Turville-Petre à Oxford, tout en approuvant l'essentiel de mes résultats sur le domaine germanique, apportèrent de précieuses retouches. La lecture du Linéaire B permit d'étendre la tripartition à la plus ancienne société grecque connue : ce fut l'apport de M. L.R. Palmer à Oxford et de M. Michel Lejeune à Paris, tandis que M. Francis Vian, à

Clermont-Ferrand, interprétait avec bonheur, dans le même sens, plusieurs faits de la Grèce classique. Depuis huit ans, à Los Angeles, sous l'impulsion de M. Jaan Puhvel, d'actives recherches sont en cours selon la même méthode. On me permettra de rappeler avec une reconnaissance particulière la contribution aussi variée qu'originale fournie, pendant plus de vingt ans, par mon plus ancien collaborateur, M. Lucien Gerschel, ainsi que les brillantes publications qui, depuis cinq ans, ont imposé à l'attention un jeune savant japonais de Paris, M. Atsuhiko Yoshida. Enfin je veux rendre hommage à M. Herman Lommel qui, bien avant moi, avait souhaité et entrepris la restauration de ces études et qui, après avoir accueilli mes erreurs avec une indulgente sympathie, n'a cessé de m'encourager sur ma nouvelle voie ; dans sa ligne propre, il continue de publier, sur les religions de l'Inde et de l'Iran, des mémoires comparatifs dont la plupart s'ajustent sans peine à mon travail.

L'exploration s'est développée sur toutes les parties du monde indo-européen et sur tous les types d'œuvre que produit habituellement la pensée humaine et qu'il faut bien distinguer, malgré leurs communications de tous les instants et leur unité foncière : la théologie, la mythologie, les rituels, les institutions, et aussi cette chose sûrement aussi vieille que la plus vieille société parlante, la littérature. La recherche s'est efforcée de rester en état d'autocritique, les résultats antérieurs étant sans cesse reconsidérés dans la lumière des résultats nouveaux. Enfin, après s'être réduite pendant une dizaine d'années à la structure centrale qui venait d'être reconnue, elle s'est à nouveau tournée, avec la méthode et les conceptions directrices mises au point sur ce grand sujet, vers d'autres matières de portée plus restreinte, rencontrant par exemple, à propos de la déesse et des rituels de l'aurore dans l'Inde et à Rome, l'occasion de restaurer une « mythologie comparée solaire », à vrai dire bien différente de l'ancienne.

Je confie maintenant à quelques livres le bilan de

ce long effort. Bilan déjà tardif quant à moi, mais, quant à l'œuvre, prématuré. Depuis 1938, à travers des écrits sans doute trop nombreux, mais surtout dans mes conférences de l'École des Hautes Études, puis du Collège de France, j'ai multiplié les approches, les retouches, les rétractations, les confirmations, et aussi les défenses et les contre-attaques, gardant le sentiment bien plaisant que la matière était entre mes mains indéfiniment malléable et perfectible. Si les prévisions biologiques, même optimistes, ne m'y contraignaient, je ne lui donnerais pas une apparence de fermeté que mes cadets — et c'est heureux, et c'est ce que chacun de nous doit souhaiter — ne tarderont pas à faire mentir. Je ne sais que trop bien ce qui, dans cet exposé et dans ceux qui suivront, exigerait encore l'épreuve du temps. Si parfois le lecteur s'irrite, je le prie de ne pas oublier, à ma décharge, qu'aucun des problèmes ici abordés, sauf un — celui de la valeur fonctionnelle des trois familles nartes, qui marquait le pas depuis 1930 —, n'était posé, ne pouvait être posé il y a trente ans.

Ce bilan est prévu en deux séries de livres, l'une concernant les faits religieux et institutionnels, l'autre les littératures. Dans les deux séries, le premier, celui-ci notamment, est consacré à la donnée centrale, sur laquelle j'ai le plus constamment travaillé, l'idéologie des trois fonctions.

Par fidélité au titre qui, par trois fois, a abrité les premières haltes de l'enquête (1941-1949), le bilan religieux se nommera *Jupiter Mars Quirinus*, bien que les faits proprement romains aient été exhaustivement traités dans mon récent livre *La Religion romaine archaïque* (1966). Si j'en avais le temps, je tenterais séparément pour les Indiens védiques, pour les Iraniens, pour les Scandinaves, ce que j'ai fait pour Rome dans ce gros traité : non seulement présenter ce que chacun de ces peuples a hérité des temps indo-européens, mais aussi mettre en place cet héritage dans l'ensemble religieux, bref composer une histoire de la religion considérée dans laquelle les données comparatives seraient utilisées au même titre que les données déjà connues. Mais je devrai me limiter à un livre unique, moins riche et moins équilibré, laissant à mes successeurs le soin des divers ajustages. J'y retracerai en outre, pour l'instruction des étudiants, le cheminement de la recherche, les difficultés rencontrées, les erreurs commises et les considérations qui les ont corrigées.

Le bilan littéraire de l'idéologie des trois fonctions est la matière du présent livre, que seules des raisons de commodité ont fait rédiger avant l'autre. De la littérature, à ces hautes époques, il n'y a guère que deux formes à envisager, la lyrique et la narrative et, mis à part les contes, cette dernière peut être suffisamment définie — qu'elle se présente en vers, en prose ou en forme mixte — par le terme d'épopée, étant bien entendu que l'épopée est grosse de genres littéraires, l'histoire, le roman, qui s'en différencient plus ou moins tôt, et aussi qu'elle est en communication constante, dans les deux sens, avec les contes. C'est de l'épopée ainsi comprise qu'il s'agira ici.

Quelques-unes des expressions les plus utiles de l'idéologie des trois fonctions se trouvent en effet dans des œuvres épiques : même au sein de sociétés où elle avait très tôt perdu toute actualité, elle a gardé un suffisant prestige pour soutenir, à travers les siècles, des récits héroïques, parfois très populaires. Trois peuples notamment en ont tiré un grand parti : les Indiens, dans le Mahābhārata ; les Romains, dans « l'histoire » de leurs origines ; et aussi, dans ses légendes sur les héros nartes, un petit peuple du Caucase du Nord dont l'importance ne cesse de croître dans toutes les formes d'études comparatives, les Ossètes, ultimes descendants des Scythes. Ces trois domaines occupent les trois premières parties de ce livre, dans l'ordre inverse de celui où ils ont été reconnus et explorés.

C'est en 1929 que j'ai pris garde à la division des héros nartes en trois familles, dont une présentation théorique, confirmée par leurs rôles respectifs dans les récits, définit l'une par l'intelligence, la seconde par la force physique, la troisième par la richesse. Les Scythes étant des Iraniens, je soulignai aussitôt (1930) la concordance de cette division avec la conception indienne et avestique des trois classes sociales — prêtres-savants, guerriers, producteurs —, conception dont la légende sur l'origine des Scythes qu'on lit dans Hérodote portait d'ailleurs déjà témoignage. Mais l'exploitation de cette donnée ne fut possible que beaucoup plus tard, après qu'eurent été publiés les gros corpus des légendes nartes, non seulement des Ossètes, mais aussi des peuples voisins — Abkhaz, Tcherkesses, Tchétchènes — qui les ont empruntées aux Ossètes.

En 1938, au cours des semaines qui suivirent l'interprétation trifonctionnelle de la triade précapitoline, je reconnus dans le récit de la « naissance de Rome » à partir des trois composantes préexistantes — proto-Romains de Romulus, Étrusques de Lucumon, Sabins de Titus Tatius — une deuxième application de l'idéologie qui avait déjà groupé en tête du panthéon Juppiter, Mars et Quirinus ; les notes ethniques des composantes se doublent ici clairement de notes fonctionnelles : Romulus, le roi, agit en vertu de son sang divin et des promesses divines dont il est le bénéficiaire ; Lucumon intervient à ses côtés comme un pur technicien de la guerre ; Tatius et ses Sabins apportent à la communauté, avec les femmes, la richesse, *auitas opes*. Puis, en 1939, la guerre des proto-Romains et des Sabins qui prépare cette heureuse fusion, se découvrit être la forme romaine, historicisée, d'une tradition que les Scandinaves utilisent dans la mythologie, l'appliquant à leurs dieux : c'est après une guerre dont les épisodes antithétiques ont la même intention que ceux de la guerre de Romulus et de Tatius, que les Ases, dieux magiciens et guerriers, et les Vanes, dieux riches et voluptueux, se sont associés pour former la société divine complète. Un exposé provisoire de ce parallélisme fut donné dès 1941.

En 1947 enfin, mon collègue suédois Stig Wikander publia en quelques pages une découverte dont la portée est grande pour l'étude non seulement des littératures, mais des religions de l'Inde : les dieux pères des Pāṇḍava, c'est-à-dire des cinq demi-frères qui jouent le principal rôle à travers tout le Mahābhārata, ne sont autres que les dieux patrons des trois fonctions dans une forme archaïque, presque indo-iranienne, de la religion védique ; l'ordre de naissance des Pāṇḍava se conforme à l'ordre hiérarchique des fonctions ; les fils montrent en toute circonstance le caractère, suivent le mode d'action de leurs pères respectifs ; transposant en un type de mariage paradoxal un théologème indo-européen qui venait d'être reconnu, ils n'ont à eux cinq qu'une seule épouse.

Ces trois constatations ont été le point de départ de longues recherches qui aboutissent, provisoirement, au présent livre. Sur chaque domaine, les rapports du mythe et de l'épopée sont différents, différents aussi les problèmes d'intérêt général qui se trouvent posés. Toutes les incertitudes ne sont pas levées, certes, mais on sait dorénavant comment, avec quel dessein, par quels procédés a été construite l'intrigue du Mahābhārata ; comment, à partir de quelle matière a été imaginée, certainement fort loin des faits, l'histoire primitive de Rome ; comment, dans la ligne de quelle tradition très ancienne, ont été conçus les rapports sociaux des héros nartes. Trois problèmes littéraires importants ont été ainsi résolus, dont les deux premiers depuis plus d'un siècle, le troisième depuis cinquante ans, avaient été la matière d'interminables débats.

Pour le Mahābhārata, le modèle d'exégèse mythique que M. Wikander avait mis au point sur les Pāṇḍava a été facilement étendu à tous les héros de quelque importance : la femme commune, le frère aîné, le père et les deux oncles, le grand-oncle, les précepteurs, les fils, les plus utiles alliés et les ennemis les plus acharnés des Pāṇḍava reproduisent fidèlement des types divins ou démoniaques précis, parfois (le père et les oncles ; les fils) des structures théologiques aussi consistantes que celle des dieux des trois fonctions. En sorte que c'est un véritable panthéon — et, comme il avait été reconnu pour les Pāṇḍava, un panthéon très archaïque, sinon prévédique — qui a été transposé en personnages humains par une opération aussi minutieuse qu'ingénieuse. Érudits, habiles, constants dans un dessein que l'ampleur de l'œuvre rendait particulièrement difficile, ces vieux auteurs ont réussi à créer un monde d'hommes tout à l'image du monde mythique, où les rapports des dieux, et aussi des démons, dont les héros sont les incarnations ou les fils, ont été maintenus. Mais, ce monde d'hommes, ils l'ont mobilisé dans une intrigue qui, elle non plus, n'est pas de pure imagination : la grande crise qui oppose les Pāṇḍava, fils des dieux des trois fonctions, avec les dieux incarnés qui les soutiennent, aux démons incarnés que sont leurs méchants cousins, est la copie, ramenée à l'échelle d'une dynastie, d'une crise cosmique — bataille des dieux et des démons, anéantissement presque total du monde, suivi d'une renaissance — dont le RgVeda n'a pas conservé de version, mais qui, par-delà le RgVeda, rejoint les eschatologies de l'Iran et de la Scandinavie. « Histoire ou mythe ? » s'est-on demandé en Occident pendant tout le XIXe siècle et pendant la première moitié du XXe. Mythe certainement, doit-on répondre, mythe savamment humanisé sinon historicisé, qui ne laisse pas de place à des « faits », ou, s'il y a eu au départ des faits (une bataille de Kurukṣetra ; un roi Yudhiṣṭhira victorieux...), les a si bien recouverts et transformés qu'il n'en subsiste pas de vestige identifiable ; ce n'est que plus tard, par des généalogies, que l'Inde a négligemment orienté ces événements vers l'histoire, offrant aux savants d'Europe une prise trompeuse qu'ils n'ont pas manqué de saisir.

A Rome, paradoxalement, l'« histoire » a précédé l'épopée : Ennius n'a fait que mettre en vers l'œuvre des annalistes. Mais quand les annalistes ont voulu présenter les origines de Rome, les premiers rois, et d'abord la guerre des proto-Romains et des Sabins par laquelle est censé s'être préparé le synécisme, c'est-à-dire la constitution d'une société complète et unitaire, comment ont-ils travaillé ? Ils n'ont pas procédé autrement que les auteurs du Mahābhārata, sous la réserve très considérable qu'ils n'ont certainement pas transposé des mythes divins (de Juppiter, de Quirinus, etc.) en événements humains (de Romulus, de Tatius, etc.), mais utilisé une sorte de folklore où, dans le même sens que la théologie mais indépendamment d'elle, ce que l'idéologie tripartie contenait de leçons et de scènes traditionnelles était déjà appliqué à des hommes. De longues discussions, des polémiques même dont on ne trouvera guère de traces ici, ont jalonné le progrès de cette partie de l'étude. Elles étaient inévitables : pouvait-on toucher avec des moyens nouveaux, comparatifs, indo-européens, à l'histoire romaine, fût-ce celle des douteuses origines, sans éveiller les susceptibilités de tous ceux, philologues, archéologues, historiens qui, tout en se querellant entre eux, se considèrent solidairement comme les maîtres légitimes de la matière ? Les attaques, la malveillance même, m'ont été utiles. Pendant une dizaine d'années, après le *Jupiter Mars Quirinus* de 1941, dans *Naissance de Rome,* dans *Jupiter Mars Quirinus IV* encore, j'ai grevé, compromis les constatations les plus évidentes par une thèse qui me semblait en être la conséquence nécessaire, à savoir que la société romaine primitive avait été *réellement* divisée en classes fonctionnelles et que les trois tribus romuléennes des Ramnes, des Luceres et des Titienses avaient été d'abord, à la manière des varṇa indiens, caractérisées, définies chacune par une des trois « fonctions ». Il m'a fallu longtemps, et je m'en excuse, pour comprendre que l'étude comparative de *légendes* ne pouvait renseigner sur de tels *faits.* Depuis une autre dizaine d'années, cette rétractation est accomplie et de la façon la plus large : mon travail ne permet pas non plus de décider s'il y a eu ou s'il n'y a pas eu de Sabins, de synécisme aux origines de Rome ; il aboutit seulement (et cela peut être un frein utile à la fière liberté des archéologues et des historiens) à montrer que le récit que nous lisons de ce synécisme, avec les rôles qu'il attribue respectivement aux proto-Romains, aux Sabins, et, dans la version à trois races, aux compagnons de Lucumon, s'explique entièrement, dans la structure comme dans les détails, par l'idéologie des trois fonctions et par le parallèle scandinave ; il aboutit aussi (et cela intéresse l'historien des religions) à montrer que les annalistes et, jusque sous Auguste, les poètes leurs élèves gardaient une entière intelligence du double ressort de l'action, du double caractère des acteurs, à la fois ethnique et fonctionnel, le synécisme ayant pour résultat de constituer une société propriétaire d'une promesse spéciale du plus grand dieu et pleine de vaillance, c'est-à-dire « jovienne » et « martiale », par Romulus et ses compagnons, éventuellement renforcés par le militaire Lucumon, mais aussi riche et féconde, « quirinienne », par les Sabins. Des Ramnes, des Luceres, des Titienses, tout ce que mon travail engage à penser est que, peut-être sans fondement, peut-être par le seul entraînement logique du récit, les annalistes et leurs continuateurs paraissent les avoir considérés comme « fonctionnels » au même titre que les composantes ethniques dont ils les disaient issus.

Mais, à Rome, l'épopée, au sens le plus précis, homérique, du mot, a eu sur l'« histoire » une belle revanche. Le dernier chapitre de la seconde partie de ce livre montre comment Virgile, décrivant dans les six derniers chants de L'Énéide l'installation des Troyens dans le Latium, a conformé la guerre que le pieux Énée, renforcé par le contingent étrusque de Tarchon, mène contre le peuple paysan du riche Latinus, puis le synécisme qui conclut cette guerre, à l'image de la « naissance tripartie de Rome » et comment, sur chacun des acteurs du drame qu'il imaginait — Troyens, Étrusques et Latins ; Énée, Tarchon et Latinus —, il a fidèlement reporté la valeur fonctionnelle que les annalistes avaient donnée à chacune des composantes ethniques de Rome. La reconnaissance de ce dessein permet de comprendre les modifications que Virgile a apportées à la vulgate de la légende troyenne, notamment en ce qui concerne le rôle des Étrusques et le caractère du roi des Laurentes.

L'ensemble de légendes qui constitue, au Caucase, l'épopée narte est d'un autre type, du moins en apparence. Quand il a commencé à être connu, au milieu du XIXe siècle, il appartenait à la littérature populaire et se conservait dans les répertoires de paysans spécialistes de la mémoire. Et sans doute en était-il ainsi depuis des siècles et même, pour le noyau de la tradition, à en juger par la remarquable conservation de traits de mœurs connus par les auteurs grecs et latins, depuis les temps scythiques. Mais on a peine à admettre qu'il n'y a pas eu, au sens le plus ordinaire du mot, des auteurs, conscients de ce qu'ils créaient, sachant comment ils le créaient : si nous sommes condamnés à ignorer ces origines, le mot « littérature populaire » ne doit pas tromper. Pas plus qu'à Rome, il ne semble pas qu'il y ait eu, massivement, transposition d'une mythologie préexistante en épisodes épiques, encore qu'un héros comme Batraz se soit approprié les singularités de l'Arès scythique ; mais l'idéologie des trois fonctions, que les Scythes avaient en commun avec leurs frères de l'Iran et leurs cousins de l'Inde, reste clairement lisible dans l'épopée narte. Et cela est un sujet d'étonnement. Chez les Scythes déjà, à en juger par Hérodote et par Lucien, les « trois fonctions », présentes dans la légende des origines, ne commandaient pas l'organisation sociale ; encore moins le faisaient-elles chez leurs descendants les Alains, d'où sont sortis les Ossètes. Et pourtant, après deux mille ans, non seulement dans le cadre des trois familles fonctionnellement définies, mais dans une série d'épisodes qui semblent n'avoir pas d'autres rôles, l'épopée narte fait la démonstration de la structure tripartie, met systématiquement en valeur les particularités, parfois les avantages et les faiblesses différentiels, de chacune des trois fonctions : dans la légende des trois trésors des ancêtres, dans celle de la guerre entre la famille des Forts et la famille des Riches, dans celle des trois mariages du chef des Forts, il y a les éléments d'un manuel assez complet de l'idéologie indo-iranienne, indo-européenne des trois fonctions. Ce maintien lucide, dans une branche de la littérature, d'une idéologie depuis si longtemps étrangère à la pratique sociale est un phénomène sur lequel les sociologues, et aussi les latinistes, pourront réfléchir utilement. Il est d'autant plus remarquable que, chez aucun des peuples non indo-européens du Caucase, voisins des Ossètes, qui ont adopté l'épopée narte, la structure tripartie n'a été retenue ni comme cadre du personnel héroïque, ni dans les épisodes spécialement destinés à en faire saillir les ressorts. Jusqu'à la révolution d'Octobre, ces divers peuples présentaient une organisation féodale toute proche de celle des Ossètes, qui était elle-même déjà, semble-t-il, celle des Scythes connus de Lucien, mais leurs lointains ancêtres, contrairement à ceux des Ossètes, n'avaient jamais pratiqué l'idéologie des trois fonctions : est-ce cette différence dans une sorte d'hérédité qui les a rendus réfractaires à la partie la plus indo-européenne de l'épopée narte ?

Après ces trois grands tableaux, une quatrième partie expose plus brièvement les utilisations de moindre envergure que d'autres peuples indo-européens — Grecs, Celtes, Germains, Slaves même — ont faites de l'idéologie tripartie soit dans des récits proprement épiques, soit dans des romans inséparables de l'épopée.

Partout l'étude avance à travers des explications de textes que l'on voudrait conformes au modèle qu'en donnait Marcel Granet, il y a trente ans. Les moyens de l'explication sont évidemment différents lorsqu'il s'agit des documents folkloriques ossètes et des écrits savants de l'Inde ou de Rome ; différents même lorsqu'il s'agit du Mahābhārata, texte immense, sans histoire et presque sans contexte, et de Properce ou de Virgile, généralement éclairés et quelquefois obscurcis par plus de quatre siècles de recherches érudites. Partout cependant, même pour le folklore, le travail se veut philologique, mais d'une philologie ouverte, qui ne refuse à aucun moment de sa démarche aucun moyen de connaissance. C'est dire que la malencontreuse opposition du « séparé » et du « comparé » n'y a pas de place.

Outre l'élucidation de quelques-unes des grandes réussites littéraires de l'humanité, à quoi tout honnête homme peut prendre plaisir, ces études ont, pour les chercheurs qui se consacrent aux Indo-Européens, un intérêt plus technique. Elles dégagent deux ordres de faits comparatifs : d'une part — mais ici en petit nombre — elles révèlent des schèmes dramatiques, utilisés tantôt dans la mythologie, tantôt dans l'épopée ou l'histoire, regarnis de générations en générations à l'aide de matières actuelles, mais fermement conservés à travers ces rajeunissements ; tels sont, à la fin de la première partie, le schème commun à l'eschatologie scandinave et à la transposition du Mahābhārata ; dans la deuxième, le schème de la constitution difficile d'une société tripartie complète, appliqué tantôt au monde des dieux, tantôt au monde des hommes, par les Indiens, les Romains, les Scandinaves, les Irlandais ; dans la troisième, le schème de l'attribution des talismans ou des trésors qui correspondent aux trois fonctions. D'autre part, au-delà des expressions particulières dont quelques-unes remontent ainsi aux ancêtres communs, mais dont la plupart ont été inventées dans chaque société après « la dispersion », elles développent, approfondissent la philosophie — car ces réflexions des vieux penseurs méritent aussi bien ce nom que les spéculations des présocratiques sur les éléments, sur l'amour et la haine — que constituait pour les Indo-Européens et qu'a continué à constituer plus ou moins longtemps pour leurs divers héritiers, la conception des trois fonctions. Non moins que les théologies, les épopées sont à cet égard riches d'enseignements, que l'on trouvera signalés au cours des analyses.

De même que, après le prochain *Jupiter Mars Quirinus,* un ou deux livres feront le point sur d'autres parties de la théologie et de la mythologie, notamment sur les problèmes de la souveraineté et des dieux souverains, de même deux autres volumes de *Mythe et Épopée* réuniront des études comparatives plus limitées dans leur matière, qui posent des types nouveaux de problèmes, tels que les formes et les conséquences du péché, les types du dieu ou du héros coupable aux divers niveaux fonctionnels.

Comme dans *La Religion romaine archaïque,* j'ai réduit les discussions au strict nécessaire, les limitant même à de très récentes publications. Je ne renonce pas pour autant à des examens plus étendus, mais je les destine à quelques livres de critique que je compte écrire dans les intervalles du bilan. C'est ainsi que, dans la seconde partie, j'aurais eu très fréquemment à mettre en question les postulats, les procédés de démonstration, les résultats de l'*Essai sur les origines de Rome,* puis de *Virgile et les origines d'Ostie* ; mais il sera à la fois plus instructif et plus équitable de considérer dans leur ensemble l'œuvre de M. André Piganiol et celle de M. Jérôme Carcopino : je le ferai dans le livre sur « l'histoire de l'histoire des origines romaines » que j'ai annoncé en publiant *La Religion romaine archaïque.* Un livre du même genre sera consacré à l'examen d'études récentes sur quelques épopées : les vues de Louis Renou sur les rapports de la mythologie védique et de la mythologie épique, celles d'Edmond Faral et de plusieurs autres sur le cycle arthurien, celles d'André Mazon sur l'épopée russe, bylines et Dit d'Igor, celles de M. E.M. Meletinskij et d'autres savants russes et caucasiens sur l'épopée narte seront d'utiles sujets de réflexion.

Vernonnet, juillet 1967.

DEUXIÈME PARTIE

L'IDÉOLOGIE TRIPARTIE
DES INDO-EUROPÉENS

En 1938, Georges Dumézil publie dans la *Revue de l'histoire des religions* un article capital : « La préhistoire des flamines majeurs », dans lequel il annonce que la tripartition reconnue dès 1930 chez les Indo-Iraniens se retrouve chez les Indo-Européens occidentaux et résulte donc d'un prototype commun. Son nom sera désormais indissolublement lié à cette découverte, qui va recevoir des prolongements beaucoup plus étendus que son auteur lui-même ne pouvait l'imaginer. Au cours des décennies qui vont suivre, il ne va plus cesser de la vérifier et de l'étendre aux différents secteurs de la mythologie indo-européenne : toutes les « provinces » indo-européennes, de l'Irlande à l'Inde et de la Scandinavie à Rome, seront ainsi examinées, dans leurs panthéons, leurs rituels, leur organisation sociale, leurs épopées... Les résultats de cette exploration géographique seront précisés dans la troisième partie. Du point de vue « fonctionnel », Dumézil va s'attacher à préciser l'articulation solidaire des trois fonctions et l'agencement interne de chacune d'entre elles.

À la première préoccupation va répondre la série *Jupiter Mars Quirinus*. Ce titre indique moins une référence à Rome qu'à une triade exemplaire prise comme emblème de la trifonctionnalité. *Jupiter Mars Quirinus,* publié en 1941, est un exposé général sur la conception indo-européenne de la société : castes dans l'Inde ancienne, classes sociales dans l'Iran avestique, fonctions sociales chez les Scythes. Dès cette première présentation, contrairement à ce qu'affirmeront bon nombre de ses adversaires, s'il soutient que « les trois grandes provinces du monde indo-iranien connaissent le principe de la division sociale en prêtres, guerriers, éleveurs-agriculteurs », il ajoute aussitôt que le principe n'entraîne pas forcément la pratique sociale.

L'Inde est seule à fonder vraiment sur lui son organisation sociale. Encore ce durcissement ne semble-t-il s'être opéré qu'à l'aube des temps historiques. L'Iran qu'ont connu les Grecs et les Romains avait bien à sa tête un corps sacerdotal puissant, mais le reste de la société ne paraît pas y avoir évolué en castes, même pas en classes nettement définies. Dans les livres avestiques les versets qui parlent de la tripartition donnent l'impression de formules rhétoriques plutôt que de références à un mécanisme bien vivant [...]. [Chez les Scythes], les classes ne paraissent pas avoir joué dans la vie réelle un plus grand rôle qu'en Iran.

À Rome, « le rex, les flamines et leur hiérarchie ont été très tôt minimisés, fossilisés », alors que la société celtique se montre plus proche du modèle indien. On voit ainsi apparaître ce qui sera une constante maintes fois répétée à l'encontre de critiques désireux de réduire la nouvelle mythologie comparée à un schéma simpliste et étouffant :

« Ces différences d'organisation sociale [...] sont aussi précieuses que les ressemblances : elles permettent de comprendre, en gros, comment deux sociétés apparentées, puis séparées, soumises à des influences diverses et se composant des destins différents, ont à la fois maintenu et rajeuni une tradition préhistorique commune. »

Naissance de Rome (Jupiter Mars Quirinus II) paraît en 1944. Comme son titre l'indique, le livre reprend le dossier de la fondation de l'Urbs qui avait été esquissé dans *Jupiter Mars Quirinus*. La question était passionnément discutée chez les latinistes qui essayaient de faire la part de la légende et de l'histoire. L'interprétation dominante mettait l'accent sur une fusion de diverses ethnies qui aurait abouti à un synœcisme (un contrat de fondation), ou sur l'alliance des composantes sociales. Dès 1940, Dumézil a déplacé l'explication sur le seul terrain de la mythologie : à partir d'un texte de Properce, il affirme que la description et la caractérisation des trois tribus primitives de Rome « définissent excellemment les trois fonctions sociales indo-européennes » et que la guerre entre Latins et Sabins est un exemple type de guerre de fondation dont on retrouve d'autres illustrations dans les mythologies germanique (guerre des Ases et des Vanes), indienne (querelle d'Indra et des Açvin) et celtique (querelle des Tuatha Dê Danann et des Fomôre). Une telle lecture, purement légendaire, aboutit en fait à remettre en cause toutes les interprétations admises jusqu'alors, ce à quoi les latinistes, notamment André Piganiol et Jérôme Carcopino à cette époque tout-puissants, ne peuvent se résoudre. Dumézil estime donc nécessaire, face à des critiques extrêmement violentes, de reprendre le dossier sur un plan purement romain : « Sauf un bref développement accessoire, l'argumentation fait à peu près totalement abstraction des données comparatives. Non pas, bien entendu, que je sois disposé à en réduire le rôle, qui a été et reste fondamental, ne serait-ce que dans l'invention. Mais je n'aurais presque aucun élément indo-européen non romain à ajouter au dossier et surtout, discutant cette fois contre des spécialistes des choses romaines, il a paru plus élégant, plus sportif et plus décisif (en cas de victoire !) de ne prendre d'armes que dans l'arsenal où puisent aussi mes adversaires. »

Naissance d'archanges (Jupiter Mars Quirinus III), paru en 1945, traite d'un sujet parallèle et cependant fort différent, celui de la formation de la théologie zoroastrienne. En Iran, l'ancienne théologie polythéiste directement dérivée des Indo-Européens a cédé la place entre le Xe et le VIIe (?) siècle à un dieu unique, le grand dieu Ahura-Mazda. *A priori*, il ne reste rien de l'ancien panthéon trifonctionnel. Mais Dumézil montre qu'au-dessous du grand dieu, il existe une série d'entités, les « Immortels bienfaisants » (*Amêsha Spânta*), qui reproduisent l'ancienne théologie trifonctionnelle. Subsiste cependant une difficulté : si la première entité correspond indiscutablement à la première fonction, les deux suivantes à la deuxième et les deux dernières à la troisième, la quatrième pose problème : son office déborde du strict cadre de la troisième fonction. Ce n'est qu'un peu plus tard que le problème sera résolu par comparaison avec la déesse Sarasvatî et les Anâhitâ indiens. La troisième fonction, à côté des dieux spécifiques, comporte une déesse trivalente dont l'office déborde sur les deux premières fonctions.

Ce résultat est exposé dans *Tarpeia*, paru en 1947. Bien que s'inscrivant dans la série des *Mythes romains* du fait de son objet, ce livre se situe aussi dans le prolongement des

Jupiter Mars Quirinus, « c'est-à-dire à propos de la conception tripartite du monde et de la société que les plus vieux Romains avaient reçue de leurs ancêtres indo-européens ». Les deux premiers essais traitent de la théologie, les autres « concernent l'épopée, des héros, de l'"histoire" : c'est dire que l'effort d'interprétation que nous appliquons aux faits romains se poursuit ici sur les deux plans parallèles et solidaires où travaille toute idéologie ».

Jupiter Mars Quirinus IV, paru en 1948, n'a pas de titre propre, mais seulement un sous-titre : « Explication de textes. » Après des années d'exploration, Georges Dumézil entreprend un « travail second » consistant à « réviser, c'est-à-dire vérifier, analyser, corriger et aussi compléter » deux dossiers : l'un indien, l'autre romain, qui soulevait beaucoup de difficultés et rencontrait de nombreuses critiques : celui de la valeur fonctionnelle des tribus primitives de Rome. Dernière tentative pour trouver une application sociale de la tripartition à Rome. Par la suite, Dumézil reconnaîtra que l'exposé de 1948 « multipliait les hypothèses » et aboutissait à une impasse. Sans renier l'idée, en faveur de laquelle lui paraissaient militer de bonnes raisons (notamment les couleurs symboliques attachées aux tribus), il laissera le dossier en l'état.

Ayant pris une conscience plus claire des règles et des limites de la méthode comparative mise au point depuis 1938, j'ai, si j'ose dire, évacué ce problème. Les comparaisons indo-européennes permettent de reconnaître et d'explorer à Rome une idéologie archaïque ; elles ne permettent pas de reconstituer des faits, ni historiques, ni même institutionnels. De plus, il est certain que les hommes qui, au IVe siècle et au début du IIIe, ont composé pour Rome le récit de prestigieuses origines ne savaient déjà plus grand-chose des événements ni de l'organisation de la Rome préétrusque, et que c'est même cette indigence de l'information qui leur a permis de composer leur tableau à l'aide de légendes où s'exprimait une vieille doctrine politico-religieuse, celle des trois fonctions, qui continuait à s'imposer aux esprits, comme il arrive souvent, bien que presque entièrement éliminée de l'actualité. Il est donc vain de prétendre, à travers ces légendes costumées en histoire, découvrir des origines réelles dont elles ne sont pas même l'enjolivement. Le comparatiste n'a pas à ajouter, sur les faits, de nouvelles hypothèses à toutes celles, indémontrables, qui ont été déjà accumulées.

Les Dieux des Germains (1958) présente un tableau des trois fonctions plus satisfaisant que celui esquissé presque vingt ans plus tôt dans *Mythes et Dieux des Germains* (1939), écrit avant la découverte de 1938 et remanié après coup. Au-delà de son aspect monographique, il montre le caractère indo-européen d'une eschatologie qui avait été insuffisamment élucidée dans *Loki* (1948) : les dossiers scandinave et ossète peuvent être rapprochés de faits homologues indien (si la théologie védique ne contient pas de « drame du monde », de « renouvellement du monde », on en trouve dans le *Mahābhārata*) et iranien.

Concurremment, de multiples articles identifient des applications de la trifonctionnalité dans les domaines les plus divers. Dumézil reçoit ici le renfort de plusieurs chercheurs qui travaillent dans la perspective qu'il a tracée : Lucien Gerschel, son plus ancien élève, étudie ainsi les techniques juridiques que Dumézil reprendra dans *Mariages indo-européens* (1979) ; Émile Benveniste la médecine ; le savant hollandais Jan de Vries ouvre la voie à la symbolique des couleurs...

L'étude « interne » de chaque fonction est commencée logiquement par celle de la première. Celle-ci avait déjà été reconnue (indépendamment du cadre triparti) par quelques pionniers : à la fin du XIXᵉ siècle, l'indianiste Abel Bergaigne avait proposé l'appellation de « dieux souverains » que Dumézil reprendra à son compte. Dans ses travaux antérieurs à 1938, notamment *Ouranos-Varuna* (1934) et *Flamen-Brahman* (1935), celui-ci s'était maintenu, selon son expression, « dans les débris de l'idéologie royale ». Il peut donc dès 1940 présenter un tableau de la première fonction avec *Mitra-Varuna*. Comme *Jupiter Mars Quirinus,* ce titre ne renvoie pas à une « province » précise (en l'occurrence indienne) mais entend souligner l'essence bipartite, magique et juridique, de la première fonction. Ce livre sera revu et corrigé en 1948. À côté des deux grands dieux souverains, les autres dieux souverains, dits « mineurs » (qu'un traducteur mal inspiré rendra en russe par : dieux n'ayant pas atteint leur majorité), seront progressivement reconnus dans *Le Troisième Souverain* (1949) à propos de l'Iran, *Les Dieux des Indo-Européens* (1952) à propos de l'Inde et de Rome ; leur transposition dans la mythologie scandinave, avec « les fils d'Oðinn », ne sera élucidée que beaucoup plus tard (dans des articles repris dans *Gods of the Ancient Northmen,* 1973). Un aspect particulier de la première fonction, l'élection, qui constitue chez tous les peuples indo-européens un mode d'accès à la royauté « concurremment avec l'hérédité et parfois en combinaison avec elle », est étudié dans *Servius et la fortune* (1943).

La deuxième fonction, plus difficile à saisir, ne se laissera cerner que progressivement. Le premier livre à l'aborder, *Horace et les Curiaces,* paru en 1942, met en lumière un aspect qui ne cessera de prendre de l'importance au cours des investigations ultérieures, celui des trois péchés du guerrier : le héros commet trois fautes qui s'organisent sur un mode trifonctionnel. L'équivalent est aussitôt reconnu en Inde. Il le sera ultérieurement pour la Grèce avec les trois péchés d'Héraclès et pour les Scythes. Mais il faudra encore des années et plusieurs articles préparatoires avant qu'un tableau d'ensemble de la deuxième fonction puisse être proposé. Ce sera *Aspects de la fonction guerrière chez les Indo-Européens,* paru en 1956.

La troisième fonction, par nature polymorphe, va résister encore plus à toutes les tentatives de systématisation. *Servius et la fortune* précisera les rites et mythes concernant les promotions sociales, divers articles étudient des dieux de la troisième fonction et leurs talismans. Mais la synthèse annoncée en 1952 ne viendra jamais.

Quand vient le temps des bilans, à la fin des années cinquante, Dumézil entreprend d'établir un « tableau ordonné » des résultats de l'enquête. La première série de livres ainsi prévus doit couvrir l'ensemble de la théologie trifonctionnelle.

Une sorte de cours de théologie trifonctionnelle, illustrée de mythes et de rituels, devait montrer comment la comparaison permet de remonter à un prototype commun préhistorique, puis, par un mouvement inverse qui n'est pas un cercle vicieux, déterminer les évolutions ou révolutions qu'il faut admettre pour expliquer, à partir de ce prototype, les théologies directement attestées qui avaient permis de le reconstituer. Gardant, par superstition peut-être, quelques-uns des titres de mes anciens essais (1940, 1941), je comptais confier à un *Jupiter Mars Quirinus* définitif une vue panoramique sur les trois fonctions ; puis, à un *Mitra-Varuṇa* refondu, l'analyse de la première ; enfin, à une nouvelle édition d'*Aspects de la fonction guerrière,* une illustration de la seconde. Quant à la troisième, rebelle par nature à la systématisation, elle était destinée à se satisfaire, après révision et avec commentaire, d'un recueil d'articles dispersés au cours des ans dans des revues et des Mélanges.

Cet ambitieux programme ne recevra qu'une exécution partielle. La deuxième fonction sera la mieux servie, avec *Heur et Malheur du guerrier,* publié en 1969 et refondu en 1985. La première fonction devra se contenter d'un bilan beaucoup plus modeste que le *Mitra-Varuna* envisagé : *Les Dieux souverains des Indo-Européens* (1977), dans lequel les « faits orientaux » sont repris *ab ovo,* alors que l'existence de *La Religion romaine archaïque* (1966 et 1974) et de *Gods of the Ancient Northmen* (1973) a permis d'« alléger » les « faits occidentaux ». Quant à la troisième fonction, une nouvelle fois à la traîne, elle ne sera pas abordée. En 1982, Dumézil confie cette tâche à ses successeurs.

Réfléchir encore sur ce qui, dans la grande diversité de la troisième fonction (prospérité...), fait l'unité de tant d'aspects. Il ne s'agit pas, comme on l'a souvent objecté depuis André Piganiol, d'un « fourre-tout » destiné à loger tout ce qui ne se ramène pas aux deux fonctions supérieures, mais de concepts étroitement liés, qui se conditionnent et s'appellent les uns les autres. Il ne s'agit pas non plus de théorie, d'*a priori,* mais d'observation : les dieux tels que Freyr, Quirinus, les Aśvin, etc. mettent chacun en évidence, synthétiquement, trois ou quatre des aspects de la troisième fonction et, par leurs affinités pour d'autres dieux, d'autres aspects encore.

Dans la préface de la dernière édition de *Heur et Malheur du guerrier,* parue exactement un an avant sa mort, il dresse l'état final de cette enquête poursuivie sans relâche pendant près de cinquante ans.

Dès 1938, une fois reconnu le caractère indo-européen commun du cadre idéologique des trois fonctions — administration du sacré, du pouvoir et du droit ; de la force physique ; de l'abondance et de la fécondité —, on a entrepris d'étudier comparativement, chez les divers peuples de la famille, l'économie interne des expressions théologiques et mythiques de chacune d'elles. Les bilans sont inégaux.

Pour la première, qui touchait de près les hommes de savoir et de pouvoir, les prêtres et les chefs, il a été très vite possible d'obtenir un tableau simple et entièrement cohérent, dont l'Inde védique, contrôlée par l'Iran, fournit, avec son Varuṇa et son Mitra, un exemplaire théologique bien conservé et dont Rome a laissé un exposé très complet dans l'« histoire » de ses deux fondateurs, Romulus et Numa. Avec des évolutions propres à chacune, la Scandinavie, l'Irlande ont confirmé cette première vue. Puis, à côté des deux aspects et personnages principaux de la souveraineté, ont été dégagés les services et les figures des dieux souverains mineurs dont les Indo-Iraniens, les Romains, les Scandinaves présentent des « réalisations » diverses, mais de même sens. Si quantité de points doivent être observés de plus près, il ne semble pas qu'il reste beaucoup à ajouter à ces lignes maîtresses.

À l'inverse, un des caractères les plus immédiatement sensibles de la troisième fonction est son morcellement en de très nombreuses provinces dont les frontières sont imprécises : fécondité, abondance en hommes (masse) et en biens (richesse), nourriture, santé, paix, volupté, etc., sont des notions qui se conditionnent les unes les autres, qui se déversent les unes dans les autres par mille capillaires, sans qu'il soit possible de déterminer entre elles un ordre simple de dérivation. Un autre caractère de la même fonction est son étroite liaison avec la base géographique, topographique, ethnique aussi de chaque société particulière et avec la forme, les organes variables de chaque économie. En conséquence, si la comparaison des dieux ou des héros jumeaux, les moins engagés dans le détail des *realia,* a permis de repérer un certain nombre de traits et de thèmes communs à plusieurs peuples indo-européens, aucune structure générale n'est apparue jusqu'à présent et l'on peut douter que l'avenir en découvre une.

La deuxième fonction, la force, et d'abord, naturellement, l'usage de la force dans les combats, n'est pas pour le comparatiste une matière aussi désespérée, mais elle n'a pas bénéficié chez les divers peuples indo-européens d'une systématisation complète comme la souveraineté religieuse et juridique : soit que les penseurs, les théologiens responsables de l'idéologie n'aient pas réfléchi avec autant de soin sur des activités qui n'étaient pas proprement les leurs, soit que les réalités non plus du sol, mais des événements, aient contrarié la théorie. Aussi la comparaison a-t-elle dégagé ici moins une *structure* que des *aspects*, qui ne sont même pas tous cohérents. Mais, de chacun de ces aspects pris à part, des réseaux de correspondances précises et complexes entre l'Inde (le plus souvent les Indo-Iraniens) et Rome ou le monde germanique attestent l'antiquité.

*
* *

Le tableau panoramique *Jupiter Mars Quirinus* « définitif » n'a pas paru. L'introduction des *Dieux souverains* a présenté un bref résumé des dieux indo-iraniens des trois fonctions et c'est tout. La seule synthèse disponible reste donc *L'Idéologie tripartie des Indo-Européens*.

Paru en 1958, cet ouvrage était destiné à « fournir aux lecteurs déjà informés une première — et provisoire — synthèse, non seulement une mise en ordre, mais une mise au point, avec la correction mutuelle et générale que seule une vue d'ensemble peut imposer aux résultats partiels ». Malgré plusieurs sollicitations, Dumézil s'est toujours refusé à le rééditer. Il en a expliqué les raisons en 1980 :

> Ce n'était qu'une synthèse provisoire, faite pour prendre date et pour aider le lecteur à s'orienter dans mon petit labyrinthe. L'histoire du livre est amusante. Les éditions allemandes Rohwolt m'avaient commandé, pour leur collection populaire, une brève mise au point de ma recherche. Sur la recommandation d'un « esprit éclairé », je suppose. Mais, quand ils ont reçu mon texte, ils ont reculé d'effroi. Sans doute avaient-ils consulté entre-temps un philologue moins éclairé ! Je conserve, de ce débat, une correspondance qu'il serait instructif de publier... Comme le manuscrit était prêt, je l'ai proposé à mon ami Marcel Renard, dont la « collection

Latomus » a toujours été accueillante aux nouveautés. Le livre a été utile en son temps, mais il est beaucoup trop condensé (Rohwolt m'avait fixé d'étroites limites) et en même temps trop morcelé, avec une allure de catéchisme. Et surtout, il y a eu depuis lors, dans mon travail, quelques changements et beaucoup de compléments. Il faudrait donc tout recommencer. Est-ce la peine ? Mieux vaut, je crois, laisser les études se développer, sans les couper par des bilans qui sont aussitôt dépassés ou, sur certains points, périmés. Vous verrez bien, dans vingt-cinq ou trente ans, ce que tout cela sera devenu.

C'est pourtant ce livre, amputé de son introduction et de sa bibliographie, qui est republié ici, et ce n'est pas chose commode que de justifier un tel choix que Dumézil n'eût sans doute pas approuvé (même si la reprise d'un texte dans un recueil n'a pas la même signification qu'une réédition). Mais le besoin d'aider le lecteur à s'orienter dans le labyrinthe dumézilien s'impose de manière encore plus impérieuse qu'en 1958, car en trois décennies, ledit labyrinthe s'est enrichi d'un nombre impressionnant de pièces supplémentaires ! Pour autant, celles-ci n'ont pas remis en cause l'architecture générale (on n'ose pas dire : la structure) de l'édifice : les « changements » portent sur des points de détail ou introduisent des nuances, les « compléments » s'insèrent sans heurts dans la grille proposée. *L'Idéologie tripartie des Indo-Européens* reste pleinement utilisable, et suffisamment complet pour donner une image exacte de l'œuvre. De toute façon, il s'impose... par forfait, puisque Dumézil ne l'a jamais remplacé et qu'il n'est pas possible d'extraire des « bilans » ultérieurs des textes suffisamment synthétiques pour figurer dans ce recueil.

Les trois chapitres qui composent *L'Idéologie tripartie* sont reproduits intégralement, sans autre altération que la traduction en français d'une citation anglaise et l'incorporation de tableaux récapitulatifs empruntés à d'autres livres. Il eût été téméraire d'essayer d'« améliorer » le texte par des notes ou des renvois bibliographiques qui auraient été soit lacunaires et imprécis, soit trop abondants. Je n'ai fait exception à cette règle que dans deux cas, où Dumézil renvoyait lui-même à des publications ultérieures.

CHAPITRE II

LES TROIS FONCTIONS SOCIALES ET COSMIQUES

1. *Les classes sociales dans l'Inde.* — L'un des traits les plus frappants des sociétés indiennes postrgvédiques est leur division systématique en quatre « classes » — le sanskrit dit : en quatre « couleurs », *varṇa* — dont les trois premières, bien qu'inégales, sont pures, parce que proprement arya, tandis que la quatrième, formée sans doute d'abord des vaincus de la conquête arya, est coupée des trois autres et, par nature, irrémédiablement souillée. De cette quatrième, hétérogène, il ne sera pas question ici.

Les devoirs de chacune des trois classes arya leur servent de définition : les *brāhmaṇa*, prêtres, étudient et enseignent la science sacrée et célèbrent les sacrifices ; les *kṣatriya* (ou *rājanya*), guerriers, protègent le peuple par leur force et par leurs armes ; aux *vaiśya* revient l'élevage et le labour, le commerce, et généralement la production des biens matériels. Ainsi se constitue, complète et harmonieuse, la société que préside un personnage à part, le roi, *rājan*, lui-même généralement issu, mais qualitativement extrait, du second niveau.

Ces groupes fonctionnels, hiérarchisés, sont en principe fermés chacun sur lui-même par l'hérédité, par l'endogamie et par un code rigoureux d'interdictions. Sous cette forme classique, il n'est pas douteux que le système ne soit une création proprement indienne, postérieure au gros du Ṛgveda ; les noms des classes ne sont mentionnés en clair que dans l'hymne du sacrifice de l'Homme Primordial, au Xe livre du recueil, si différent de tous les autres. Mais une telle création ne s'est pas faite de rien ; elle n'a été que le durcissement d'une doctrine et sans doute d'une pratique sociale préexistantes. En 1940, un savant indien, V.M. Apte, a fait une collection démonstrative de textes des neuf premiers livres du Ṛgveda (notamment VIII, 35, 16-18) qui prouvent que, dès le temps de la rédaction de ces hymnes, la société était pensée comme composée de prêtres, de guerriers, d'éleveurs et que, si ces groupes n'y étaient pas encore désignés sous leurs noms de *brāhmaṇa, de kṣatriya* et de *vaiśya*, les substantifs abstraits, noms de notions, dont ces noms d'hommes ne sont que les dérivés, étaient déjà composés en un système hiérarchique définissant distributivement les principes des trois activités : *bráhman* (neutre) « science et utilisation des corrélations mystiques entre les parties du réel, visible ou invisible », *kṣatrá* « puissance », *viś* à la fois « paysannerie », « habitat organisé » (le mot est apparenté au latin *uīcus*, au grec $(\digamma)o\tilde{\iota}\chi o\varsigma$) et, au pluriel, *viśaḥ*, « ensemble du peuple dans ses groupements sociaux et locaux ». Il est impossible de déterminer dans quelle mesure la pratique se conformait à cette structure théorique : n'y avait-il pas une part plus ou moins considérable de la société qui, indifférenciée ou autrement classée, échappait à cette tripartition ? L'hérédité, probable, à l'intérieur de chacune des classes, n'était-elle pas corrigée dans ses effets par un régime matrimonial plus souple et des possibilités de promotion ? Malheureusement, seule la théorie nous est accessible.

2. *Les classes sociales avestiques.* — Depuis un quart de siècle, confirmant les vues de F. Spiegel, É. Benveniste et moi-même avons soutenu que, au moins sous cette forme idéologique, la tripartition sociale était une conception déjà acquise avant la division des « Indo-Iraniens » en Indiens d'une part, Iraniens d'autre part. En plusieurs passages, l'Avesta men-

tionne, comme les constituants de la société, comme des groupes d'hommes ou des classes (désignées aussi par un mot faisant référence à la couleur, *pištra*), les prêtres, *āθaurvan, āθravan* (cf. un des prêtres védiques, l'*átharvan*), les guerriers, *raθaē.štar* (« monteurs de chars », cf. véd. *rathe-ṣṭhā́*, épithète du dieu guerrier Indra) et les agriculteurs-éleveurs, *vāstryŏ.fšuyant*. Un seul passage avestique, et plus constamment les textes pehlevi, placent comme quatrième terme, en bas de cette hiérarchie, les artisans, *hūiti,* que bien des indices (notamment le fait que des groupements *triples* de notions sont parfois mis maladroitement en rapport avec les *quatre* classes : p. ex. *SBE,* V, p. 357) engagent à considérer comme ajoutés à un ancien système ternaire. Au Xe siècle de notre ère encore, fidèle témoin de la tradition, le poète persan Firdousi raconte comment le roi fabuleux Ǧamšed (le Yima Xšaēta de l'Avesta) institua hiérarchiquement ces classes : il sépara d'abord du reste du peuple les **asravān*, « leur assignant les montagnes pour y célébrer leur culte, s'y consacrer au service divin et se tenir devant le lumineux séjour » ; les **arteštar,* qui furent placés de l'autre côté, « combattent comme des lions, brillent à la tête des armées et des provinces, et c'est par eux qu'est protégé le trône royal, par eux que se maintient la gloire de la vaillance » ; quant aux **vāstryŏš*, troisième classe, « ils labourent, plantent et récoltent eux-mêmes ; de ce qu'ils mangent, personne ne leur fait reproche ; ils ne sont pas serfs, bien que vêtus de haillons, et leur oreille est sourde à la calomnie ».

A la différence de l'Inde, les sociétés iraniennes n'ont pas durci cette conception en un régime de castes : elle semble être restée un modèle, un idéal, et aussi un moyen commode d'analyser et d'énoncer l'essentiel de la matière sociale. Du point de vue de l'idéologie, où nous nous plaçons, cela suffit.

3. *La légende de l'origine des Scythes.* — Un rameau aberrant de la famille iranienne, fort important parce qu'il s'est développé non dans l'Iran, mais au nord de la mer Noire, hors de la prise des empires, iraniens

ou autres, qui se sont succédé dans le Proche-Orient, témoigne dans le même sens : ce sont les Scythes, dont les mœurs et plusieurs légendes nous sont connues grâce à Hérodote et à quelques autres auteurs anciens, et dont un petit peuple du Caucase central, original et plein de vitalité, les Ossètes, a maintenu jusqu'à nos jours la langue et les traditions. D'après Hérodote (IV, 5-6), voici comment les Scythes racontaient l'origine de leur nation :

Le premier homme qui parut dans leur pays jusqu'alors désert se nommait Targitaos, qu'on disait fils de Zeus et d'une fille du fleuve Borysthène (le Dniepr actuel)... Lui-même eut trois fils, Lipoxaïs (variante Nitoxaïs), Arpoxaïs et, en dernier, Kolaxaïs. De leur vivant, il tomba du ciel sur la terre de Scythie des objets d'or : une charrue, un joug, une hache, une coupe, ἄροτρόν τε καὶ ζυγόυ καὶ σάγαριυ καὶ φιάλην. À cette vue, le plus âgé se hâta pour les prendre, mais, quand il arriva, l'or se mit à brûler. Il se retira et le second s'avança, sans plus de succès. Les deux premiers ayant renoncé à l'or brûlant, le troisième survint, et l'or s'éteignit. Il le prit avec lui et ses deux frères, devant ce signe, abandonnèrent la royauté tout entière à leur cadet. De Lipoxaïs sont nés ceux des Scythes qui sont appelés la tribu (grec γένος) des Aukhatai ; d'Arpoxaïs ceux qui sont appelés Katiaroi et Traspies (variantes Trapies, Trapioi) et du dernier, du roi, ceux qui sont appelés Paralatai ; mais tous ensemble se nomment Skolotoi, d'après le nom de leur roi.

Il me paraît aujourd'hui certain qu'il faut, avec E. Benveniste, rendre γένος par « tribu » : les Scythes comptent quatre tribus, dont une est la tribu chef. Mais toutes ont, réelle ou idéale, la même structure : il est clair en effet que ces quatre objets font référence aux trois activités sociales des Indiens et des « Iraniens d'Iran » ; la charrue avec le joug (É. Benveniste a rapproché un composé avestique qui associe semblablement ces deux pièces de la mécanique du labour) évoque l'agriculture ; la hache était, avec l'arc, l'arme nationale des Scythes ; et d'autres traditions scythiques conservées par Hérodote, ainsi que l'analogie de faits indo-iraniens bien connus, engagent à voir dans la coupe l'instrument et le symbole des offrandes culturelles et des beuveries sacrées. La forme bien distincte que Quinte-Curce (VII, 8, 18-19) donne à la tradition confirme cette exégèse fonctionnelle ; il fait dire aux ambassadeurs des Scythes qui essaient de détourner Alexandre le Grand de les attaquer : « Sache que nous avons reçu des dons : un joug de bœufs, une charrue, une lance, une flèche, une coupe (*iugum boum, aratrum, hasta, sagitta et patera*). Nous nous en servons avec nos amis et contre nos ennemis. À nos amis nous donnons les fruits de la terre que nous procure le travail des bœufs ; avec eux encore, nous offrons aux dieux des libations de vin ; quant aux ennemis, nous les attaquons de loin par la flèche, de près par la lance. »

4. *Les familles des héros Nartes.* — Il est intéressant de voir survivre cette structure idéologique de la société dans l'épopée populaire des modernes Ossètes, qui a été notée par fragments, mais en de nombreuses variantes, depuis près d'un siècle, et qu'une grande entreprise folklorique russo-ossète, il y a quinze ans, a recueillie systématiquement. Les Ossètes savent que leurs héros des anciens temps, les Nartes, étaient divisés pour l'essentiel entre trois familles :

Les Boriatæ, dit une tradition publiée par S. Tuganov en 1925, étaient riches en troupeaux ; les Alægatæ étaient forts par l'intelligence ; les Æxsærtægkatæ se distinguaient par l'héroïsme et la vigueur, ils étaient forts par leurs hommes.

Le détail des récits qui juxtaposent ou opposent deux à deux ces familles, surtout dans la grande collection des années quarante, confirme pleinement ces défini-tions. Le caractère « intellectuel » des Alægatæ y revêt une forme archaïque ; ils n'apparaissent qu'en une circonstance unique, mais fréquente : c'est dans leur maison qu'ont lieu les solennelles beuveries des Nartes où se produisent les merveilles d'une Coupe magique, « la Révélatrice des Nartes ». Quant aux Æexsærtægkatæ, grands pourfendeurs en effet, il est remarquable que leur nom soit un dérivé du substantif *æxsar(t)* « bravoure », qui est, avec les altérations phonétiques attendues dans les parlers scythiques, le même mot que le sanskrit *kṣatrá*, nom technique, on l'a vu, du principe de la classe guerrière. Et les Bor(i)atæ, notamment le principal d'entre eux, Buræfærnyg, sont constamment, caricaturalement, les riches, avec tous les risques et défauts de la richesse, et, de plus, par opposition aux peu nombreux Æexsærtægkatæ, ils sont une masse d'hommes.

5. *Les Indo-Européens et la tripartition sociale.* — Ainsi reconnue indo-iranienne commune, cette doctrine tripartie de la vie sociale a été le point de départ d'une enquête qui, poursuivie depuis près de vingt ans, a abouti à deux résultats complémentaires, qui peuvent se résumer en ces termes : 1°) en dehors des Indo-Iraniens, les peuples indo-européens connus à date ancienne ou bien pratiquaient réellement eux aussi une division de ce type ou bien, dans les légendes par lesquelles ils expliquaient leurs origines, répartissaient leurs soi-disant « composantes » initiales entre les trois catégories de cette même division ; 2°) dans l'ancien monde, du pays des Sères aux colonnes d'Hercule, de la Libye et de l'Arabie aux Hyperboréens, aucun peuple non indo-européen n'a explicité pratiquement ni idéalement une telle structure, ou, s'il l'a fait, c'est après un contact précis, localisable et datable, qu'il a eu avec un peuple indo-européen. Voici quelques exemples à l'appui de ces deux propositions.

6. *Les classes sociales chez les Celtes.* — Le cas le plus complet est celui des plus occidentaux des Indo-Européens, Celtes et Italiotes, — ce qui n'étonne pas, quand on a pris garde (J. Vendryes, 1918) aux nombreuses correspondances qui existent, dans le vocabulaire de la religion, de l'administration et du droit, entre les langues indo-iraniennes d'une part, les langues italiques et celtiques d'autre part, et elles seules.

Si l'on ajuste les documents qui décrivent l'état social de la Gaule païenne décadente qu'a conquise César et les textes qui nous informent sur l'Irlande peu après sa conversion au christianisme, il apparaît, sous le $*r\bar{\imath}g$- (l'équivalent phonétique exact de sanskr. $r\bar{a}j$-, lat. $r\bar{e}g$-), un type de société ainsi constitué : 1°) dominant tout, plus forte que les frontières, presque aussi supranationale que l'est la classe des brahmanes, la classe des *druides* ($*dru$-uid-), c'est-à-dire des « Très Savants », prêtres, juristes, dépositaires de la tradition ; 2°) l'aristocratie militaire, seule propriétaire du sol, la *flaith* irlandaise (cf. gaulois *vlato*-, all. *Gewalt*, etc.), proprement « puissance », l'exact équivalent sémantique de sanskr. *kṣatrá,* essence de la fonction guerrière ; 3°) les éleveurs, les *bó airig* irlandais, hommes libres *(airig)* qui se définissent seulement comme possesseurs de vaches *(bó).* Il n'est pas sûr, comme on l'a proposé, ni même probable (A. Meillet et R. Thurneysen ont préféré une étymologie purement irlandaise), que ce dernier mot, *aire* (gén. *airech,* pl. *airig*), qui désigne tout membre de l'ensemble des hommes libres, tout ce qui est protégé par la loi, concourt à l'élection du roi, participe aux assemblées *(airecht)* et aux grands banquets saisonniers, etc., soit le dérivé en -k- d'un mot parent de l'indo-iranien $*\bar{a}rya$ (sanskr. *arya, ārya* ; v.-pers. *ariya,* avest. *airya* ; osse *læg* « homme », de $*arya$-ka-). Mais peu importe : le tableau triparti celtique recouvre exactement le tableau, réel ou idéal, des sociétés indo-iraniennes.

7. *Les composantes légendaires de Rome et les trois tribus primitives.* — La Rome historique, aussi haut qu'on remonte, n'a pas de division fonctionnelle : l'opposition patriciens-plébéiens est d'un autre type. Sans doute cependant n'est-ce là que l'effet d'une évolution précoce, et sans doute la division primitive en trois tribus — antérieure aux Étrusques, bien que recouverte de noms d'origine apparemment étrusque, *Ramnes, Luceres, Titienses* — était-elle encore, à quelque degré, du type que nous étudions : c'est ce que suggère clairement la légende des origines.

Suivant la variante la plus répandue, Rome se serait constituée de trois éléments ethniques : les compagnons latins de Romulus et de Rémus, les alliés étrusques amenés à Romulus par Lucumon, les ennemis sabins de Romulus commandés par Titus Tatius ; les premiers auraient donné naissance aux Ramnes, les seconds aux Luceres, les troisièmes aux Titienses. Or la tradition annalistique colore constamment chacune de ces trois composantes ethniques de traits fonctionnels : les Sabins de Tatius sont essentiellement des riches en troupeaux ; Lucumon et sa bande sont et ne sont que les premiers spécialistes de l'art militaire, engagés comme tels par Romulus ; Romulus est le demi-dieu, le *rex-augur* bénéficiaire de la promesse initiale de Jupiter, le créateur de l'*urbs* et le fondateur institutionnel de la *respublica*.

Parfois la composante étrusque est éliminée, mais l'analyse « trifonctionnelle » n'en subsiste pas moins, car Romulus et ses Latins cumulent alors sur eux la double spécification de chefs sacrés et de guerriers exemplaires, ont avec eux ou en eux, comme dit Tite-Live (I, 9, 2-4), *deos et uirtutem,* et il ne leur manque, provisoirement, que les *opes* (et les femmes) que peuvent et devront leur fournir les Sabins (cf. Florus, I, 1 : les Sabins réconciliés se transportent dans Rome et *cum generis suis auitas opes pro dote sociant*). Éliminant aussi les Étrusques, le dieu Mars en personne, au troisième livre des *Fastes* d'Ovide (178-199), met de même à nu le ressort idéologique de l'entreprise qui a abouti à l'union des Romains et des Sabins : « Le riche voisinage *(uicinia diues)*, dit-il, ne voulait pas de ces gendres sans richesse *(inopes)* et n'avait pas égard au fait que j'étais, moi (un dieu), la source de leur sang *(sanguinis auctor)*... J'en ressentis de la peine et je mis dans ton cœur, Romulus, une disposition conforme à la nature de ton père *(patriam mentem,* c'est-à-dire martiale) ; je te dis : Trève de sollicitations ; ce que tu demandes, ce sont les armes qui te le donneront *(arma dabunt).* » Denys d'Halicarnasse qui suit, lui, la tradition à trois races, répartit bien entre elles les mêmes trois avantages : les villes voisines, sabines et autres, sollicitées par Romulus pour des mariages, refusent (II, 30) de s'unir à ces nouveaux venus « qui ne sont ni considérables par les richesses ($\chi\rho\dot\eta\mu\alpha\sigma\iota$) ni les auteurs d'aucun exploit ($\lambda\alpha\mu\pi\rho\grave{o}\nu$ $\check{\epsilon}\rho\gamma o\nu$) » ; à Romulus ainsi réduit à sa qualité de fils de dieu et de dépositaire des premiers auspices, il ne reste (II, 37) qu'à appeler des militaires professionnels, l'Étrusque Lucumon de Solonium, « homme d'action et illustre en matière de guerre » ($\tau\grave{\alpha}$ $\pi o\lambda\epsilon\mu\iota\alpha$ $\delta\iota\alpha\phi\alpha\nu\dot\eta\xi$).

8. *Properce, IV, 1, 9-32.* — Mais c'est Properce, dans la première élégie romaine (IV, 1), qui a donné de cette doctrine des origines, et dans la forme à trois races, l'expression la plus parfaite : au moment où il va nommer, avec Romulus, les trois tribus primitives en mettant leurs étymologies en valeur par les corrélations traditionnelles avec les noms de leurs éponymes, il commence par exprimer les caractères fonctionnels distinctifs, « l'essence », pourrait-on dire, de la matière première de chaque tribu : 1º) les compagnons de Rémus et de son frère (le nom même de Romulus étant réservé pour couvrir la synthèse finale), 2º) Lygmon (Lucumo), 3º) Titus Tatius. Ce texte mérite d'être regardé de près.

L'intention du poète, en ce début de l'élégie, est d'opposer (c'est un lieu commun de l'époque) l'humilité des origines à l'opulence de la Rome d'Auguste. Après quelques vers qui posent le thème en l'appliquant au site, voici les habitants (vers 9-32), présentés en trois parties bien inégales, suivies d'une conclusion :

Sur la pente où s'élevait jadis la pauvre maison
10. de RÉMUS, les (deux) *frères* avaient un foyer unique, immense royaume.
La Curie, dont l'éclat couvre aujourd'hui une assemblée en toges prétextes, ne contenait que des sénateurs vêtus de peaux, des âmes rustiques.
C'est la trompe qui convoquait, pour les colloques, les anciens citoyens ; cent hommes dans un pré, tel était souvent leur sénat.

15. Point de toile ondulant sur la profondeur d'un théâtre, point de scène exhalant l'odeur solennelle du safran.

Nul ne se souciait d'aller quérir des dieux étrangers : la foule tremblait, attachée au culte ancestral,

et chaque année les fêtes de Palès n'étaient
20. célébrées que par des feux de foin, qui valaient bien les lustrations qui s'y font aujourd'hui par le moyen d'un cheval mutilé.

Vesta était pauvre et trouvait son plaisir à des ânons couronnés de fleurs ; des vaches étiques portaient en procession des objets sans valeur.

Des porcs engraissés suffisaient à purifier les étroits carrefours et le berger, au son du chalumeau, offrait en sacrifice les entrailles d'une brebis.
25. Vêtu de peaux, le laboureur brandissait des lanières velues : c'est de là que tiennent leurs rites les Fabii, Luperques déchaînés.

Encore primitif, le soldat n'étincelait pas sous des armes terribles ; on se battait nu, avec des pieux durcis au feu.

Le premier camp (prétoire : quartier du camp autour de la tente du général), ce fut un commandant en bonnet de peau, LYGMON, qui l'établit,

30. et la richesse de TATTIUS était, pour l'essentiel, dans ses brebis.

C'est de là que se formèrent les TITIES, et les RAMNES, et les LUCERES, originaires de Solonium ; c'est de là que Romulus lança son quadrige de chevaux blancs.

Le cours de ce développement est clair : comme une fable vers sa brève morale, il tend vers le dernier distique qui, avant de mentionner le « rassembleur » Romulus dans l'appareil de ses triomphes, énumère sous leurs noms les trois tribus « rassemblées ». Au vers 31, *hinc* indique que ces trois tribus proviennent des hommes qui ont été d'abord décrits, et, en effet, en accord avec la tradition érudite, Properce met évidemment les *Tities* (v. 31) en corrélation avec le *Tatius* du vers 30 et les *Luceres* (v. 31) en corrélation avec le *Lygmon-Lucumo* du v. 29 ; quant aux *Ramnes* (v. 31), conformément à l'usage, ils devraient être annoncés symétriquement par la mention de Romulus, mais Romulus, réservé ici pour le commandement de la société synthétique (v. 31-32), est remplacé par le *Remus* du v. 9, élargi en *fratres* au v. 10. En d'autres termes, avant de les montrer transmués *(hinc...)*, sous Romulus, dans les trois tiers de la cité unifiée, Properce commence par présenter successivement, sous leurs éponymes et dans leur existence encore séparée, les trois composantes de la future Rome et cela dans l'ordre : les gens de Rémus et de son frère ; l'Étrusque Lucumo ; le Sabin Tatius. Ainsi s'explique que les fêtes des vers 15-26, appartenant aux futurs Ramnes, soient toutes de celles que la tradition considérait comme antérieures au synécisme, comme pratiquées déjà, dans leur isolement, par les deux frères.

Mais ce n'est pas tout. Il n'est pas moins clair que les trois présentations successives des futures tribus sont caractérisées selon les trois fonctions auxquelles est consacré le présent chapitre :

1º) du vers 9 (« Rémus ») au vers 26, le poète n'évoque que le caractère primitif d'une ADMINISTRA-TION POLITIQUE (9-14 : simplicité et des « rois » et de ce qui figurait alors le sénat et l'assemblée du peuple), ainsi que du CULTE (v. 15-26 : pas de solennités ni de dieux étrangers ; dans l'ordre du calendrier rustique — d'avril à février — des Parilia, des Vestalia, des Compitalia, des Lupercalia sans nulle pompe) ;

2º) du vers 27 au vers 29 (« Lygmon »), le poète évoque les formes primitives de la GUERRE, qui restent élémentaires (« en bonnet de peau »), même chez le premier technicien militaire ;

3º) dans l'unique vers 30 (« Tatius »), le poète évoque la forme purement pastorale de la RICHESSE primitive.

La netteté des articulations du texte et par conséquent des intentions classificatoires du poète, notamment la confrontation dans le distique 29-30 de Lucumo comme général et de Tatius comme riche propriétaire de troupeaux, mettent en relief le fait que, même conçues comme des composantes ethniques, les trois tribus étaient aussi, dans la pensée des érudits de l'époque d'Auguste, caractérisées fonctionnellement : les *Ramnes* groupés autour des « frères », comme occupés surtout du gouvernement et du culte ; Lucumon et les *Luceres* comme des guerriers, Titus Tatius et les *Tities* (plus souvent *Titienses*) comme de riches éleveurs.

9. *Les divisions des Ioniens.* — Parmi les Grecs, les Ioniens tout au moins, et notamment les plus anciens Athéniens, avaient été d'abord divisés en quatre tribus définies ainsi par leur rôle dans l'organisme social. Les noms traditionnels des tribus ne sont pas tous clairs, non plus que la répartition des noms entre les quatre fonctions ou, comme dit Plutarque, les quatre βioi, « (types de) vie », mais ces types sont très probablement : prêtres ou magistrats religieux, guerriers ou « gardiens », laboureurs, artisans (Strabon, VIII, 7, 1 ; cf. Platon, *Timée*, 24 a ; Plutarque, *Solon*, 23, par une fausse étymologie du nom d'ordinaire rattaché aux prêtres, omet les prêtres et dédouble laboureurs et bergers). Il est probable que les trois classes de la République idéale de Platon, — les philosophes qui gouvernent, les guerriers qui défendent, le tiers-état qui crée la richesse — avec tous leurs harmoniques moraux et philosophiques, si proches parfois des spéculations indiennes, ont été inspirées en partie des traditions ioniennes, en partie de ce qu'on savait alors en Grèce des doctrines de l'Iran, en partie d'enseignements dits pythagoriciens qui remontaient sans doute eux-mêmes fort loin dans le passé hellénique et préhellénique.

10. *La tripartition sociale dans l'ancien monde.* — À ces schémas concordants, c'est en vain qu'on a cherché une réplique indépendante dans la pratique ou les traditions des sociétés finno-ougriennes ou sibériennes, chez les Chinois ou les Hébreux bibliques, en Phénicie

ou dans la Mésopotamie sumérienne ou sémitique, et généralement dans les vastes zones continentales contiguës aux Indo-Européens ou pénétrées par eux ; ce qu'on observe, ce sont soit des organisations indifférenciées de nomades, où chacun est à la fois combattant et pasteur ; soit des organisations théocratiques de sédentaires, où un roi-prêtre, un empereur divin est équilibré par une masse, morcelée à l'infini, mais homogène dans son humilité ; soit encore des sociétés où le sorcier n'est qu'un spécialiste parmi beaucoup d'autres, sans préséance, malgré la crainte qu'inspire sa spécialité : de près ni de loin, rien de tout cela ne rappelle la structure des trois classes fonctionnelles hiérarchisées. Il n'y a pas d'exceptions. Quand un peuple non indo-européen de l'ancien monde, du Proche-Orient notamment, semble se conformer à cette structure, c'est qu'il l'a acquise sous l'influence d'un nouveau venu de son voisinage, d'une de ces dangereuses bandes indo-européennes qui, au second millénaire, — Louvites, Hittites, Arya — se sont hardiment répandues sur plusieurs routes. C'est le cas, par exemple, de l'Égypte « castée » dans laquelle les Grecs du Ve siècle croyaient trouver le prototype, l'origine des plus vieilles classes fonctionnelles athéniennes, qui ont été mentionnées tout à l'heure. En réalité, cette structure ne s'est formée sur le Nil qu'au contact des Indo-Européens qui, surgissant en Asie Mineure et en Syrie au milieu du second millénaire avant notre ère, révélèrent aussi aux Égyptiens le cheval, avec tous ses usages. C'est à cette date seulement que, pour survivre, le vieil empire des Pharaons se réorganise, se donne notamment ce qu'il n'a jamais eu, une armée permanente, une classe militaire ; le plus ancien texte « multifonctionnel » du type de ce que connaîtront Hérodote, le *Timée*, Diodore, est l'inscription où Thaneni se vante d'avoir fait un vaste recensement pour le compte de son maître, le pharaon Thoutmosis IV (J.H. Breasted, *Ancient Records of Egypt*, II, *The XVIIIth Dynasty*, 1906, p. 165) :

Ce fut le scribe militaire Thaneni, bien-aimé de son Seigneur, qui présenta toute la Terre à Sa Majesté ; il fit une inspection de tout le monde, désignant les soldats, les prêtres, les serfs de la couronne et tous les artisans de la terre entière, tout le gros bétail, le petit bétail, les animaux de basse-cour.

Or Thoutmosis IV (1415-1405) est justement le premier Pharaon qui ait épousé une princesse arya de Mitani, la fille d'un roi au nom caractéristique, Artatama.

Il semble que c'est bien la différenciation d'une classe de guerriers, avec son statut « moral » particulier, unie par une sorte d'alliance souple à une classe également différenciée de prêtres, qui a été l'originalité, la nouveauté des Indo-Européens et, le cheval et le char aidant, la raison et le moyen de leur expansion : les inscriptions hiéroglyphiques et cunéiformes nous ont transmis le souvenir de la terreur que causaient aux vieilles civilisations ces spécialistes de la guerre, aussi hardis et impitoyables que, trois mille ans plus tard dans le Nouveau Monde, les *conquistadores* ont pu le paraître aux chefs et aux peuples des empires qu'ils écrasaient. Elles les désignent d'un nom — *marianni* — qu'en effet employaient les Indo-Iraniens : les *márya*, où S. Wikander a su reconnaître en 1938 les membres de *Männerbünde* du même type que ceux que O. Höfler venait d'étudier chez les Germains.

11. *Théorie et pratique.* — La comparaison des plus vieux documents indo-iraniens, celtiques, italiques, grecs, si elle permet d'affirmer que les Indo-Européens avaient une conception de la structure sociale fondée sur la distinction et la hiérarchisation des trois fonctions, ne peut naturellement enseigner grand-chose sur la forme — ou les diverses formes — concrètes où se réalisait cette conception : nous devons généraliser ici ce qui a été dit plus haut pour les Arya védiques. Il se peut que la société ait été entièrement, exhaustivement répartie entre prêtres, guerriers et pasteurs. On peut aussi penser que la distinction avait seulement abouti à mettre en vedette quelques clans

ou quelques familles « spécialisés », dépositaires les uns des secrets efficaces du culte, les seconds des initiations et techniques guerrières, les troisièmes enfin des recettes et de la magie de l'élevage, tandis que le gros de la société, indifférencié ou moins différencié, s'adressait, se confiait à la direction des uns ou des autres suivant les nécessités et les occasions. On est libre enfin d'imaginer plusieurs formes intermédiaires, mais ce ne seront que des vues de l'esprit. Certaines rencontres de chiffres semblent cependant révéler la survivance, ici et là, de formules très précises : tels, dans le Ṛgveda, les « 33 dieux » qui résument une société divine conçue à l'image de la société arya et qui sont parfois décomposés en 3 groupes de 10, complétés par 3 supplémentaires ; et, à Rome, les 33 figurants des *comitia curiata* dont 30, c'est-à-dire 3 fois 10, résument les 3 tribus primitives, fonctionnelles, des *Ramnes, Luceres* et *Titienses,* complétés par 3 augures.

12. *Les trois fonctions fondamentales.* — Aussi bien n'est-ce pas le détail authentique, historique, de l'organisation sociale tripartie des Indo-Européens qui intéresse le plus le comparatiste, mais le principe de classification, le type d'idéologie qu'elle a suscité et dont, réalisée ou souhaitée, elle ne semble plus être qu'une expression parmi d'autres. Plusieurs fois, dans l'exposé qu'on vient de lire, un mot important a été rencontré : celui de *fonctions,* des *« trois fonctions ».* Il faut entendre par là, certes, les trois activités fondamentales que doivent assurer des groupes d'hommes — prêtres, guerriers, producteurs — pour que la collectivité subsiste et prospère. Mais le domaine des « fonctions » ne se limite pas à cette perspective sociale. À la réflexion philosophique des Indo-Européens, elles avaient déjà fourni — comme les substantifs abstraits *bráhman, kṣatrá, viś,* principes des trois classes, à la réflexion philosophique des Indiens védiques et postvédiques, — ce qu'on peut considérer, suivant le point de vue, comme un moyen d'explorer la réalité matérielle et morale, ou comme un moyen de mettre

de l'ordre dans le capital de notions admises par la société. L'inventaire de ces applications non proprement sociales de la structure trifonctionnelle a été entrepris dès 1938 et poursuivi par É. Benveniste et par moi-même. Il est maintenant facile de mettre sur la première et sur la deuxième « fonctions » une étiquette couvrant toutes les nuances : d'une part le sacré et les rapports soit des hommes avec le sacré (culte, magie), soit des hommes entre eux sous le regard et la garantie des dieux (droit, administration), et aussi le pouvoir souverain exercé par le roi ou ses délégués en conformité avec la volonté ou la faveur des dieux, et enfin, plus généralement, la science et l'intelligence, alors inséparables de la méditation et de la manipulation des choses sacrées ; d'autre part la force physique, brutale, et les usages de la force, usages principalement mais non pas uniquement guerriers. Il est moins aisé de cerner en quelques mots l'essence de la troisième fonction, qui couvre des provinces nombreuses, entre lesquelles des liens évidents apparaissent, mais dont l'unité ne comporte pas de centre net : fécondité certes, humaine, animale et végétale, mais en même temps nourriture et richesse, et santé, et paix — avec les jouissances et les avantages de la paix — et souvent volupté, beauté, et aussi l'importante idée du « grand nombre », appliquée non seulement aux biens (abondance), mais aussi aux hommes qui composent le corps social (masse). Ce ne sont pas là des définitions *a priori*, mais bien l'enseignement convergent de beaucoup d'applications de l'idéologie tripartie.

Les indianistes sont familiers avec cet usage débordant de la classification tripartie après les temps védiques : par un entraînement qui rappelle, dans sa vigueur et dans ses effets, la pente classificatoire de la pensée chinoise — qui a distribué, par exemple, entre le *yâng* et le *yīn* tant de couples de notions solidaires ou antithétiques —, l'Inde a mis les trois classes de la société, avec leurs trois principes, en rapport avec de nombreuses triades de notions soit préexistantes, soit créées pour la circonstance. Ces harmonies, ces corrélations, importantes pour l'action sympathique à laquelle tend le culte, sont parfois d'un sens profond, parfois artificielles et puériles. Si, par exemple, les trois « fonctions » sont distributivement rattachées aux trois *guṇa* (proprement « fils ») ou « qualités » — Bonté, Passion, Obscurité — dont la philosophie sāṃkhya dit que les entrelacements variables forment la trame de tout ce qui existe, ou encore aux trois étages superposés de l'univers, on les voit non moins impérieusement rattachées aux divers mètres et mélodies des Veda, aux diverses sortes de bétail, et commander minutieusement le choix des divers bois dont seront faites les écuelles ou les cannes.

Sans se porter à ces excès de systématisation, la plupart des autres peuples de la famille présentent des faits de ce genre, dont certains, se retrouvant très semblables sur plusieurs parties du domaine, ont chance de remonter aux ancêtres communs, aux Indo-Européens. Il ne peut être ici question que d'en donner quelques échantillons.

13. *Triades de calamités et triades de délits.* — Il y a vingt ans, É. Benveniste a mis en valeur, chez les Iraniens et chez les Indiens, des formules très proches où un dieu est prié d'écarter d'une collectivité ou d'un individu trois fléaux, dont chacun relève d'une des trois fonctions. Par exemple, dans une inscription de Persépolis (*Persép.* d 3), Darius demande qu'Auramazdā protège son empire « de l'armée ennemie, de la mauvaise année, de la tromperie » (ce dernier mot, *drauga,* dans le vocabulaire du Grand Roi, désignant surtout la rébellion politique, la méconnaissance de ses droits souverains, mais faisant aussi allusion au péché majeur des religions iraniennes, le mensonge). Tout de même, lors des cérémonies védiques de pleine et de nouvelle lune, une prière est adressée à Agni dans des formules qui, diversement allongées par les auteurs des divers livres liturgiques (p. ex. *Taitt. Saṃh.,* I, 1, 13, 3 ; *Śat. Brāhm.,* I, 9, 2, 20), ont ceci pour commun noyau : « Garde-moi de la sujétion, garde-moi du

mauvais sacrifice, garde-moi de la mauvaise nourriture. » L'énoncé indien est parallèle à l'iranien, sous la réserve que, au premier niveau, le roi Achéménide parle de tromperie et le ritualiste védique de sacrifice mal fait : cet écart dans les craintes correspond bien aux évolutions divergentes — ici très tôt moralisante, là de plus en plus formaliste — des religions des deux sociétés.

Il m'a été possible de montrer ensuite que les plus occidentaux des Indo-Européens, les Celtes, dont les mœurs sont parfois si étonnamment proches des mœurs védiques, utilisaient la même classification tripartie des grands fléaux : la principale compilation juridique de l'Irlande, le *Senchus Mór,* commence par cette déclaration (*Ancient Laws of Ireland,* IV, 1873, p. 12) : « Il y a trois temps où se produit le périssement du monde : la période de mort d'hommes (mort par épidémie ou famine, précise la glose), la production accrue de guerre, la dissolution des contrats verbaux » : les malheurs sont ainsi répartis dans les trois zones de la santé ou de la nourriture, de la force violente, du droit. Les Gallois n'ont pas inséré dans leurs livres juridiques de telles formulations abstraites, mais un texte qui paraît être la transposition romanesque d'un vieux mythe, le *Cyvranc Lludd a Llevelis,* est consacré à exposer les trois « oppressions » de l'île de Bretagne et la manière dont le roi Lludd y mit fin ; ces fléaux sont : 1°) une race d'hommes « sages » apparaît, dont le « savoir » est tel qu'ils entendent à travers l'île toute conversation, fût-elle à voix basse, et interfèrent ainsi dans le gouvernement et dans les rapports humains ; 2°) chaque premier mai, un terrible duel a lieu entre deux dragons, le dragon de l'île et un dragon étranger qui vient « se battre » avec lui, cherchant à « le vaincre » et le cri du dragon de l'île est tel qu'il paralyse et stérilise tous les êtres vivants ; 3°) chaque fois que le roi constitue dans un de ses palais une « provision de nourriture et de boisson », fût-elle pour un an, un magicien voleur vient la nuit suivante et enlève tout dans son panier. On voit qu'ici encore les trois oppressions se développent dans les zones de la vie intellectuelle et de l'administration, puis de la force, puis de la nourriture ; et de plus qu'elles définissent, considérées dans leurs agents et non dans leurs victimes, trois délits : abus d'un savoir magique, agression violente, vol de biens. Il paraît que le plus vieux droit romain répartissait de même les délits privés en incantation maligne (malum carmen, occentatio), violence physique (membrum ruptum et os fractum, iniuria), et vol (furtum) ; et Platon, dans un contexte tout rempli de la tripartition (République, 413b-414a), utilise, d'une manière évidemment artificielle, l'empruntant sans doute à quelque poète tragique, une distinction systématique et exhaustive des délits, toute proche, en « vol, violence physique, enchantement » (κλοπή, βία, γοητεία).

14. Trois médecines. — É. Benveniste encore a rapproché la classification avestique des médications (Vidēvdāt, VII, 44 : médecines du couteau, des plantes, des formules incantatoires) et l'analyse que fait un hymne du Rgveda des pouvoirs médicaux des dieux Nāsatya-Aśvin (X, 39, 3 : « guérisseurs à la fois de qui est aveugle [mal mystérieux, magique], de qui est amaigri [mal alimentaire], de qui a une fracture [violence] ») ; et aussi les procédés que, dans la IIIᵉ Pythique de Pindare, le Centaure Chiron enseigne à Asklépios pour guérir « les douloureuses maladies des hommes » (vers 40-55 : incantation, potions ou drogues, incisions) ; et il a soupçonné, derrière ces faits parallèles, l'existence d'une « doctrine médicale » tripartie héritée des Indo-Européens.

Si les vieux textes germaniques n'appliquent pas ce schéma classificatoire aux fléaux, délits ou remèdes, ils l'utilisent en d'autres circonstances : le « Chant de Skirnir », dans l'Edda, est un petit drame où le serviteur du dieu Freyr contraint, malgré sa volonté, la géante Gerdr à se rendre aux désirs amoureux de son maître : il essaie d'abord, vainement, d'acheter (kaupa) son amour par des présents d'or (strophes 19-22) ; puis, non moins vainement, avec son épée mœki, menace de la décapiter (str. 23-25) ; il n'arrive à ses fins qu'à sa troisième tentative, quand il la menace des instruments de sa magie, baguette *(gambantein)* et runes (26-37).

15. *Eloges tripartis.* — Quand un poète indien veut faire brièvement l'éloge total d'un roi, il passe en revue, en trois mots, les trois fonctions : ainsi, au début du Raghuvaṃśa (I, 24), le roi Dilāpa mérite d'être appelé le père de ses sujets « parce qu'il assure leur bonne conduite, les protège, les nourrit ». Avec des formules généralement moins concises, l'épopée irlandaise procède de même. Dans un beau texte, le Pays des Vivants — c'est-à-dire l'autre monde, le séjour des morts devenus immortels — est caractérisé, en plus de cette absence de mort, par les trois traits suivants : « il n'y a là ni péché ni faute... ; on y mange des repas éternels sans service ; la bonne entente y règne sans lutte » ; l'originalité du pays merveilleux est donc que tout y est bon et facile ; mais cette idée s'analyse et s'exprime aussitôt, dans la pensée de l'auteur, selon les trois fonctions (vertu, guerre, abondance alimentaire), la deuxième fonction, d'essence violente, étant considérée en elle-même comme un mal et donc rejetée, les deux autres étant au contraire développées au maximum (J. Pokorny, « Conle's abenteuerliche Fahrt », *ZCP*, XVII, 1928, p. 195). Par une semblable analyse, pour faire l'éloge du roi Conchobor, un texte du cycle des Ulates dit que, sous son règne, il y avait « paix et tranquillité et aimables salutations », « glands et graisse et productions de la mer », « contrôle et droit et bonne souveraineté » (K. Meyer, « Mitteil. aus irischen Handschriften », *ZCP*, III, 1901, p. 229) ; c'est-à-dire le contraire de la guerre, de la famine et de l'anarchie, le contraire des trois fléaux dont Darius, à Persépolis, demande aussi au grand dieu de garder son empire.

16. *Les trois fonctions et la « nature des choses ».* — De telles formules, objecte-t-on parfois, ne sont-elles pas trop naturelles, trop bien modelées sur l'uniforme et inévitable disposition des choses, pour que leur

accumulation et leurs similarités prouvent une origine commune et l'existence d'une doctrine caractéristique des Indo-Européens ? Une réflexion même élémentaire sur la condition humaine et sur les ressorts de la vie collective ne doit-elle pas, en tout temps et en tout lieu, aboutir à mettre en évidence trois nécessités : une religion garantissant une administration, un droit et une morale stables ; une force protectrice ou conqué-rante ; enfin des moyens de produire, de manger et généralement de jouir ? Et quand l'homme réfléchit sur les périls qu'il court, sur les voies qui s'ouvrent à son action, n'est-ce pas encore à quelque variété de ce schéma qu'il est ramené ? Il suffit de sortir du monde indo-européen, où ces formules sont si nombreuses, pour constater que, malgré le caractère en effet nécessaire et universel des trois besoins auxquels elles se réfèrent, elles n'ont pas, elles, la généralité, la spontanéité qu'on suppose : pas plus que la division sociale correspondante, on ne les retrouve dans aucun texte égyptien, sumérien, accadien, phénicien ni biblique, ni dans la littérature populaire des peuples sibériens, ni chez les penseurs confucéens ou taoïstes, si inventifs et si experts en matière de classification. La raison en est simple, et détruit l'objection : pour une société, ressentir et satisfaire des besoins impérieux est une chose ; les amener au clair de la conscience, réfléchir sur eux, en faire une structure intellectuelle et un moule de pensée est tout autre chose ; dans l'ancien monde, seuls les Indo-Européens ont fait cette démarche philosophique et, puisqu'elle s'observe dans les spéculations ou dans les productions littéraires de tant de peuples de cette famille et chez eux seuls, l'explication la plus économique, ici comme pour la division sociale proprement dite, est d'admettre que la démarche n'a pas eu à être faite et refaite indépendamment sur chaque province indo-euro-péenne après la dispersion, mais qu'elle est antérieure à la dispersion, qu'elle est l'œuvre des penseurs dont les brahmanes, les druides, les collèges sacerdotaux romains sont, pour une part, les héritiers.

17. *Mécanismes juridiques triples.* — Une des applications les plus intéressantes, mais les plus délicates, est celle qui, par référence à la conception indo-européenne, éclaire chez divers peuples (Inde, Lacédémone, Rome) des cadres et des règles juridiques. Rappelant que le droit romain, si original dans ses fondements et dans son esprit, garde dans ses formes un grand nombre de procédures en trois variantes à effets équivalents, qu'on explique usuellement, mais sans preuve, comme des créations successives de l'usage et du préteur, L. Gerschel a montré que quelques-uns au moins de ces étonnants « tripertita » se modèlent sur le système des trois fonctions ici considérées. Je ne citerai qu'un des meilleurs exemples : un testament peut être fait, avec la même valeur, ou bien dans les assemblées strictement *religieuses* que sont les Comitia Curiata présidés par le grand pontife ; ou bien sur le front de *bataille* devant les soldats ; ou enfin par une *vente* fictive à un « emptor familiae » (Aulu-Gelle, XV, 27 ; Gaius, II, 101-103 ; Ulpien, *Reg.*, XX, 1). Gerschel ne prétend pas, bien entendu, qu'il ait existé à Rome un « droit sacerdotal », un « droit guerrier », un « droit économique » ; que les trois types de testament, par exemple, aient eu des assises sociales différentes ou des effets différents, non plus que les trois types d'affranchissement ni les autres trichotomies juridiques qu'on peut interpréter dans ce sens ; ce cadre, si remarquablement fréquent, cette triade de possibilités à effets équivalents et l'homologie des distinctions qui s'y distribuent n'en paraissent pas moins, dit-il, attester que « les créateurs du droit romain ont longtemps pensé les grands actes de la vie collective selon l'idéologie des trois fonctions et juxtaposé volontiers trois procédés, trois décors ou trois cas d'application, relevant chacun du principe (religieux ; actuellement ou potentiellement militaire ; économique) d'une des trois fonctions ».

18. — *Les trois fonctions et la psychologie.* — La psychologie elle-même n'a pas échappé à ce cadre. Non seulement des systèmes philosophiques indiens

dosent dans les âmes comme dans les sociétés des principes tels que la loi morale, la passion, l'intérêt économique *(dharma, kāma, artha)* ; non seulement Platon donne aux trois classes de sa République idéale — philosophes gouvernants, guerriers, producteurs de richesse — des formules de vertus qui distribuent et combinent la Sagesse, la Bravoure et la Tempérance ; non seulement, dans une expression apparemment traditionnelle et liée à l'intronisation des Rois Suprêmes d'Irlande, la mythique reine Medb, dépositaire et donneuse de Souveraineté, pose comme triple condition à quiconque veut devenir son mari, c'est-à-dire roi, d'être « sans jalousie, sans peur, sans avarice » *(Táin Bó Cúailnge,* éd. Windisch, 1905, pp. 6-7), — mais le zoroastrisme, dans des textes que K. Barr a brillamment interprétés, explique que la naissance de l'homme par excellence, Zoroastre, a été soigneusement préparée par la combinaison de trois principes, l'un souverain, l'autre guerrier, le troisième charnel ; et ce peut être là l'application mythique d'une très ancienne croyance, puisque les traités rituels domestiques de l'Inde *(Śāṅkh. G.S.,* I, 17, 9 ; *Pārask. G.S.,* I, 9, 5) conseillent à la femme qui veut concevoir un enfant mâle de s'adresser à Mitra et Varuṇa, aux Aśvin, à Indra (ce dernier accompagné d'Agni ou de Sūrya suivant les variantes), et à nul autre, c'est-à-dire, comme il sera montré dans le chapitre suivant, à la liste archaïque, indo–iranienne, des dieux incarnant et patronnant la première, la troisième et la seconde fonctions.

19. *Talismans symboliques des fonctions.* — Une autre voie de développement, pour la pensée trifonctionnelle, a été celle du symbolisme : tantôt les trois groupes sociaux, tantôt leurs trois principes ont été liés figurativement et solidairement à des objets matériels simples dont le groupement les évoquait, les représentait. Il semble que dès les temps indo-européens, cette voie ait principalement abouti à deux ensembles : une collection d'objets-talismans, un éventail de couleurs.

On se rappelle la légende par laquelle les Scythes, suivant Hérodote, expliquaient leurs origines ; les objets d'or tombés du ciel — charrue et joug pour l'agriculteur, hache (ou lance et arc) comme arme guerrière, coupe cultuelle — ont des valeurs nettement classificatoires, selon les trois fonctions. Or ces objets n'étaient pas seulement mythiques : ils étaient conservés, tous ensemble, par le roi et promenés solennellement chaque année à travers les terres scythiques. De même la légende irlandaise, à l'avant-dernière race qui aurait occupé l'île et qui, en réalité, est constituée par les anciens dieux de la mythologie (les Tuatha Dé Danann, « les Tribus de la Déesse Dana »), rattache un groupe d'objets-talismans : le « chaudron de Dagda », qui contenait et donnait une nourriture merveilleuse ou inépuisable, comme tant de chaudrons de la fable irlandaise ; deux armes terribles, la lance de Lug, qui rendait son possesseur invincible, et l'épée de Nuada, au coup de laquelle nul ne survivait ; la pierre de Fal enfin, placée au siège de la souveraineté, et dont le cri révélait lequel des candidats devait être choisi comme roi (V. Hull, « The Four Jewels of the T.D.D. », *ZCP,* XVIII, 1930, pp. 73-89). Les mythologies védique et scandinave rattachent de même des groupes de trois objets caractéristiques à des dieux que nous verrons bientôt, eux aussi, distribués selon les trois fonctions.

20. *Couleurs symboliques des fonctions chez les Indo-Iraniens.* — Quant aux couleurs symboliques, l'importance et l'ancienneté en sont déjà signalées, pour le monde indo-iranien, par le fait que les trois (ou quatre) groupes sociaux fonctionnels y sont désignés par les mots sansk. *varṇa,* avest. *pištra* (cf. grec ποιχίλος « bigarré », russe *pisat'* « écrire »), qui, avec des nuances diverses, désignent la couleur. De fait, c'est un enseignement constant, dans l'Inde, que brahmanes, kṣatriya, vaiśya et śūdra sont respectivement caracté-risés (et les explications ne manquent pas) par le blanc, le rouge, le jaune, le noir. Il est certain que c'est là l'altération, par suite de la création de la caste

inférieure et hétérogène des śūdra, d'un ancien système, dont il y a des traces dans des rituels (*Gobh. G.S.*, IV, 7, 5-7 ; *Khād. G.S.*, IV, 2, 6) et sans doute aussi une dans le Ṛgveda (« Noir, blanc, rouge est son chemin », dit X, 20, 9 d'Agni, le plus triple, et trifonctionnel, des dieux), système formé simplement de trois couleurs, sans le jaune, et où c'était le noir (ou bleu foncé) qui caractérisait les vaiśya, les éleveurs-agriculteurs. En effet, l'Iran a maintenu cette répartition : une tradition « mazdéenne zervanisante » dont les professeurs H.S. Nyberg (1929), G. Widengren (1938), S. Wikander (1938), R.C. Zaehner (1938, 1955), ont progressivement établi l'interprétation, décrit dans la cosmogonie l'uniforme des prêtres comme blanc, celui des guerriers comme rouge ou bigarré, celui des éleveurs-agriculteurs comme bleu foncé.

D'autres Indo-Européens pratiquaient le même symbolisme. V. Basanoff a intelligemment interprété dans ce sens un rituel hittite d'*euocatio* où les divers dieux de la cité ennemie assiégée sont priés de la quitter et de venir chez l'assiégeant par trois chemins — ce qui suppose trois catégories différentes de dieux — jonchés l'un d'une étoffe blanche, le second d'une étoffe rouge, le troisième d'une étoffe bleue (*Keilschrifturk aus Bogazköi*, VII, 60 ; J. Friedrich, *Der alte Orient*, XXV, 2, 1925, pp. 22-23).

21. *Couleurs symboliques des fonctions chez les Celtes et chez les Romains.* — Chez les Celtes de Gaule comme d'Irlande, le blanc est la couleur des druides, et le rouge, dans l'épopée irlandaise, celle des guerriers, comme, à Rome, un *albogalerus* caractérise le plus prêtre des prêtres, le flamen dialis, tandis que le *paludamentum* militaire est rouge, comme le drapeau sur la tente du général, comme la *trabea* des chevaliers ou des prêtres armés que sont les Salii. Un système complet, à trois termes, du symbolisme coloré se rencontre par deux fois dans les institutions romaines. Le cas le plus intéressant est celui des couleurs des factions du cirque, qui ont pris la grande importance

que l'on sait sous l'empire, puis dans la nouvelle Rome du Bosphore, mais qui sont sûrement antérieures à l'empire et que les antiquaires romains rattachaient d'ailleurs aux origines mêmes et à Romulus ; les spéculations explicatives de ces antiquaires sont diverses, et chargées de pseudo-philosophie et d'astrologie, mais l'une d'elles, conservée par Jean le Lydien, *De mens.*, IV, 30, ne se réfère qu'à des réalités romaines et dit que ces couleurs, qui sont quatre à l'époque historique, n'ont été d'abord que trois *(albati, russati, uirides)*, en rapport non seulement avec les divinités Jupiter, Mars et Vénus (cette dernière apparemment substituée à Flora), dont les valeurs fonctionnelles (souveraineté, guerre, fécondité) sont claires, mais en outre avec les trois tribus primitives des Ramnes, des Luceres et des Titienses, dont on a rappelé plus haut qu'elles étaient, dans la légende des origines, à la fois ethniques (Latins, Étrusques, Sabins) et fonctionnelles (issues respectivement d'hommes sacrés et gouvernants, de guerriers professionnels, de riches pasteurs) et que d'ailleurs, en un autre passage (*De magistrat.*, I, 47), Jean le Lydien interprète lui-même comme parallèles aux tribus fonctionnelles des Égyptiens et des anciens Athéniens.

En 1942, Jan de Vries avait d'autre part réuni un grand nombre d'exemples anciens et modernes, religieux, folkloriques et littéraires, de cette triade de couleurs. Presque tous proviennent de l'aire d'expansion indo-européenne ou de ses confins, ou de régions qui ont été exposées à l'influence d'Indo-Européens, et quelques-uns ont clairement une valeur classificatoire du type ici considéré.

22. *Les choix des fils de Feridūn.* — Enfin des récits épiques, des légendes, des contes très divers, utilisent également le cadre trifonctionnel. En voici quelques exemples.

La légence scythique des trois fils de Targitaos, dont le cadet recueille, avec la royauté, les merveilleux objets d'or, symboles des trois fonctions, a été rapprochée par M. Molé d'une tradition de l'Iran proprement dit,

relative aux fils du héros que l'Avesta appelle Θraētaona, les textes pehlevi Frētōn, les textes persans
Feridūn. La voici, dans la traduction que donne Molé
d'un passage de l'*Āyātkar i Jāmāspīk* :

> De Frētōn naquirent trois fils ; Salm, Tōz et Erič
> étaient leurs noms. Il les convoqua tous les trois pour dire
> à chacun d'eux : « Je vais partager le monde entre vous,
> que chacun me dise ce qui lui semble bien, pour que je
> le lui donne. » Salm demanda de *grandes richesses,* Tōz *la
> vaillance* et Erič, sur qui était la gloire des Kavi (c'est-à-
> dire le signe miraculeux qui marque le souverain choisi
> par Dieu), *la loi et la religion.* Frētōn dit : « Qu'à chacun
> de vous advienne ce qu'il a demandé. » Et il donna en effet
> la terre de Rome à Salm, le Turkestan et le désert à Tōz,
> l'Iran et la suzeraineté sur ses frères à Erič.

Une intéressante variante, celle de Firdousi, justifie
le même partage géographique par un autre criterium,
mais de même sens : exposés, à titre d'épreuve, à un
même péril, à un dragon menaçant, chacun des frères
révèle par une attitude sa nature et son « niveau
fonctionnel » : Salm fuit, Tōr se précipite aveuglément
à l'assaut, Iraj écarte le péril, sans combattre, par
l'intelligence et le noble sentiment qu'il a de la dignité
royale de sa famille.

23. *Le choix du berger Pâris.* — C'est un thème voisin
qui, chez les Grecs d'Asie Mineure, et peut-être sous
l'influence des Indo-Européens de Phrygie, a donné
la matière du « jugement de Pâris », aimable récit de
lourde conséquence, puisqu'il est certainement destiné
à expliquer que, malgré sa richesse et sa vaillance,
Troie finisse par succomber aux Grecs. Pâris, le beau
prince berger, voit venir à lui, sollicitant un jugement
d'excellence, trois déesses qui symbolisent les trois
fonctions ; suivant un type de variante (p. ex. Euripide,
Iphig. Aul., v. 1300-1307), chacune se présente dans
l'appareil de son rang et de son activité : Héra « fière
du lit royal du souverain Zeus », Athéna, casquée et
lance en main, Aphrodite sans autres armes que « la
puissance du désir » ; suivant un autre type (p. ex.

Euripide, *Troyennes*, v. 925-931), chaque déesse essaie de gagner le juge par la promesse d'un don : Héra promet la royauté de l'Asie et de l'Europe, Athéna la victoire, Aphrodite la plus belle femme. Pâris choisit mal, donne le prix à Aphrodite, et ce sera bientôt l'enlèvement de l'incomparable Hélène, et, malgré dix ans d'exploits, la fin de Troie, écrasée par une coalition d'hommes et de divinités parmi lesquelles Héra et Athéna ne seront pas les moins acharnées.

Ce type de récits a prospéré jusque dans les temps modernes. L. Gerschel vient d'étudier des traditions suisses, allemandes et autrichiennes recueillies au dernier siècle, évidemment indépendantes de la légende grecque, qui montrent ainsi un jeune homme choisissant (mais généralement « bien ») entre trois offres nettement fonctionnelles, ou bien trois frères se répartissant trois dons fonctionnels dont un seul, celui de « première fonction », assure à qui le possède un destin pleinement « bon ». Voici par exemple la forme originelle, rigoureusement reconstituée par Gerschel, des légendes alémaniques sur l'origine du « Jodeln (Johlen) » :

> Res, le vacher de Bahilsalp, trouve une nuit dans la cabane trois êtres surnaturels en train de faire le fromage ; à un certain moment, le petit-lait est versé dans trois seaux et dans le premier il est rouge, dans le second seau, il est vert, dans le troisième, il est tout blanc. Res apprend qu'il doit choisir un seau et en boire le petit-lait ; l'un des vachers fantômes ajoute alors : « Si tu choisis le rouge, tu seras tellement *fort* que personne ne pourra lutter avec toi. » Le second vacher intervient à son tour et dit : « Si tu bois le petit-lait de couleur verte, tu posséderas beaucoup d'or et tu seras très *riche*. » Le troisième enfin explique : « Bois le petit-lait blanc et tu sauras "jodeln" merveilleusement. » Res dédaigne les deux premiers dons, se décide pour le petit-lait blanc et devient un parfait Jodler.

Gerschel remarque que cette technique vocale a, dans les diverses variantes, un effet *magique* (toutes les bêtes viennent à la rencontre du Jodler et l'accompagnent ; tables et bancs dansent dans sa cabane ; les vaches se dressent sur leurs pattes de derrière et dansent ; la vache la plus sauvage s'adoucit et se laisse traire facilement, etc.).

24. *Les talismans de Rome et de Carthage.* — Vers la fin des guerres puniques sans doute, Rome a organisé sur un schéma comparable l'assurance de sa victoire finale : une tête de bœuf, puis une tête de cheval, trouvées par les terrassiers de Didon sur le site où allait s'élever, avec Carthage, le temple de « sa » Junon, avaient bien, disaient-ils, garanti à la ville africaine et l'*opulence* et la *gloire militaire* ; mais, par la tête d'homme que les terrassiers de Tarquin avaient jadis trouvée au *Capitole,* sur le site du futur temple de Jupiter O.M., c'est Rome qui tenait la plus haute promesse, celle de la *souveraineté.* L. Gerschel, à qui l'on doit encore cette saisissante interprétation, a rappelé que, chez les Indiens védiques, homme, cheval, bœuf sont théoriquement les trois types supérieurs de victimes admis pour les sacrifices, ceux dont les têtes (avec les têtes des deux victimes inférieures, mouton et bouc) doivent, en simulacre au moins, être enterrées à l'emplacement où l'on veut élever, à défaut du sanctuaire permanent qui n'existe pas dans l'Inde, le très important autel du feu.

25. *Les trois péchés du guerrier.* — Pour dernier exemple, rejoignant sur le domaine épique la tripartition des fléaux et des délits rappelée plus haut, je citerai un thème de grande extension littéraire, qui a été diversement exploité dans l'Inde, en Scandinavie, en Grèce et dans l'Iran : celui des péchés d'un dieu ou d'un homme, généralement, pour des raisons qu'on trouvera analysées au chapitre III, d'un personnage de « deuxième fonction », d'un guerrier.

Indra, le dieu guerrier de l'Inde védique, est un pécheur. Dans les Brāhmaṇa et les épopées, la liste de ses fautes et de ses excès est longue et variée. Mais le cinquième chant du Mārkaṇḍeya Purāṇa les a réduits au schéma des trois fonctions : Indra tue d'abord le monstre Tricéphale, meurtre nécessaire, car le Tricéphale est un fléau menaçant pour le monde, et cependant meurtre *sacrilège*, car le Tricéphale a rang de brahmane et il n'y a pas de crime plus grave que le brahmanicide ; en conséquence, Indra perd sa majesté (ou sa force spirituelle), *tejas* (1-2). Puis, le terrible monstre Vṛtra ayant été produit pour venger le Tricéphale, Indra *prend peur* et, manquant à sa vocation propre de guerrier, conclut avec Vṛtra un pacte insincère, qu'il viole, substituant la tromperie à la force ; en conséquence, il pert sa vigueur physique, *bala* (3-11). Enfin, par une ruse honteuse, en revêtant la forme du mari, il entraîne une femme honnête à un *adultère* ; en conséquence, il perd sa beauté, *rūpa* (12-13).

L'épopée nordique — Saxo Grammaticus est le seul à en retracer l'histoire complète, mais il le fait d'après des sources perdues, en langue scandinave — connaît un héros d'un type très particulier, Starkaðr (Starcatherus), guerrier modèle en tout point, serviteur fidèle et dévoué des rois qui l'accueillent, sauf en trois circonstances ; plus précisément, il a été doué de trois vies successives, c'est-à-dire d'une vie prolongée jusqu'à la mesure de trois vies normales, à condition que, dans chacune, il commît un forfait. Or le tableau de ces trois forfaits se distribue clairement selon les trois fonctions. Étant au service d'un roi norvégien, il aide criminellement le dieu Othinus (Óðinn) à tuer son maître *dans un sacrifice humain* (VII, v, 1-2). Se trouvant ensuite au service d'un roi suédois, *il fuit honteusement du champ de bataille* après la mort de son maître, s'abandonnant, en cette seule occasion de ses trois vies, à la peur panique (VIII, v). Servant enfin un roi danois, il assassine son maître moyennant cent vingt livres d'or, cédant exceptionnellement et pour quelques heures à *l'appétit de cette richesse* qu'il fait partout ailleurs, en actes et en discours, profession de mépriser (VII, vi, 1-4). Sa triple carrière étant ainsi épuisée, il n'a plus qu'à rechercher la mort : ce qu'il fait dans une scène grandiose (VIII, viii).

Le caractère et les exploits de Starkaðr, en bien des points, rappellent ceux d'Héraclès. Or, dans les exposés systématiques qui en sont faits — relativement tardifs, mais qui ne peuvent avoir inventé ce cadre —, la vie entière du héros grec (que Zeus et Alcmène ont mis trois nuits à concevoir) est elle aussi scandée par trois fautes, qui ont chacune un effet grave, de plus en plus grave, sur « l'être » du héros et entraînent chacune un recours à l'oracle de Delphes (Diodore, IV, 10-38) : 1°) Eurysthée, roi d'Argos, commande à Héraclès d'accomplir des travaux : il en a le droit en vertu d'une promesse imprudente de Zeus et d'une ruse de Héra ; Héraclès commet cependant la faute de refuser, malgré une invitation formelle de Zeus et l'ordre de l'oracle ; profitant de cet état de *désobéissance aux dieux,* Héra le frappe dans son esprit : il est pris de démence et tue ses enfants ; après quoi, revenant péniblement à la raison, il se soumet et accomplit les Douze Travaux, chargés de sous-travaux (chap. 10-30). 2°) Voulant se venger d'Eurytos, Héraclès attire le fils d'Eurytos, Iphitos, dans un traquenard et le tue non pas en duel, mais *par tromperie* (Sophocle, dans les *Trachiniennes,* 269-280, souligne fortement le caractère « anti-héroïque » de cette faute) ; Héraclès, en châtiment, tombe dans une maladie physique dont il ne se délivre, informé par l'oracle, qu'en se vendant comme esclave et en remettant aux enfants d'Iphitos le prix de cette vente (chap. 31). 3°) Bien qu'enfin légitimement marié à Déjanire, Héraclès recherche en mariage une autre princesse, puis en enlève une troisième et *la préfère à sa femme* ; c'est alors la terrible méprise de Déjanire, la tunique empoisonnée par le sang de Nessos et les affreuses, irrémédiables douleurs dont le héros, sur un troisième ordre d'Apollon, ne se délivre que par le bûcher, pour l'apothéose (chap. 37-38). Outrage à Zeus et désobéissance aux dieux ; meurtre lâche et perfide d'un ennemi sans armes ; concupiscence sexuelle et oubli de sa femme : les trois fautes fatales de cette glorieuse carrière se distribuent sur les trois zones fonctionnelles aussi nettement que les trois péchés d'Indra, avec la même spécification (concupiscence sexuelle) de la troisième, et, comme eux, altèrent l'être même du héros ; simplement ces altérations, progressives et cumulatives dans le cas d'Indra, ne sont que successives dans le cas d'Héraclès, les deux premières se réparant et la troisième, à elle seule, entraînant la mort.

Dans une tradition avestique sans doute repensée et réorientée par le zoroastrisme, un héros d'un tout autre type, Yima, en punition, semble-t-il, d'un seul, mais très grave péché (mensonge ; ou, plus tard, orgueil, révolte contre Dieu et usurpation des honneurs divins), se voit privé en trois temps du $x^V ar \ni nah$, de ce signe visible et miraculeux de la souveraineté qu'Ahura Mazdā place sur la tête de ceux qu'il destine à être rois : les trois tiers de ce $x^V ar \ni nah$ s'échappent successivement, et vont se loger dans trois personnages correspondant aux trois types sociaux d'*agriculteur-guérisseur*, de *guerrier*, d'*intelligent ministre d'un souverain* (*Dēnkart*, VII, 1, 25-32-36 ; plus satisfaisant que *Yašt* XIX, 34-38).

26. *Le problème du roi.* — Ce rapide échantillonnage suffit à montrer les directions et domaines très divers dans lesquels l'imagination des peuples indo-européens a utilisé la structure tripartie. Ici encore, comme pour les autres applications de cette structure, nous devons nous retourner vers les peuples non indo-européens de l'ancien monde et rechercher si, autour d'un héros ou de quelque autre manière, elle a produit un thème épique ou légendaire, la mise en scène d'une leçon morale ou politique, la justification imagée d'une pratique ou d'un état de fait. Jusqu'à présent, les résultats de l'enquête sont négatifs. De Gilgamesh à Samson, des grands Pharaons aux empereurs fabuleux de la Chine naissante, de la sagesse arabe même aux apologues confucéens, aucun personnage historique ou mythique ne revêt nulle part l'uniforme trifonctionnel où se précipitent au contraire tant de figures indo-européennes. Il est donc probable que cet uniforme est indo-européen ; probable que, seuls dans cette vaste

partie du monde et dès avant leur dislocation, les Indo-Européens avaient intellectuellement discerné, médité, appliqué à l'analyse et à l'interprétation de leur expérience, utilisé enfin dans les cadres de leur littérature noble ou populaire, les trois nécessités fondamentales et solidaires que les autres peuples se contentaient de satisfaire.

En terminant cet exposé très général, je soulignerai encore que la reconnaissance de ce fait, si important soit-il, ne nous donne pas à elle seule le moyen de nous représenter l'état social réel, les institutions (sans doute déjà variables de province à province) des « Indo-Européens communs ». Nous n'en tenons que le principe, un des principes et des cadres essentiels. Une des questions les plus obscures, par exemple, reste le rapport des trois fonctions et du « roi », dont la concordance de védique $r\bar{a}j$-, de latin $r\bar{e}g$-, de gaulois $r\bar{\imath}g$- assure l'existence très ancienne dans une partie, la plus conservatrice sans doute, des Indo-Européens. Ces rapports sont divers sur les trois domaines et, sur chacun, ont varié avec les lieux et les temps. Il résulte de là quelque flottement dans la représentation ou définition des trois fonctions et notamment de la première : le roi est tantôt supérieur, du moins extérieur, à la structure trifonctionnelle, où la première fonction est alors centrée sur la pure administration du sacré, sur le prêtre, plutôt que sur le pouvoir, sur le souverain et ses agents ; tantôt le roi — roi-prêtre alors autant et plus que roi gouvernant — est au contraire le plus éminent représentant de cette fonction ; tantôt il présente un mélange, variable, d'éléments pris aux trois fonctions, et notamment à la seconde, à la fonction et éventuellement à la classe guerrière dont il est le plus souvent issu : le nom différentiel des guerriers indiens, $k\d{s}atriya$, n'a-t-il pas pour synonyme $r\bar{a}janya$, dérivé du mot $r\bar{a}jan$? Cette difficulté et quelques autres se laisseront mieux formuler, sinon résoudre, quand nous aurons transporté l'étude sur ce qui était l'armature la plus solide de la pensée dans ces sociétés archaïques : le système des dieux, la théologie, avec ses prolongements mythologiques et épiques.

Indo-Iraniens et Indiens védiques	
Fonctions : Commencement ambigu	*Dieux :* *VĀYU* (« *Vent, Air* »)
I. Souveraineté cosmique et sociale	MITRA (« Contrat, Ami ») VARUṆA (dieu du *ṛta* « Ordre, Vérité... »)
Protection de la communauté des hommes arya	ARYAMAN
Répartition des biens .	BHAGA (« Part »)
II. Force physique et combattante	INDRA
III. Fécondité	(déesse variable, multivalente)
Santé, longue vie, prospérité, etc.	les deux jumeaux NĀSATYA (« Guérisseurs »)

Rome	
Fonctions :	*Dieux :*
« Prima » ambigus	JANUS
I. Souveraineté	(DIUS –) JUPITER
Protection de la *pubes romana*, vitalité de Rome	JUVENTAS
Répartition des biens, stabilité de Rome	TERMINUS
II. Force physique et combattante	MARS
III. Prospérité rurale, masse, paix	QUIRINUS
Déesse multivalente et « extrema »	VESTA

Zoroastrime : [Dieu : AHURA MAZDĀH] (« Seigneur Sage »)	
Fonctions :	*Entités :*
Choix initial du bien et du mal	les 2 MAINYU (« Esprits »)
I. Souveraineté ; administration du salut ...	VOHU MANAH (« Bonne Pensée ») AŠA (« Ordre, Justice »)
Protection de la communauté des hommes fidèles	SRAOŠA (« Obéissance, Discipline »)
Rétribution en ce monde et dans l'autre	AŠI (« Rétribution »)
II. Puissance au service de la religion : « le Royaume » du salut	XŠAΘRA (« Puissance » + métaux)
III. Fécondité ; piété	ĀRMAITI (« Piété » + Terre)
Santé, immortalité, biens de ce monde et de l'autre	HAURVATĀṮ (« Santé » + eaux) AMƏRƏTĀṮ (« Non-mort » + plantes)

Germanie	
Fonctions :	*Dieux :*
« Dieu cadre »	HEIMDALH
I. Souveraineté	TÝR ÔÐINN (« Contrat ») (« Magie »)
Fils d'Oðinn	BALDR-HÖDR
II. Force physique et combattante	THORR
III. Prospérité	NJÖRDHR FREYR DIEUX VANES
Déesses multivalentes	FRIGG FREYJA

D.I.E., p. 90 et 102 (sauf pour la Germanie [1]).

1. La Germanie est ajoutée à titre d'information, mais elle se signale par plusieurs particularités. *Cf. infra* les tableaux des p. 149 à 169 (H. C.-B.).

CHAPITRE III

LES THÉOLOGIES TRIPARTIES

1. *Expressions théologiques de l'idéologie des trois fonctions.* Les théologies des divers peuples indo-européens ne sont pas, pour l'essentiel, des accumulations incohérentes de dieux déposés par les flux et reflux fortuits de l'histoire. Partout où nous sommes suffisamment informés, il est aisé de reconnaître un groupement central de divinités solidaires, qui se définissent les unes par les autres et se répartissent les provinces du sacré selon le plan dégagé dans le chapitre précédent. Ces groupements ont été longtemps, suivant les cas, négligés, niés ou mal compris. Leur reconnaissance, notamment celle du groupement indien et mitanien dont il va être d'abord question (1938 ; surtout à partir de 1945), est à l'origine des principaux progrès de nos études ; à l'origine aussi de nombreuses discussions, souvent agréables, parfois pénibles, généralement utiles, entre le comparatiste et les spécialistes des divers domaines.

2. *Les dieux caractéristiques des trois fonctions dans les hymnes et rituels védiques.* — Les prêtres de l'Inde védique, dans un certain nombre de circonstances rituelles importantes, pour des invocations, des offrandes ou des énumérations classificatoires, associent *Mitrá* et *Váruṇa*, qui sont les souverains de l'univers, le dieu *Índ(a)ra,* qui est le guerrier par excellence, et deux dieux jumeaux, presque toujours

désignés au duel par un nom collectif, les *Nắsatya* ou *Aśvin*, guérisseurs, donneurs de postérité et de toutes sortes de biens. Parfois, au deuxième niveau, évidemment par analogie avec le peuplement binaire du premier et du troisième, Indra apparaît associé à un autre dieu, d'ailleurs variable (Vāyu, Agni, Sūrya, Viṣṇu, etc.).

Nous avons déjà vu (I, § 18) cette équipe divine (Mitra-Varuṇa, les deux Aśvin, Indra avec Agni ou Sūrya) invoquée pour obtenir la formation d'un fœtus mâle, — objectif plus important dans ces temps archaïques qu'il ne le serait aujourd'hui ; l'ordre d'énumération, mettant les Aśvin au second rang, avant Indra, se justifie aisément, s'agissant d'une naissance, c'est-à-dire d'un événement qui est proprement de leur domaine. Avec une altération différente de l'ordre, qui met en évidence Indra, c'est ce même groupement qui constitue la liste des principaux « dieux en couples » invoqués au moment culminant de la pressée matinale dans le sacrifice-type de soma, à savoir Indra-Vāyu, Mitra-Varuṇa, les deux Aśvin (p. ex. *Śat. Brāhm.*, IV, 1, 3-5), et, par suite, c'est lui qui commande le plan d'un certain nombre d'hymnes du R̥gveda inspirés de ce rituel. Le contexte de ces hymnes est souvent instructif, garantissant et éclairant la valeur fonctionnelle de chaque niveau divin ; par exemple dans I, 139, Indra-Vāyu sont clairement caractérisés par la présence à leur côté, dans leur strophe (str. 1), du mot *śárdhas*, terme technique qui désigne le bataillon des jeunes guerriers divins ; la strophe de Mitra-Varuṇa (str. 2) est remplie par les notions de *r̥tá* et d'*ánr̥ta* c'est-à-dire par l'Ordre, cosmique et moral, et par son contraire ; les Aśvin (str. 3) sont présentés comme des maîtres de deux variétés de « vitalité », *śríyaḥ* et *pr̥kṣaḥ*. Dans les deux hymnes complémentaires I, 2 et 3, Indra-Vāyu sont qualifiés de *narā* « Männer, héros » (2, str. 6) ; de Mitra-Varuṇa (2, str. 8), il est dit que, « par l'Ordre, soignant l'Ordre, ils ont atteint à une haute efficience » ; quant aux Aśvin, ils « donnent jouissance à beaucoup » (3, str. 1).

3. *Listes ascendantes et descendantes.* — Plus souvent, l'ordre canonique, soit descendant, soit ascendant, est respecté. Voici d'abord deux cas très « purs », où Indra est seul à son niveau.

Dans le rituel archaïque et minutieux d'érection du très important autel du feu, au moment où l'on trace les sillons sacrés qui en délimitent l'emplacement, une invocation est faite à la vache mythique Kāmadhuk (« celle qui, quand on la trait, donne ce qu'on désire »). L'invocation contient la séquence divine qui nous occupe, dans le sens descendant, avec un prolongement qui en garantit les valeurs fonctionnelles : « Produis comme lait ce qu'ils désirent à Mitra et à Varuṇa, à Indra, aux deux Aśvin, à Pūṣan (dieu du bétail, et parfois des śūdra), aux créatures, aux plantes ! » (p. ex. *Śat. Brāhm.*, VII, 2, 2, 12). Dans une telle énumération ordonnée, au-dessus des plantes, des animaux, et éventuellement des hommes non-arya, Mitra-Varuṇa, Indra, les Aśvin ne peuvent patronner que trois variétés d'hommes arya, ceux qui correspondent respectivement et hiérarchiquement à leurs trois natures.

Dans un sacrifice offert pour obtenir certaines prospérités, les mêmes dieux sont invoqués, dans l'ordre ascendant, avec un complément collectif et exhaustif (*Taittir. Saṃh.*, II, 3, 10, 1b) : « Tu es le souffle des deux Aśvin... tu es le souffle d'Indra..., tu es le souffle de Mitra-Varuṇa..., tu es le souffle de Tous-les-Dieux ! »

Avec Agni associé à Indra, dans l'ordre descendant, la même séquence s'observe au début d'un texte spéculatif très intéressant (*RV*, X, 125 = *AV*, IV, 30, avec une légère variation dans l'ordre des strophes) : c'est le fameux hymne panthéiste mis dans la bouche d'un personnage qui est sans doute Vāc, la Parole, et qui, en tout cas, se présente comme le support et l'essence communs de tout ce qui existe. La première strophe est celle-ci : « Je vais avec les Rudra, avec les Vasu, avec les Āditya et avec Tous-les-Dieux ! C'est moi qui soutiens tous deux Mitra-Varuṇa, moi qui

soutiens Indra-Agni, moi qui soutiens les deux Aśvin ! »
Il est remarquable que, dans les strophes suivantes,
analysant sa propre multivalence, ou comme elle dit,
les « maints lieux » et « séjours » où « les dieux l'ont
introduite » (RV, str. 3 = AV, str. 2), Vāc mette en
valeur, comme parties de son œuvre par rapport aux
hommes, respectivement (RV, str. 4, 5, 6 = AV,
str. 4, 3, 5) la nourriture et la vie, puis la parole « goûtée
des dieux et des hommes » et le bien qu'elle fait aux
personnages sacrés (brahmán, ṛṣi), enfin l'arc, « la
flèche qui tue l'ennemi du brahmán » et le combat,
— et rien d'autre. Il est clair que, quelle qu'en soit
l'intention doctrinale (on a parlé à cette occasion du
Logos néo-platonicien), ce poème utilise dans son
expression le plus vieux système conceptuel des Arya :
par son exposé de notions parallèles (dieux, actes), il
confirme que la séquence « Mitra-Varuṇa, Indra (seul
ou accompagné), les deux Aśvin » réunit les patrons,
les expressions théologiques des trois fonctions.

4. Les dieux arya de Mitani. — Parfois légèrement
retouchée, selon des préoccupations qu'il est souvent
possible de comprendre, cette même séquence se
retrouve dans maint texte de l'Inde archaïque, mais
j'en viens sans tarder au document le plus important.
On sait aujourd'hui que, parmi les Indo-Iraniens, une
branche parlant soit le futur « indien védique » soit un
dialecte tout proche, et que l'on peut appeler les
« Para-Indiens », au lieu d'émigrer vers l'est, vers
l'Indus et le Pendjab, s'est fourvoyée vers l'ouest, sur
l'Euphrate, jusqu'en Palestine, pour un destin brillant,
mais éphémère, et a laissé des traces dans maint écrit
cunéiforme. Alors que leurs frères orientaux, auteurs
des hymnes védiques, échappent à l'histoire, ceux-ci,
entourés par des peuples archivistes et, par eux, armés
d'une écriture, sont localisables et datables avec une
grande précision. Ce sont eux qui ont fait trembler
et parfois crouler les vieux royaumes du Proche-Orient
par leurs bandes de guerriers spécialistes, dont il a été
parlé plus haut, ceux que les textes babyloniens et
égyptiens appellent les marianni. Le groupe le plus

intéressant de ces « Para-Indiens » est celui qui, encadrant et dirigeant un peuple d'autre origine, a fondé au milieu du second millénaire, dans la boucle du haut Euphrate, l'empire hourrite de Mitani, que Hittites et Égyptiens ont dû, pour un temps, traiter d'égal à égal.

Or, en 1907, à Bogazköy, dans les archives d'un roi hittite, les fouilles ont découvert en plusieurs exemplaires le texte d'un traité conclu par ce prince, vers 1380, avec son voisin de Mitani, Mativaza. Restauré sur son trône par le Hittite qui lui avait en outre donné sa fille, le Mitanien établit une alliance en bonne et due forme avec son bienfaiteur. Le texte énumère les malédictions célestes qu'il accepte d'encourir s'il manque à sa parole. Selon l'usage, les deux contractants convoquent comme garants tout ce que leurs empires comptent de dieux. Or, parmi les dieux du Mitanien, à côté d'un grand nombre d'inconnus et de quelques autres qui se laissent reconnaître comme des divinités soit locales soit babyloniennes, on rencontre une séquence qui a été immédiatement identifiée par les indianistes et sur laquelle les philologues ont longuement travaillé, scrutant les particularités graphiques et grammaticales du texte. Aujourd'hui, l'énumération peut se rendre avec assurance comme suit : «... Les dieux *Mitra* - (V)*aruna* [variante *Uruvana*] en couple, le dieu *Indara* [var. *Indar*], les deux dieux *Nāsatya*... » Pendant plus de trente ans, faute d'avoir pris garde aux documents indiens védiques dont les principaux viennent d'être cités, on a proposé à cette réunion de dieux des explications étranges (W. Schulz, 1916-1917) ou insuffisantes (Sten Konow, 1921). Le Danois A. Christensen (1926), par une analyse serrée, s'est approché de la vérité, reconnaissant que Mitra-Varuṇa, Indra, les Nāsatya ne figurent pas à Bogazköy comme techniciens des actes diplomatiques ni comme intéressés par telle ou telle clause particulière, par exemple matrimoniale, du traité, mais bien parce qu'ils étaient les « dieux principaux » de la société arya ; malheureusement, il n'a « pensé » ce haut état-major divin que dans le cadre dualiste de l'opposition *asura-daiva,* capitale dans l'Iran, réelle, mais moins importante dans l'Inde védique, et l'a réparti artificiellement, contrairement aux indications du texte, en deux groupes, Mitra-Varuṇa d'une part, Indra-Nāsatya d'autre part. C'est seulement en 1940, grâce au dossier védique des trois fonctions et aux textes védiques qui associent les mêmes dieux que le traité de Bogazköy, qu'est apparue l'interprétation toute simple que j'ai résumée en ces termes en 1945 :

> A Bogazköy, sous Mitra-Varuna, dieux de la souveraineté, c'est-à-dire dieux qui patronnent le sacré et le juste, dieux de la royauté avec ses auxiliaires nécessaires, prêtres et juristes, on n'a pas, sur le même plan, « Indara et les Nāsatya », représentants doubles d'une même sorte de dieux ; on a, à un second niveau, Indara, le dieu de la fonction guerrière et de l'aristocratie militaire, des marianni ; puis, à un niveau encore inférieur, on a les patrons du tiers-état, les Nāsatya. En nommant ces dieux ensemble et dans cet ordre, le roi fait deux opérations précises : il engage, avec lui-même, toute la société de son royaume présentée dans sa forme régulière ; et il évoque les trois grandes provinces du destin et de la providence. Cela correspond d'ailleurs au libellé des malédictions qu'il accepte d'encourir en cas de parjure : de sa personne à son peuple et à sa terre — stérilité, expulsion et oubli, haine générale de la part des dieux, — longuement, tout y passe.

5. *Signalement des dieux caractéristiques des trois fonctions dans la religion védique.* — Il ne sera pas inutile, pour aider le lecteur dans les analyses particulières qui suivront, de préciser dès maintenant en quelques mots, dans la perspective des trois fonctions, les orientations et aussi les limites de ces divers dieux, dont les archives de Bogazköy, confirmant les formules des hymnes et des rituels indiens, prouvent que le groupement formulaire est prévédique.

Voici comment ces valeurs ont été résumées dans mon petit livre *Les Dieux des Indo-Européens* (1952) :

Ce n'est pas un hasard si le premier niveau est le plus souvent représenté par deux dieux : dans la souveraineté que concevaient ces très vieux Indiens, il y avait deux faces, deux moitiés, antithétiques mais complémentaires et également nécessaires, et ce sont elles qu'incarnent et patronnent les deux « rois », $Mitrá$ et $Váruṇa$. Du point de vue de l'homme, Varuṇa est un maître inquiétant, terrible, possesseur de la $māyā$, c'est-à-dire de la magie créatrice de formes, armé de nœuds, de filets, c'est-à-dire opérant par saisie immédiate et irrésistible. Mitra, dont le nom signifie le Contrat, et aussi l'Ami, est rassurant, bienveillant, protecteur des actes et rapports honnêtes et réglés, étranger à la violence. L'un, Varuṇa, dit un texte célèbre, est l'autre monde ; ce monde-ci est Mitra. Varuṇa est plus despote, plus dieu même, si l'on peut dire ; Mitra est presque un prêtre divin. Au sein de la première fonction, Varuṇa a plus d'affinité pour la seconde, violente et guerrière ; Mitra pour la paisible prospérité qui fleurit grâce à la troisième. L'opposition est si nette qu'on a pu depuis longtemps souligner les traits presque démoniaques de Varuṇa : n'est-il pas l'$ásura$ par excellence, et, dans les formes postvédiques de la religion comme déjà dans beaucoup de strophes du Ṛgveda, les asura ne sont-ils pas de mystérieux démons ?

En $Índ(a)ra$ se résume tout autre chose : les mouvements, les services, les nécessités de la force brutale qui, appliquée à la bataille, produit victoire, butin, puissance. Ce champion vorace, armé de la foudre, tue les démons, sauve l'univers. Pour ses exploits, il s'enivre du soma qui donne vigueur et fureur. Il est le Danseur, $nṛtú$. Son brillant et bruyant cortège, ce sont les Marut, transposition dans l'atmosphère du bataillon des jeunes guerriers, des $márya$. Par lui et par eux s'exprime une morale de l'exploit et de l'exubérance, qui s'oppose aussi bien à la toute-puissance rigoureuse et immédiate qu'à la bienveillante modération qui se réunissaient sur le premier niveau.

Les dieux canoniques du dernier niveau, les $Nā́satya$ ou $Aśvín$, n'expriment qu'une partie du domaine beaucoup plus complexe qui est celui de la troisième fonction. Ils sont surtout des donneurs de santé, de jeunesse et de fécondité, des thaumaturges secourables aux infirmes comme aux amoureux, aux filles sans fiancé comme au bétail stérile. Mais la troisième fonction est bien plus que cela, non seulement santé et jeunesse, mais nourriture, mais abondance en hommes et en biens, c'est-à-dire masse sociale et richesse économique, et aussi attachement au sol, à cette jouissance paisible et stable des biens qui s'exprime en sanskrit par l'importante racine $kṣi$-. Aussi les Aśvin sont-ils souvent renforcés à leur niveau par des dieux et par des déesses qui patronnent d'autres aspects de la troisième fonction, la vie animale par exemple, l'opulence, la maternité (Pūṣan, Puraṃdhi, Draviṇodā, « le Maître du Champ », Sarasvatī et d'autres déesses mères), ou encore qui patronnent le caractère pluriel, collectif, total (les « Tous-les-Dieux », — paradoxalement conçus comme une classe particulière de dieux), qu'exprime bien le pluriel *viśah* « les clans » que Ṛgveda VIII, 35, oppose déjà comme étiquette de la troisième fonction aux singuliers neutres *bráhman* et *kṣatrá*, qui caractérisent les deux fonctions supérieures.

I. — VARUṆA seul, plus souvent MITRA et VARUṆA (quelquefois avec un troisième Āditya, ARYA-MAN ; rarement avec un quatrième, BHAGA).
II. — IND(A)RA seul, ou avec VĀYU ou AGNI (ou un autre associé variable).
III. — Les 2 AŚVIN (nommés plus anciennement NĀSATYA).

D.I.E., p. 9.

Nous avons ici un bon exemple de structure, une théologie articulée, dont il est difficile de penser qu'elle s'est faite par le rassemblement de pièces et de morceaux : l'ensemble, le plan conditionnent les détails ; chaque type divin, dans son orientation propre, exige la présence de tous les autres, ne se définit même que par rapport aux autres, avec la vivacité que seule produit l'antithèse. La reconnaissance de cette séquence divine et de son caractère prévédique a permis, en 1945, de faire un pas décisif dans l'interprétation des religions iraniennes, et d'abord de rendre compte d'un trait important,

depuis longtemps remarqué, de la théologie avestique.

6. *Les dieux indo-iraniens des trois fonctions dans la
réforme zoroastrienne.* — Rattachée au nom de Zoroastre,
une profonde réforme, sans doute plutôt la somme
d'une série de réformes progressives de même sens, a
profondément altéré le paganisme ancestral. Mais, en
considérant à la fois le résultat historiquement attesté de
ce processus réformateur, et le point de départ préhistorique, déterminable aussi, puisqu'il était sûrement fort
proche du tableau védique et prévédique aujourd'hui
reconnu, certaines lignes directrices du mouvement
apparaissent immédiatement.

Dans l'Avesta non gāthique, où est mitigé l'intransi-
geant monothéisme des Gāthā et où, sous le grand dieu
Ahura Mazdā — sans doute lui-même sublimation de
l'Asura majeur, de celui que l'Inde appelle Varuṇa,
— reparaissent des figures mythiques de haut rang
portant les noms des principaux dieux de la liste de
Bogazköy *(Miθra, Indra, Nåŋhaiθya)*, il est remarquable que Miθra reste un dieu, tandis que Indra (ainsi
qu'un autre vieux dieu, Saurva, le védique Śarva, qui
est en rapport différent, mais certain avec la force et
la violence), et Nåŋhaiθya — énoncés encore toujours
dans cet ordre, comme, dans la formule indienne,
Nāsatya suit Indra — sont les noms de grands démons :
marque d'une réforme qui, opérée par des prêtres,
hommes de première fonction, et destinée à imposer
uniformément à toute la société mazdéenne la haute
morale du premier niveau lui-même purifié, a rejeté,
anathématisé, démonisé les patrons divins qui tradi-
tionnellement représentaient et justifiaient d'autres
comportements : le déchaînement du guerrier et l'orgie
moins sanglante, mais sans doute non moins libre, des
cultes de la fécondité.

7. *Les Entités zoroastriennes.* — Quant à la nouvelle
théologie monothéiste à l'état pur, celle des Gāthā, elle
repose d'une autre manière sur le même schéma. Le
trait saillant en est l'existence d'un groupe d'Entités
abstraites, associées au Grand Dieu unique. Ces

Entités n'ont pas encore de nom collectif, mais ce sont celles qu'on verra ensuite constamment groupées, dans un ordre fixe, sous le nom d'Aməša Spənta, « Immortels Bienfaisants (ou Efficaces) ». On discute pour savoir si, dans les Gāthā, ces Entités sont déjà des créatures ou des émanations séparées de Dieu — sortes d'archanges — ou simplement des aspects de Dieu ; mais cela ne change rien au problème de leur origine qui nous occupe ici.

La langue et le style des Gāthā sont fort obscurs, d'une obscurité volontaire et raffinée. Heureusement, pour s'orienter, on dispose de certaines considérations qui ne dépendent pas des incertitudes du mot-à-mot : 1°) Le sens et la structure grammaticale des noms qui désignent les Entités, donnent quelques enseignements. 2°) Les strophes, qui contiennent presque toutes le nom d'une ou de plusieurs Entités, sont assez nombreuses pour permettre des observations statistiques — fréquence relative de chaque Entité, et aussi fréquence de leurs associations diverses — qui révèlent à elles seules des traits importants du système ; par exemple, si l'intention, la forme et la stylistique de ces hymnes lyriques n'engageaient pas les poètes à présenter les Entités en liste, dans leur ordre rationnel, comme feront plus tard les textes rituels en prose, cependant le tableau des fréquences de mention des Entités prises séparément, et par conséquent des importances relatives que les poètes leur attribuaient, reproduit exactement par avance l'ordre hiérarchique qu'elles auront toujours ensuite sous leur nom d'Aməša Spənta : cette hiérarchie existait donc déjà. 3°) Un autre élément d'interprétation est fourni par la liste des « éléments matériels » que la tradition associera, terme à terme, à la liste des Entités, jumelage auquel les hymnes mêmes font des allusions certaines et précises. 4°) Enfin, dans l'Avesta non gāthique, à chacune des Entités est opposé un archidémon qui, dans plusieurs cas, l'éclaire.

Le tableau est le suivant :

ENTITÉS ABSTRAITES :	ÉLÉMENTS MATÉRIELS PATRONNÉS :	ARCHIDÉMONS OPPOSÉS :
1. Vohu Manah (la Bonne Pensée)	bœuf	la Mauvaise Pensée
2. Aša (l'Ordre)	feu	Indra
3. Xšaθra (la Puissance)	métal	Saurva
4. Ārmaiti (la Pensée Pieuse)	terre	Nåŋhaiθya
5. Haurvatāt (l'Intégrité, la Santé)	eaux	la Soif
6. Amərətāt (la Non-Mort, l'Immortalité)	plantes	la Faim

8. *Les dieux indo-iraniens des trois fonctions transposés dans les Entités.* — De quelque manière — archanges ou aspects de Dieu — qu'on interprète les Entités, ce tableau suscite des questions : pourquoi ces six élus, et non pas tels autres qu'il serait aisé de concevoir ? Pourquoi cet ordre, et les groupements préférentiels, donc les affinités que révèlent les statistiques deux à deux, trois à trois, etc. ? Pourquoi, ne disposant que de si peu de places, les auteurs du système en ont-ils, en quelque sorte, gaspillé une à la fin, en doublant « Santé » par une toute voisine « Immortalité » qui, presque sans exception, est nommée avec elle ? Pourquoi ces places précises — 2, 3, 4 — données aux trois archidémons qui sont d'anciens dieux fonctionnels condamnés par la réforme ? Une confrontation de la liste des Entités zoroastriennes et de la liste védique et mitanienne des dieux fonctionnels montre où il faut chercher la solution d'ensemble.

1°) Les deux dernières Entités, dont les noms assonnent et qui sont à peu près inséparables, rappellent, par les notions toutes voisines qu'elles expriment et par les éléments matériels qui leur sont associés autant que par leur place hiérarchique, les jumeaux Nāsatya, indissociables, donneurs de santé et de vie, rajeunisseurs de vieillards, techniciens des vertus médicinales que contiennent les eaux et les plantes.

2°) Juste avant elles, la quatrième Entité est la Terre, en tant que mère et nourricière, et en même temps le modèle de la maîtresse de maison iranienne : elle rappelle ainsi la déesse variable (Sarasvatī notamment) qu'on voit parfois jointe aux Nāsatya dans les énumérations védiques pour signaler la troisième fonction. Ainsi, le domaine des trois dernières Entités zoroastriennes, toutes désignées par des substantifs féminins, alors que les supérieures sont nommées par des neutres (cf., en védique, $vi\acute{s}$, féminin, contre $bráhman$ et $k\d{s}atrá$, neutres), est celui de la troisième fonction ; de plus, en la personne d'Ārmaiti, c'est bien à une Entité de troisième fonction que le système oppose le mauvais Nåŋhaiθya, démonisation (réduite à un personnage unique) des deux dieux canoniques de la même fonction, les Nāsatya.

3°) Au-dessus, la troisième Entité s'appelle $X\check{s}a\theta ra$, c'est-à-dire le mot même, $k\d{s}atrá$, d'où dérivera le nom indien des $k\d{s}atriya$ et qui, dès Rgveda, VIII, 35, caractérise différentiellement la seconde fonction, comme dans l'épopée narte des Ossètes, sous la forme $\alpha xs\alpha rt\alpha g$-, il fournit différentiellement le nom de la famille des héros forts. Le « métal » qui lui est associé est le métal dans toutes ses valeurs, mais des textes explicites le précisent comme le métal des armes. L'archidémon qui lui est opposé, Saurva, porte le nom du védique Śarva, variété de Rudra, personnage complexe qui ne peut être ici examiné, mais qui, en sa qualité tout au moins d'archer et de père des Marut, est bien chez lui dans la seconde fonction.

4°) Les deux premières Entités, les plus fréquemment priées ou mentionnées, les plus proches de Dieu, et volontiers associées, portent des noms significatifs : $A\check{s}a$ est le mot avestique (cf. vieux-perse $Arta$-) correspondant à védique $\d{r}tá$, l'Ordre cosmique, rituel, social, moral, que patronnent les dieux souverains, mais principalement (et jusque dans les épithètes qui lui sont propres) l'inflexible et terrible Varuṇa ; Vohu Manah, « la Bonne Pensée », dans une série de passages gāthiques et dans toute la littérature non gāthique, est présenté au contraire comme proche de l'homme : tout de même que le bienveillant et amical Mitra est proche de l'homme, est « ce monde-ici », par opposition à Varuṇa, qui est « l'autre monde ». *Yasna*, XLIV, contient à cet égard deux strophes révélatrices, les strophes 3 et 4 : elles répartissent le cosmos lointain et notre proche décor entre Aša et Vohu Manah aussi nettement que le fait par exemple Ṛgveda, IV, 3, 5, entre Varuṇa et Mitra (chacun avec des auxiliaires dont il sera question au chapitre suivant). L'élément matériel associé à Vohu Manah est le bœuf : or, dès l'époque indo-iranienne, on l'a reconnu depuis longtemps (notamment A. Christensen), le bœuf était sous la protection particulière du souverain Mitra. Enfin la mise en couple de l'Entité Aša et de l'archidémon Indra rappelle que plusieurs hymnes du Ṛgveda mettent en scène des querelles entre le souverain Varuṇa et le guerrier Indra, dépositaires de deux morales dont la divergence tourne aisément en conflit.

9. *Intention de cette réforme zoroastrienne.* — D'autres remarques du même genre enrichissent et nuancent la confrontation, mais celles-ci suffisent pour fonder la solution du problème de l'origine des Amǝša Spǝnta que j'ai longuement développée en 1945, dans mon livre *Naissance d'archanges* : *la liste des six Entités du zoroastrisme monothéiste a été calquée, démarquée, de la liste des dieux des trois fonctions dans le polythéisme indo-iranien ; plus exactement, d'une variante de cette liste, comme on en trouve dans l'Inde, qui, aux cinq dieux mâles nommés par exemple à Bogazköy, joignait dans la troisième fonction, tout près des Nāsatya, une déesse mère.* Pourquoi ce démarquage ? Pourquoi Zoroastre ou les réformateurs que résume ce nom n'ont-ils pas purement et simplement supprimé ces « faux dieux » ? Sans doute parce que, prêtres et philosophes, ils étaient attachés à la structure trifonctionnelle de leur savoir, en reconnaissaient l'efficacité comme moyen d'analyse et

comme cadre de réflexion sur la vie ; sans doute aussi
parce que les hommes, les Arya à qui s'adressait leur
prédication et qu'ils voulaient persuader ou contraindre, étaient eux-mêmes attachés à cette forme de
pensée et donc qu'il fallait leur fournir un substitut
exact de ce qu'on leur enlevait ; sans doute enfin parce
que, ainsi présentée, la leçon était plus parlante : un
des objets pratiques de la réforme, on l'a vu, était de
détruire la morale particulière des groupes de guerriers
et d'éleveurs, au profit de la morale, elle-même
repensée et purifiée, de la fonction-prêtre ; en dressant
par exemple à la place même où sévissait jusqu'alors
l'autonome Indra, l'exemplaire figure d'une « Puis-
sance », $X\check{s}a\theta ra$, toute dévouée à la sainte religion, on
portait aux tenants du vieux système un coup plus rude
que n'eût été la simple négation du dieu païen et la
suppression de cette province de la théologie païenne.
En un sens, on peut dire que la réforme zoroastrienne,
pour ce qui est des Entités, a consisté à substituer à
chaque divinité de la liste trifonctionnelle un équivalent
gardant son rang mais, pour l'essentiel, vidé de sa
nature et animé d'un nouvel esprit, du seul esprit
conforme à la volonté et aux révélations du Dieu
unique. Ainsi s'explique l'impression décourageante
qu'éprouvent les étudiants au premier contact des
Gāthā : malgré leurs noms divers, toutes ces Entités
qui s'y meuvent semblent équivalentes, interchangea-
bles. Ainsi s'explique aussi que tous les Aməša Spənta,
quels que soient le niveau et le dieu fonctionnels à
partir desquels chacun a été sublimé, fassent uniformément penser, quant à leur comportement, au groupe
indien des dieux du premier niveau, aux dieux
souverains, aux Āditya dont Mitra et Varuṇa sont les
principaux. Cette analogie, qui est un fait incontestable, et que B. Geiger et K. Barr ont eu raison de
fortement marquer, n'en a pas moins bloqué le
problème de l'origine des Entités dans une impasse :
elles ne sont pas les équivalents normaux, anciens, des
dieux souverains védiques, mais bien, énergiquement
ramenés au type unique d'une « sainteté » exigeante,

les équivalents des dieux védiques des trois niveaux : des souverains certes, mais aussi, sous les souverains, du dieu violent et des dieux vivifiants qui les complétaient.

Dieux fonctionnels indo-iraniens	→ Entités (Archanges) de l'Avesta (sous AHURA MAZDĀH) :	Archidémons opposés aux Archanges dans l'Avesta postgāthique
I. { MITRA / VARUŅA	VOHU MANAH / AŠA	[nouvelle fabrication] INDRA
II. { INDRA / (+ RUDRA-ŚARVA, etc.)	XŠAΘRA	SAURVA
III. { Déesse (SARASVATĪ, etc.)	ĀRMAITI	NĀNHAIΘYA
{ les 2 jumeaux / NĀSATYA	HAURVATĀT / AMƏRƏTĀT	[nouvelle fabrication]

D.I.E., p. 21.

10. *Les dieux indo-iraniens des trois fonctions et les explications chronologiques.* — Cette explication des Aməša Spənta, immédiatement admise par beaucoup d'iranisants, a reçu plus tard des prolongements dont nous retrouverons quelques-uns au chapitre suivant (III, § 8). Je dois me borner ici à en souligner la principale conséquence du point de vue comparatif. Reportant aux temps indo-iraniens la liste canonique mitanienne et védique des dieux des trois fonctions avec leur hiérarchie, elle interdit toute tentative d'expliquer cette liste et cette hiérarchie par des événements de l'histoire ou de la préhistoire récente des temps védiques. Indra n'est pas, ne peut plus être considéré comme un « grand dieu » que, par exemple, les conditions sociales et morales d'une époque de conquête seraient « en train de » substituer à un plus ancien « grand dieu », Varuņa, qui lui-même, un peu plus tôt, aurait développé son prestige aux dépens d'un plus vieux dieu Mitra : si tel était le cas, comment comprendrait-on que cette situation, par nature éphé-

mère, que ces rapports instables de dieux en croissance et de dieux en recul se fussent fixés, cristallisés au même stade d'évolution, — dessinant le même tableau d'ensemble, arrêtant pour des siècles au même maximum le progrès d'un des termes, au même minimum l'effacement d'un autre — chez les Para-Indiens de Mitani, dans les hymnes et rituels proprement védiques, et encore dans le polythéisme iranien qui se laisse lire en filigrane sous la théologie de Zoroastre ? « L'histoire » ne peut avoir été à ce point trois fois identique, avoir eu des effets intellectuels si semblables dans ces trois sociétés précocement séparées. La seule interprétation plausible est que les Indo-Iraniens encore indivis, quel que fût leur point de départ, étaient arrivés au bord de leurs Terres Promises en possession d'une théologie où les rapports de *Varuna avec *Mitra, d'*Indra avec *Varuna, étaient déjà ce qu'ils sont restés dans les hymnes, et que, par conséquent, ces rapports et le groupement de dieux qu'ils soutiennent, loin d'être les résultats fortuits d'événements, sont un donné conceptuel, philosophique, une analyse et une synthèse dont chaque terme suppose les autres aussi fortement que « la gauche » appelle « la droite », bref une structure de pensée. Les témoignages qu'on a cru parfois trouver dans les hymnes védiques d'un recul de Varuna devant Indra par exemple, s'expliqueront donc autrement : les hymnes où ces dieux se défient, où s'opposent leurs vantardises, l'hymne même où Indra se glorifie d'avoir éliminé Varuna, ne sont que des mises en drame de la tension qui existe entre « l'aspect Varuna » de la fonction souveraine et la fonction d'Indra, et qui doit exister pour que la société en ressente pleinement le bienfait. Les mythes rattachés aux patrons divins des fonctions doivent au moins en partie illustrer avec netteté la divergence de ces fonctions, et ils peuvent le faire sans les ménagements et compromis que la pratique sociale impose : il est clair, par exemple, que la souveraineté magique absolue et la pure force guerrière, si elles étaient poussées à l'extrême, aboutiraient à des conflits, — et de fait, à certains moments de la vie de la société, par de tels conflits, se produisent usurpations, ou anarchie, ou tyrannie. C'est ce qu'exprime la théologie des rapports de Varuṇa et d'Indra, telle qu'elle ressort des hymnes : dans la très grande majorité des cas, ils collaborent, mais, dans quelques textes dialogués, les poètes sont allés à cet extrême qu'évitent sagement les politiques et, pour mieux les définir, les « voir » et les « faire voir », les ont opposés comme des rivaux. État de choses, exercice rhétorique sûrement anciens, puisque, on l'a vu, le zoroastrisme a choisi Indra excommunié, démonisé, pour en faire l'adversaire particulier d'Aša, c'est-à-dire de l'Entité en qui, purifié, survit *Varuṇa.

11. *Communications entre les dieux des trois fonctions.* — Cette observation doit être aussitôt complétée par une autre, inverse. La définition fonctionnelle des trois niveaux divins est statistiquement rigoureuse (la littérature védique est assez abondante pour que la statistique y trouve une prise certaine), c'est-à-dire nette non seulement dans les textes où ils sont intentionnellement classés ou du moins groupés, mais aussi dans la grande majorité des textes où un poète ne considère ou n'invoque que les dieux d'un seul niveau sans penser aux autres. Mais, dans toute religion, les effusions de la piété, de l'espérance, de la confiance débordent parfois les cadres théoriques du catéchisme, et cela est surtout vrai dans l'Inde dont l'effort de pensée, au cours des temps historiquement observables, — et cette tendance est déjà sensible dans les hymnes — a si souvent tendu à reconnaître l'identité profonde de l'être sous la diversité des apparences ou des notions et, pour exprimer sensiblement ce dogme des dogmes, à prêter aux unes les attributs des autres. De plus, dans la pratique, ce qui intéresse l'homme pieux, c'est assurément la diversité des secours qu'il peut recevoir et des portes mystiques auxquelles il peut frapper, mais c'est aussi et surtout la solidarité et la collaboration de tous les dieux qui lui répondent. Enfin, dans les œuvres mêmes pour

lesquelles les hommes appellent les dieux, il arrive que la totalité ou plusieurs parties de l'équipe fonctionnelle se trouvent requises et, en outre, des spécialistes qui lui sont extérieurs. L'exemple majeur est celui de la pluie, qui gonfle les eaux du sol, qui fournit directement ou indirectement le type de richesse pastorale et agricole, la santé même, dont s'occupent les dieux de la « troisième fonction » ; mais elle est obtenue par la bataille céleste, arrachée sous forme de rivières ou de vaches célestes aux démons avares de la sécheresse, et cela est l'affaire, la grande affaire d'Indra et de ses auxiliaires, notamment de la horde guerrière des Marut ; liant le ciel et la terre et assurant la survie du monde, elle n'intéresse pas moins les dieux souverains ; opération technique enfin, elle a, semble-t-il, son spécialiste en Parjanya. Mais pourquoi le poète s'astreindrait-il à toujours faire cette juste et stricte distribution des mérites ? L'œuvre est commune, unitaire donc est la louange. Et l'on ne s'étonnera pas que le grand guerrier Indra soit si souvent célébré dans le résultat aussi bien que dans la forme de son action, comme donneur de fécondité et de richesses. Mais le lecteur soucieux de théologie ne devra jamais oublier la manière violente qu'il a de procurer des troupeaux ou de libérer les eaux : il n'est pas une Sarasvatī masculine, il n'est pas du cercle des Pūṣan et des Draviṇodā.

12. *Théologies des trois fonctions chez d'autres peuples indo-européens.* Si une telle équipe divine a ainsi sûrement existé chez les Indo-Iraniens avant leur division, comme l'idéologie tripartie, nous l'avons vu au premier chapitre, est plus ancienne encore et doit être reportée aux temps indo-européens, il était légitime et nécessaire de rechercher, dans les théologies des autres peuples indo-européens anciennement et suffisamment connus, si des équipes analogues ne sont pas attestées par des usages formulaires et rituels. Cette enquête, entreprise dès 1938, a immédiatement donné des résultats sur les domaines italique et germanique. Mais, du même coup, sur ces deux domaines où les

spécialistes, à l'aise dans leur autonomie, avaient depuis longtemps construit de majestueuses et savantes explications de toutes choses, l'interprétation nouvelle a dû remettre en question tant de pseudo-faits, montra la faiblesse de tant de pseudo-démonstrations qu'elle n'a pas été, généralement, la bienvenue. En gros, les oppositions sont surtout nées de ce que les « philologies séparées », soit scandinave, soit latine, s'étaient habituées à penser chronologiquement — selon une chronologie toute hypothétique et subjective — la préhistoire, la « formation » des tableaux théologiques complexes que leur présentaient les plus anciens documents, alors que, regardés dans la perspective comparative dont les grandes lignes viennent d'être rappelées, ces tableaux s'interprètent immédiatement, pour l'essentiel, comme des structures conceptuelles exprimant la distinction et la collaboration des trois fonctions déjà explicitées par les Indo-Européens.

13. *Jupiter Mars Quirinus et Juu-, Mart-, Vofion(o)-*. — Les deux sociétés italiques — l'une ombrienne, l'autre latine — sur lesquelles des textes bien articulés nous informent, Iguvium et Rome, présentent deux variantes d'une triade dont les deux premiers termes sont identiques : *Juu-, Mart-, Vofion(o)-* à Iguvium ; *Jupiter, Mars, Quirinus* dans la Rome la plus ancienne, précapitoline. Ce parallélisme, à lui seul, engage à ne pas chercher à la triade romaine, comme il est usuel, une explication fondée sur les hasards, sur les apports successifs, sur les compromis d'une histoire locale, car comment deux suites d'événements indépendants eussent-ils pu susciter deux théologies, deux hiérarchies divines si semblables ?

14. *La triade précapitoline*. — L'existence de la triade romaine, qu'on a voulu aussi contester, n'est pas douteuse ; elle est mise en évidence par le fait que ces dieux sont restés à travers toute l'histoire romaine desservis par trois prêtres sans homologues, rigoureusement hiérarchisés (*ordo sacerdotum* : Festus, p. 198 Lindsay), qui sont, sous le seul *rex sacrorum*, héritier réduit et sacerdotal des anciens rois, les plus hauts

prêtres de l'État : les trois *flamines maiores*, à savoir le *dialis*, le *martialis*, le *quirinalis*.

Véritable fossile à l'époque historique, repoussée hors de l'actualité par la triade bien différente que forment Jupiter O.M., Juno Regina, et Minerua, cette triade précapitoline est restée liée à plusieurs rituels et représentations évidemment archaïques. Une fois l'an, à une cérémonie dont on attribuait la fondation à Numa (Tite-Live I, 21, 4), les trois flamines maiores traversaient solennellement la ville dans une même voiture et faisaient conjointement un sacrifice à la déesse Fides. Les prêtres Salii, qui gardaient, parmi les douze ancilia indiscernables, le talisman tombé du ciel, auquel était attachée la fortune de Rome, étaient *in tutela Jouis Martis Quirini* (Servius, *ad Aen.*, VIII, 663). Le tragique rituel de la *deuotio*, par lequel le général romain dont l'armée était en péril se livrait aux dieux souterrains en même temps que l'armée ennemie, était introduit par une formule, par une énumération de dieux que Tite-Live (VIII, 9, 6) s'est sûrement appliqué à transcrire exactement et qui, après Janus, dieu de tous les commencements, nommait d'abord la vieille triade : Jane, *Juppiter, Mars Pater, Quirine*, puis Bellona, les Lares, etc. Lors de la conclusion d'un traité, à en juger par Polybe (III, 25, 6), c'est Jupiter d'abord, puis Mars et Quirinus que les prêtres féciaux prenaient comme témoins.

Le caractère commun de ces circonstances où la triade précapitoline est présentée comme telle, est que le corps social de Rome y est intéressé dans son ensemble et dans sa forme normale : maintien de la fides publica sans laquelle la cohésion sociale est impossible ; protection continue ou urgente ; engagement diplomatique. Le sacrifice à Fides est particulièrement révélateur, étant la seule circonstance connue où les trois flamines maiores agissent ensemble ; mais ils le font alors ostentatoirement et l'unité de la voiture, l'unité de l'opération sacrée prouvent qu'il s'agit de mettre sous la garantie de Fides l'unité de trois « choses » que Jupiter, Mars et Quirinus patronnent distributivement, trois « choses » dont la synthèse ou l'ajustement sont essentiels à la vie de Rome. Quelles sont ces « choses » ?

15. *Valeur du Jupiter et du Mars de la triade précapitoline.* — La réponse ne nécessite pas grand effort, pourvu que l'on préfère le sentiment déclaré par les Romains eux-mêmes aux constructions hardies, faites depuis trois quarts de siècle par les épigones de Wilhelm Mannhardt ou par des archéologues peu conscients des limites de leur art ; pourvu, aussi, qu'on n'oublie pas que des dieux n'ont pu être ainsi associés et hiérarchisés, aussi bien à Iguvium qu'à Rome, que parce qu'ils rendaient des services différenciés et complémentaires ; pourvu enfin qu'on attache un prix particulier, s'agissant des dieux des trois flamines maiores, à ce qu'enseignent les offices de ces prêtres. Si l'on observe cette règle et ces précautions, on reconnaîtra d'abord que le Jupiter, et en même temps (le chapitre suivant montrera le sens de cette nuance) le Dius, que le flamen dialis sert par ses actes, par son comportement et par d'innombrables obligations positives et négatives, est le dieu qui, du haut du ciel, préside à l'ordre et à l'observation la plus exigeante du sacré, garant de la vie, de la continuité et de la puissance romaines. Quant à Mars, imperturbablement docile à l'enseignement de milliers de textes épigraphiques et littéraires, on verra en lui le dieu combattant de Rome, patron de la force physique, de cette force qui peut bien, comme celle du védique Indra, en trois ou quatre circonstances (pas davantage), être orientée par le paysan romain au profit de ses bœufs qui, eux aussi, ont besoin d'être forts, ou de ses récoltes dont tant de malins génies, invisibles ou visibles, menacent le succès, mais qui, depuis les fabuleuses origines jusqu'au déclin de l'empire, est restée, dans l'écrasante majorité des emplois connus, la force qui donne la victoire.

16. *Quirinus.* — Pour Quirinus, le seul « vieilli » des trois dieux à l'époque historique, les érudits anciens ont généreusement construit, sur des à-peu-près

étymologiques d'un type alors courant, des théories contradictoires qui compliquent le travail ; mais nous disposons heureusement des offices remplis par son flamen, de plusieurs autres faits cultuels, de son nom, et de quelques indications objectives des anciens. Ces diverses sources d'information donnent un tableau complexe, mais cohérent :

1°) Nous connaissons trois circonstances où officie le flamen quirinalis. Aux Robigalia du 25 avril, il sacrifie un chien dans un champ près de Rome et détourne ainsi (vers les armes guerrières, ajoute Ovide) la rouille qui menace les épis. Aux Consualia du 21 août, il sacrifie à l'autel souterrain de Consus, dieu du grain mis en réserve (condere) ; le 23 décembre, il sacrifie au « tombeau » de Larentia la courtisane qui incarne, dans une histoire célèbre, la volupté, la richesse et la générosité, et qui a mérité de recevoir un culte en léguant finalement sa grande fortune au peuple romain. La fête propre de Quirinus, les Quirinalia du 17 février, coïncide avec (et probablement n'est que) le dernier acte des Fornacalia, c'est-à-dire des fêtes curiales de la torréfaction des grains. Dans les deux autres circonstances cultuelles où il apparaît, Quirinus est associé à la déesse Ops, c'est-à-dire l'Abondance rurale personnifiée : une inscription enseigne que, le 23 août, aux Volcanalia, Quirinus et Ops figurent parmi les divinités honorées sans doute contre les incendies (CIL^1, I^2, p. 326) ; la légende justifiant l'existence des Salii de Quirinus montre que le vœu fondant ce collège a été fait pour la même raison que le vœu fondant la fête d'Ops et de Saturne. Toutes ces données, qui constituent l'entier dossier cultuel du dieu, attestent que son activité est uniformément et uniquement en rapport avec les grains (trois fêtes, dont la sienne), avec les divinités agricoles Consus et Ops, avec la richesse et le sous-sol. Dans le même sens va le fait que, en 390,

1. *Corpus Inscriptionum Latinarum* (H. C.-B.).

à l'approche des Gaulois, quand il fallut *enterrer* les objets sacrés de Rome, ce n'est pas, comme on eût pu l'attendre, au rex ni au flamen dialis, premiers prêtres de l'État, qu'incomba cette tâche, mais au flamen quirinalis.

2°) Le nom de Quirinus est sûrement inséparable de celui des *Quirites,* c'est-à-dire de l'ensemble des Romains considérés dans leurs activités civiles, par opposition totale — une anecdote bien connue de la vie de Jules César le prouve — à ce qu'ils sont comme *milites.* P. Kretschmer avait proposé d'expliquer *Quirites,* solidairement avec *curia* (volsque *couehriu*), comme « les hommes rassemblés dans leurs cadres sociaux », *Quirinus* étant (cf. *dominus* de *domus,* etc.) le patron de cette entité de la « masse sociale organisée » (*co-uir-i%-)* ; l'étymologie, satisfaisante en elle-même, a été rendue très probable par V. Pisani (1939) et, indépendamment, par É. Benveniste (1945), qui ont montré que le nom de l'homologue de Quirinus dans la triade ombrienne « Jupiter Mars Vofionus » peut être l'aboutissement phonétique rigoureux d'un *Leudh-yono* « patron de la masse » (cf. allemand *Leute,* lat. *liberi* « la masse des hommes libres, les enfants de naissance libre », etc.), exact parallèle et synonyme de lat. *Couiri-no-.* Masse sociale et paix sont, autant que la culture du sol, des aspects attendus de la troisième fonction.

3°) Mais le style de cette paix est marqué de l'empreinte romaine, il contribue à l'étonnant mécanisme qui, en quelques siècles, a conquis et romanisé l'Italie, la Méditerranée, l'ancien monde, et établi le lourd bienfait de la pax romana. Il ne s'est jamais agi pour les Romains d'une paix aveugle et jouisseuse, mais vigilante, où les armes étaient déposées, mais entretenues, où les civils, *Quirites,* étaient aussi des mobilisables, les *milites* de demain, où les comitia légiférant n'étaient que l'exercitus urbanus, sans son équipement, mais dans ses cadres ; d'une paix, enfin, où l'on songeait beaucoup à la guerre. C'est ce régime, cet état d'esprit que patronne Quirinus et qu'exprime excellemment un trait de son statut : un des flamines minores, le Portunalis — c'est-à-dire sans doute le dieu des portes (portae) de la ville, avant d'être celui des ports (portus) — a la charge de graisser les « armes de Quirinus » (Festus, s. v. persillum, p. 238 Lindsay), c'est-à-dire d'accomplir le geste de tout mobilisable pour les armes dont il ne se sert pas actuellement, mais dont il veut pouvoir soudain se servir. Cette ambivalence « Quirites-milites » des Romains eux-mêmes, cette conception militaire de la paix romaine, expliquent suffisamment que Quirinus ait été considéré comme une variété de Mars et que les Grecs, qui concevaient autrement l'$\varepsilon i\rho\eta\nu\eta$, aient choisi pour traduire son nom celui d'un vieux dieu guerrier différent d'Arès, 'Ενυάλιος. Mais on ne saurait trop méditer dans ce contexte deux notes du commentateur de Virgile, Servius, jugées naguère encore « absurdes », auxquelles la nouvelle perspective « trifonctionnelle » a conféré leur pleine valeur (ad Aen., I, 292 ; VI, 859) :

> ... Mars est dit Gradiuus quand il est en fureur (cum saeuit) ; lorsqu'il est paisible (cum tranquillus est), Quirinus. Il a deux temples à Rome : l'un à l'intérieur de la ville, en qualité de Quirinus, c'est-à-dire de gardien et de dieu paisible (quasi custodis et tranquilli), l'autre sur la voie Appienne, hors de la ville, près de la porte, en tant que dieu guerrier ou Gradiuus (quasi bellatoris uel Gradiui)...
> ... Quirinus est le Mars qui préside à la paix (qui praeest paci) et a son culte à l'intérieur de Rome ; car le Mars de la guerre (belli Mars) avait son temple hors de Rome.

17. Jupiter Mars Quirinus et les composantes légendaires de Rome. — Ce rapide exposé, dépouillé des innombrables discussions qu'il a fallu soutenir sur presque tous les points, suffit à montrer quelle est, dans l'unité harmonieuse de la triade précapitoline, l'orientation propre et l'équilibre interne de chaque terme. Ciel, et essence même de la religion comme support de Rome ; force physique et guerre ; agriculture, sous-sol, masse sociale et paix vigilante : ces étiquettes définissent trois

domaines complémentaires, dessinent bien une structure qui, étant sûrement antérieure à Rome et à Iguvium, donc au moins italique, et d'autre part étant si proche de la structure indo-iranienne, a bien des chances de remonter aux temps indo-européens.

Il n'est pas inutile de rappeler ici les valeurs fonctionnelles dont apparaissent chargées, dans les récits sur les origines de Rome, les trois composantes ethniques, bases légendaires des trois tribus : Romulus — *rex* et *augur* — et ses compagnons sont les dépositaires du pouvoir souverain et des auspices ; ses alliés étrusques, sous le commandement de Lucumon, sont les spécialistes de l'art militaire ; ses ennemis, Titus avec les Sabins, sont pourvus de filles, sont riches en troupeaux et, de plus, répugnent à la guerre et font le possible pour l'éviter, l'ajourner. Une variante fréquemment attestée, nous l'avons rappelé (I, § 7), économise la composante étrusque et concentre les deux premières caractéristiques sur Romulus et ses compagnons. Sous cette forme, la triade précapitoline se répartit très adéquatement entre les deux groupes d'adversaires et futurs associés : Romulus est constamment le protégé de Jupiter (les auspices initiaux ; Jupiter Feretrius et Jupiter Stator dans la bataille), mais, fils de Mars, il se trouve réunir sur lui les faveurs des deux premiers dieux de la triade ; tandis que Quirinus (dans cet ensemble légendaire seulement) est considéré comme un dieu sabin, « le Mars sabin », apporté en dot par Titus Tatius à Rome dans la réconciliation finale en même temps que le nom collectif de « Quirites » (mais cette pseudo-sabinité de « Quirites » et Quirinus, bien que conforme à la caractérisation des Sabins de la légende comme porteurs de la troisième fonction, s'explique principalement par le jeu de mots, populaire chez les érudits de Rome, « Quirites-Cures »). On sait qu'une autre forme de la légende, incompatible avec celle-ci, fait de Quirinus le nom posthume de Romulus, réunissant ainsi sur le seul fondateur, par les auspices, par la filiation et par l'apothéose, les trois termes de la triade divine.

18. *Variantes de la triade Jupiter Mars Quirinus.* — De la légende des origines, Varron (*De ling. lat.*, V, 74) et Denys d'Halicarnasse (II, 50) nous ont gardé un trait important : lors de la réconciliation de Romulus et de Titus Tatius et de l'entrée des Sabins de Titus Tatius dans la communauté dorénavant complète et viable, chacun des deux rois institue des cultes et, tandis que Romulus ne fonde que *le seul* culte de Jupiter, Titus Tatius met en circulation, en même temps que Quirinus, *un grand nombre* de dieux et de déesses qui tous ont des rapports avec la vie rurale, ou la fécondité, ou le monde souterrain. Cette tradition est fort intéressante, d'abord parce qu'elle souligne ce qui a été déjà signalé à propos de l'Inde (II, § 5), la multiplicité d'aspects, l'inévitable morcellement de cette « troisième fonction » qu'incarne Titus Tatius, mais surtout parce que, parmi les « dieux de Titus Tatius » (qui ne sont certainement pas sabins, mais bien romains en dépit de la coloration ethnique de la légende), plusieurs figurent en troisième terme dans des triades qui ne sont que des variantes de la triade canonique « Jupiter Mars Quirinus » : telle Ops (dont les rapports avec Quirinus ont été déjà signalés), telle Flora.

Les trois groupes de cultes de la Regia, de la « maison du roi », correspondant sans doute aux trois chambres dont on constate encore la juxtaposition dans les ruines, sont : 1º) des cultes assurés par les personnages sacrés du plus haut rang, le rex (à Janus), la regina (à Juno) et la femme du flamen dialis (à Jupiter lui-même) ; 2º) les cultes guerriers du sacrarium Martis ; 3º) les cultes du sacrarium Opis Consiuae, de la déesse de l'Abondance. Cette collocation des trois niveaux fonctionnels manifestait sensiblement que la même forme de religion qui s'analysait, se dissociait, dans les personnes des trois grands flamines, refaisait au contraire sa synthèse quand elle passait aux mains du rex, quand c'était le rex, non plus incarnation mais, au nom de Rome, utilisateur des forces sacrées, qui l'administrait.

Quant à la triade « Jupiter, Mars, Flora » (celle-ci
remplacée plus tard par Vénus), c'est elle qui paraît
avoir patronné les trois chars des courses primitives
(eux-mêmes en relation avec les trois tribus fonctionnelles et avec les trois couleurs blanc, rouge, vert :
v. ci-dessus, I, § 21) ; Flora méritait deux et trois fois
cette place, et par sa puissance sur la végétation, et
par la légende qui faisait d'elle un doublet de la riche
courtisane Larentia, et parce qu'elle était assimilée à
Rome même, sans doute à la masse romaine plutôt
qu'à l'entité politique, que patronnait Quirinus. Une
autre variante de la triade, « Jupiter, Mars, Romulus-
Rémus », présente Romulus sous un tout autre aspect
(jusqu'à la fondation de Rome : jumeau, pasteur, etc.)
et rappelle que la liste canonique indo-iranienne
confiait à deux dieux jumeaux la représentation et la
protection du troisième niveau.

19. *Les dieux des trois fonctions en Scandinavie.*
— Dans le paganisme scandinave, une triade du même
type est bien connue, celle que forment *Óðinn*, *Þórr*
et *Freyr* (ou, solidairement, comme dernier terme,
Njörðr et *Freyr*). Mais elle aussi, autant et plus que la
triade romaine précapitoline, a été expliquée — de
manières fort variables — selon des schémas d'évolution, comme le résultat de compromis, de syncrétismes
entre des cultes successivement apparus. La critique
de ce type d'explications, faciles et séduisantes, qui
croient sortir logiquement des données archéologiques
mais qui s'y superposent artificiellement, a été maintes
fois faite, et devra l'être encore, car l'expérience montre
qu'on n'y renonce pas volontiers. Dans le plan réduit
du présent livre, nous devrons simplement en faire
abstraction, et déclarer que, de H. Petersen (1876) à
K. Helm (1925, 1946, 1953), de E. Wessén (1924)
à E.A. Philippson (1953), les très nombreuses tentatives pour prouver que la « promotion » de *Wōþanaz
est chose récente, qu'il s'est « substitué » à *Tiuz, ou
que, en Scandinavie, le plus ancien « grand dieu » est
Þórr, à moins que ce ne soit Freyr, n'ont pas réussi,
ne pouvaient pas réussir, en dépit de l'intelligence, de

l'érudition et du talent de leurs auteurs. Nous nous en tiendrons aux faits.

Et d'abord à l'existence même de la triade comme telle. C'est elle (O., þ, F.) qu'Adam de Brême a vu régner au temple d'Upsal et dont il décrit le mécanisme trifonctionnel (*Gesta Hammaburgensis eccl. pontificum*, IV, 26-27) ; c'est elle qui soutient des formules de malédiction aussi bien dans les poèmes eddiques que chez les scaldes (O., þ, F.-N. : *Egilssaga*, 56) ; c'est elle qui se dégage du récit de la bataille eschatologique (O., Þ., F. : *Völuspá*, 53-56), chacun de ces trois dieux luttant contre un des assaillants majeurs et succombant sous ses coups ; c'est elle qui se répartit les joyaux divins (O., Þ., F. : *Skáldskaparmál*, ch. 44) ; c'est elle que suppose toute la mythologie, où les autres divinités — sauf la déesse Freyja, étroitement associée à Freyr et à Njörðr et qui les complète — sont comme des comparses entourant ces seuls « premiers rôles » et se définissant par rapport à eux.

20. *Dieux Ases et dieux Vanes.* — On se rappelle que, dans la légende de ses origines, Rome réduisait souvent à deux ses composantes, bien qu'elles dussent aboutir à trois tribus et représenter trois fonctions : le rex-augur Romulus et ses compagnons ont *deos et uirtutem,* la puissance sur le sacré et les talents guerriers, les domaines de Jupiter et de Mars, tandis que Titus Tatius et ses Sabins apportent à l'ensemble leur spécialité, c'est-à-dire les femmes et la richesse, *opes.* Le tableau scandinave de la formation de la société divine complète est du même type : les composantes, elles aussi assemblées par une réconciliation et une fusion consécutives à une terrible guerre, sont au nombre de deux, les Ases et les Vanes, — les Ases, dont Óðinn est le chef et Þórr le plus distingué après lui ; les Vanes, dont Njörðr, Freyr et Freyja sont les plus éminents, les seuls même individuellement nommés.

Or la distinction fonctionnelle des Ases et des Vanes est claire et constante. Les Vanes, et spécialement les deux dieux et la déesse qui en incarnent le type au maximum, même s'il leur arrive d'être ou de faire autre chose, sont d'abord des dieux riches (N., F., Fa.) et des donneurs de richesse, patronnant (F., Fa.) le plaisir, la lascivité même, et la fécondité, et aussi (Nerthus, F.-Fróði) la paix, et enfin sont liés, spatialement et économiquement, au sol en tant qu'il produit les moissons (N., F.) ou à la mer en tant que lieu de la navigation et de la pêche (N.). À ces traits dominants s'opposent ceux des principaux Ases. Ni Óðinn ni Þórr, certes, ne se désintéressent de la richesse, du sol, etc. Mais, aussi anciennement que la mythologie scandinave nous est connue, leurs centres sont ailleurs : l'un est le plus puissant magicien, maître des runes, chef de la société divine ; l'autre est le dieu au marteau, l'ennemi des géants, auxquels d'ailleurs il ressemble (qu'on pense à sa « fureur »), le dieu tonnant (dans son nom même) et, s'il sert le paysan et lui donne la pluie, c'est, même dans le folklore moderne, comme un sous-produit de sa bataille, par manière violente et atmosphérique, non terrienne et progressive.

Le sens qu'il faut donner à cette distinction des Ases et des Vanes est le problème central qui commande toute interprétation des religions scandinaves, et, de proche en proche, germaniques, celle aussi où les explications chronologiques et historiques (d'histoire imaginaire !) affrontent avec le plus de vivacité les explications structurales et conceptuelles. Les faits réunis depuis le début de ce livre apportent un grand renfort aux structuralistes : le parallélisme des théologies indo-iraniennes et italiques fait précisément attendre, chez les peuples apparentés, une théologie et une mythologie du type que présentent les Scandinaves, opposant d'abord pour mieux les définir, puis composant pour créer un ensemble viable, 1°) des figures divines patronnant ce que patronnent les Ases Óðinn et Þórr, la haute magie et la souveraineté d'une part, la force brutale d'autre part, et 2°) des figures divines toutes différentes, patronnant ce que patronnent les trois grands Vanes, la fécondité, la richesse, le plaisir, la paix, etc.

21. *La guerre des Ases et des Vanes et la guerre des Protoromains et des Sabins : formation d'une société trifonctionnelle complète.* — La coupure initiale qui sépare les représentants des deux premières fonctions et ceux de la troisième est une donnée indo-européenne commune : avec le même développement mythique (séparation initiale, guerre ; puis indissoluble union dans la structure tripartie hiérarchisée), elle se retrouve non seulement à Rome, sur le plan humain, dans le récit des origines de la Ville (guerre sabine et synécisme), mais dans l'Inde, où il est dit que les dieux canoniques du troisième niveau, les Aśvin, n'ont pas d'abord été des dieux et qu'ils ne sont entrés dans la société divine, comme troisième terme, au-dessous des « deux forces » *(ubhe vīrye),* qu'à la suite d'un conflit violent, suivi d'une réconciliation, d'un pacte. Comme on peut s'y attendre, les détails de telles légendes ont été choisis et groupés de manière à mettre en relief les « fonctions » respectives des diverses composantes de la société et les procédés spéciaux que ces « fonctions » permettent à leurs desservants. L'analyse comparée de la légende romaine de la guerre initiale des Romains et des Sabins et de la légende scandinave de la « première guerre dans le monde », celle des Ases et des Vanes (à laquelle il faut restituer, contre E. Mogk, les strophes 21-24 de la Völuspá), a même révélé un remarquable parallélisme et donné un sens à l'une et à l'autre. Toutes deux sont formées, en diptyque, de deux scènes où chacun des deux camps ennemis a l'avantage (mais un avantage limité et provisoire, puisqu'il faut que le conflit finisse sans victoire, et par un pacte librement consenti), de plus est redevable de cet avantage à sa spécialité fonctionnelle : d'un côté, les riches et voluptueux Vanes corrompent, de l'intérieur, la société (les femmes !) des Ases en leur envoyant la femme appelée « Ivresse de l'Or » ; de l'autre côté, Óđinn lance son fameux javelot dont on connaît par ailleurs, et dans toute autre circonstance, l'irrésistible effet magique de panique. De même, d'un côté, les riches Sabins ont presque

la victoire, occupent la position clef de l'adversaire, non pas par le combat, mais en achetant à prix d'or Tarpeia (ou, dans une variante, grâce à l'amour désordonné de Tarpeia pour le chef sabin) ; Romulus, de l'autre côté, par une invocation à Jupiter (Stator), obtient du dieu que l'armée ennemie victorieuse reflue en panique, soudain et sans cause.

22. *Développement de la fonction guerrière chez les anciens Germains.* — Il faut cependant signaler un fait de grande conséquence, qui a commandé très tôt, et non pas seulement chez les Scandinaves, mais chez tous les Germains, un « gauchissement » de la structure des trois fonctions et de la théologie correspondante.

Nulle part, certes, ni dans l'Inde ni à Rome, les dieux du premier niveau, Varuṇa, Jupiter, ne se désintéressent de la guerre : s'ils ne combattent pas proprement comme Indra et Mars, ils mettent leur magie au service du parti qu'ils favorisent et c'est en définitive par eux qu'est attribuée la victoire qui, en effet, si elle est gagnée par la Force, intéresse surtout l'Ordre par ses conséquences. On n'est donc pas surpris de voir Óðinn, lui aussi, intervenir dans les batailles, sans beaucoup y combattre, et notamment en jetant sur l'armée qu'il a condamnée une panique paralysante, mot à mot liante, le « lien d'armée », *herfjöturr* (cf. les liens dont est armé Varuṇa). Mais il est certain aussi que la part de la « guerre » dans sa définition est bien plus considérable que dans la définition de ses homologues védique et romain : en lui — et aussi dans l'homologue germanique de Mitra, que nous examinerons au chapitre suivant, et que Tacite interprète même en Mars — on constate plus qu'une osmose : un véritable débordement, déversement de la guerre dans l'idéologie du premier niveau. Au moins à l'époque où se sont formées leurs épopées, les « héros odiniques » — Sigurðr, Helgi, Haraldr Dent-de-Combat — sont avant tout des guerriers et, dans l'au-delà, ce sont les guerriers morts, et eux seuls, et pour une éternité de jeux et de joies guerriers, qu'Óðinn accueille dans sa Valhöll. Compensatoirement, dans certains milieux au moins, Þórr, l'ennemi des géants, le combattant trop solitaire, a perdu le contact avec la guerre telle que la pratiquent les hommes, et c'est surtout l'heureux résultat de ses duels atmosphériques contre les géants et les fléaux, c'est notamment la pluie bonne aux moissons, qui a justifié et popularisé son culte et, quelquefois, dépossédé Freyr de la partie agricole de sa province. Cette double évolution paraît avoir été poussée à l'extrême chez les Scandinaves les plus orientaux, où Adam de Brême (IV, 26-27) définit ainsi les trois dieux de la triade d'Upsal :

Thor praesidet in aere, qui tonitrus et fulmina, ventos ymbresque, serena et fruges gubernat. Alter Wodan, id est furor, bella gerit hominique ministrat virtutem contra inimicos. Tercius est Fricco (*c'est-à-dire Freyr*), pacem voluptatemque largiens mortalibus...

Si pestis et fames imminet, Thor ydolo lybatur, si bellum, Wodani, si nuptiae celebrandae sunt, Fricconi [1].

Même si l'on admet, comme il est probable, que la théologie de chacun de ces trois dieux d'Upsal était plus riche et plus nuancée qu'il ne paraît dans les

1. Georges Dumézil a publié dans *Les Dieux souverains...* une traduction de ce passage, sans coupures :
La nation des Suéons a un temple célèbre, appelé Ubsola, situé non loin de la ville de Sictona. Dans ce temple, tout orné d'or, le peuple rend un culte à trois statues de dieux, Thor, le plus puissant, siégeant au milieu, entre Wodan et Fricco. Les significations de ces dieux sont les suivantes : Thor, disent-ils, est le maître de l'atmosphère et gouverne le tonnerre et la foudre, les vents et les pluies, le beau temps et la moisson ; le second, Wodan, c'est-à-dire la Fureur, dirige les guerres et fournit à l'homme la vaillance contre les ennemis ; le troisième, Fricco, procure aux mortels la paix et le plaisir et son idole est munie d'un membre énorme. Wodan est représenté armé, comme on fait chez nous pour Mars, tandis que Thor, avec un sceptre, paraît imiter Jupiter.
À tous leurs dieux sont attachés des prêtres pour présenter les sacrifices du peuple. Si la peste ou la famine menace, c'est à l'idole Thor qu'ils font offrande ; pour la guerre, à Wodan ; si des noces doivent être célébrées, à Fricco.

brèves notations d'Adam de Brême (qui a aussi pris Þórr pour le dieu « principal » parce que figuré au milieu, c'est-à-dire en second, et armé d'un marteau qu'il a pris pour un sceptre, et parce que, tonnant, il l'a assimilé à Jupiter), il n'y a pas de raison de récuser l'essentiel de son témoignage : le glissement de la guerre dans le domaine de « Wodan », le glissement inverse de « Thor » au service du paysan sont des faits. Mais on en comprend l'origine et, sur d'autres points de la Scandinavie, où le même phénomène s'observe, les valeurs des trois dieux restent néanmoins, pour l'essentiel, plus proches de celles de leurs homologues indiens et romains.

Dieux fonctionnels :	Selon Adam de Brême :	Dans l'ensemble de la mythologie :	Fonctions :
Óðinn	– guerre	magie guerre	I
Þorr	– fertilité par l'orage	combats singuliers contre les géants fertilité par l'orage	II
Freyr	paix, plaisir et fécondité humaine	abondance générale dans la paix et fécondité humaine	III

D.S.I.E., p. 189 [1].

23. *État du problème chez les Celtes, les Grecs, les Slaves.* — Sur les autres parties du domaine indo-européen, des raisons diverses — date trop basse et insuffisance ou incohérence des documents, incompré-

---

1. Heimdalh, que Georges Dumézil avait d'abord interprété comme un « dieu de commencement », homologue de Janus, a des fonctions plus complexes, que Dumézil a réunies sous l'appellation de « dieu cadre » (H. C.-B.).

hension des observateurs ou transmetteurs, emprunts
massifs à des systèmes religieux non indo-européens
— font qu'on n'observe pas aussi immédiatement des
structures théologiques correspondant aux trois fonctions : il y faut des raisonnements, et par conséquent
l'arbitraire menace. Cet état de choses est particulièrement regrettable sur les domaines grec et celtique, où
l'information est pourtant si abondante. Il faut s'y
résigner : en Grèce, où l'essentiel de la religion n'est
sûrement pas indo-européen, le groupement des
déesses dans la légende du berger Pâris, par exemple,
reste un jeu littéraire, ne forme évidemment pas une
authentique combinaison religieuse. En Gaule, où la
classification des dieux que donne César et que
confirment les textes irlandais sur les Tuatha Dé
Danann rappelle par plusieurs termes la structure des
trois fonctions, cette analogie, avec la filiation et les
retouches qu'elle suggère, suscite plus de problèmes
qu'elle en résout. Quant aux paganismes des Slaves,
ils sont trop mal connus pour que les essais d'explication tripartie puissent être autre chose que de brillantes
hypothèses. Mais la concordance des témoignages sur
les trois domaines indo-iranien, italique, germanique,
où les vieilles religions ont été décrites de manière
systématique par les usagers eux-mêmes, suffit à
garantir que, dès les temps indo-européens, l'idéologie
tripartie avait bien donné lieu à une théologie de même
forme, à un groupement de divinités hiérarchisées
représentant les trois niveaux, et aussi à une « mythologie étiologique » justifiant et les différences et la
collaboration de ces divinités.

24. *Divinités faisant la synthèse des trois fonctions.*
— Nous nous bornerons à signaler dans la théologie
une autre utilisation fréquente, non plus analytique,
mais synthétique, de la structure tripartie. Il est des
divinités en effet que les docteurs et les fidèles tiennent
à définir, en opposition aux dieux spécialistes des trois
fonctions, comme omnivalents, comme domiciliés et
efficaces sur les trois niveaux. Ce type d'expression a
pu se produire indépendamment en plusieurs lieux,

par exemple, dans les civilisations méditerranéennes, lorsque la divinité patronne ou même éponyme d'une ville a pris de l'importance aux dépens des autres dieux ou équipes divines : ainsi chez les Ioniens d'Athènes, où il semble qu'une théologie quadripartie (Zeus, Athéna, Poséidon, Héphaistos) recouvrait d'abord les quatre tribus fonctionnelles (prêtres, guerriers, agriculteurs, artisans), c'est Athéna qui, à l'époque historique, domine la religion ; aussi, suivant la jolie remarque de F. Vian, aux petites Panathénées, recevait-elle successivement des hommages divers en tant que *Hygieia, Polias* et *Niké,* vocables qui évoquent les fonctions de santé, de souveraineté politique, de victoire. De même, c'est au sein du zoroastrisme que s'est produite la triple titulature, « Bonnes, Fortes, Saintes », des génies tutélaires Fravaši, qui sont en effet trivalentes.

25. *Déesses trivalentes.* — Cependant, parmi ces figures, il semble qu'il faille reporter à la communauté indo-européenne un type de déesse dont la trivalence est ainsi mise en évidence et qui est intentionnellement jointe aux dieux fonctionnels : cette déesse, que son sexe et son point d'insertion dans les listes rattachent à la troisième fonction, est cependant active aux trois niveaux, et il semble que sa présence dans les listes exprime le théologème d'une omnivalence féminine doublant la multiplicité des spécialistes masculins. Nous avons rappelé plus haut que parfois, dans les listes trifonctionnelles védiques, la déesse-rivière Sarasvatī est associée aux Aśvin ; or les épithètes de Sarasvatī, bien que non groupées en formule, la définissent clairement comme pure, héroïque, maternelle. Indépendamment l'un de l'autre, moi-même (1947) et H. Lommel (1953) avons proposé d'interpréter comme une homologue de Sarasvatī et comme l'héritière de la même déesse indo-iranienne, la plus importante des déesses de l'Avesta non gāthique, déesse rivière elle aussi, Anāhitā ; or le nom complet, triple, d'Anāhitā fait évidemment référence aux trois fonctions : « L'humide, la forte, la sans-tache », *Arə dvī*

Sūrā Anāhitā. C'est encore par sublimation du même prototype que je pense que le zoroastrisme pur a créé sa quatrième Entité, Ārmaiti, qui, bien qu'ordinalement au troisième niveau (après Xšaθra « Puissance », avant Haurvatā -Amϑrϑtā$\underline{t}$ « Santé » – « Immortalité »), et bien que n'ayant pas de titulature triple, à la fois porte un nom qui signifie « Pensée Pieuse », aide Dieu dans sa lutte contre l'armée du Mal, et a la Terre nourricière pour élément matériel différentiellement associé. Dans le Latium, à Lanuvium, Junon était honorée sous le triple titre de *Seispes Mater Regina* ; les deux dernières épithètes rejoignent la théologie de la Junon romaine (Lucina, etc. ; Regina), à la fois patronne de la fécondité réglée et déesse souveraine ; mais, à Rome, la spécification guerrière manque, alors que c'est elle qui était en évidence dans les figurations de la Junon lanuvienne, et qu'exprimait certainement la première épithète, l'obscur *Seispet-* (rom. *sospit-* de **sue-spit-* ? cf. Indra *svá-kṣatra, svá-pati,* etc.). Enfin, dans le monde germanique, à en juger par les Germains continentaux, il semble qu'une déesse unique et multivalente (sinon omnivalente), **Friyyō,* ait été jointe aux multiples dieux fonctionnels dont nous avons parlé plus haut ; si la spécification guerrière n'est pas attestée, le peu qu'on sait d'elle la montre à la fois souveraine (Frea dans la légende expliquant le nom des Lombards) et « Vénus » (**Friyya-dagaz* « Freitag ») ; chez les Scandinaves, cette multivalence a éclaté, la déesse s'est dédoublée en Frigg (aboutissement régulier de **Friyyō* en nordique), souveraine épouse du souverain magicien Óđinn, et en Freyja (nom refait sur Freyr), déesse typiquement Vane, voluptueuse et riche. En Irlande, une héroïne, Macha, sans doute une ancienne déesse, éponyme d'un site important entre tous, Emain Macha, capitale des rois païens de l'Ulster, avec la plaine qui l'entoure, avait dû avoir primitivement ce même caractère synthétique analysé selon les trois fonctions, puisqu'elle aussi a éclaté en trois personnages, en un « trio des Macha » ordonnées dans le temps : une Voyante qui est l'épouse d'un homme des premiers temps appelé Nemed, « le Sacré », et qui meurt de saisissement au cours d'une vision ; puis une Guerrière-Championne qui fait de son mari son généralissime et qui meurt tuée ; et enfin une Mère qui accroît merveilleusement la fortune de son mari, un riche paysan, et qui meurt dans l'horrible accouchement de deux jumeaux. Mais il n'est plus possible de déterminer quels rapports elle soutenait — peut-être — dans la religion avec « les » dieux mâles des mêmes fonctions.

26. *Les théologies triparties et leurs éléments.* — Nous venons de prendre une vue globale des systèmes théologiques indo-iraniens, italiques, germaniques, exprimant l'idéologie des trois fonctions, et nous avons reconnu qu'ils sont assez parallèles pour recommander l'explication par un héritage indo-européen commun. Ce n'est là qu'un début : sans perdre de vue la structure d'ensemble, l'exploration doit se concentrer successivement sur chacun des trois termes, examiner la fonction de souveraineté religieuse en elle-même, puis celle de force, puis celle de fécondité, et, par la comparaison des données indiennes, iraniennes, latines, etc., essayer de déterminer comment les Indo-Européens concevaient, subdivisaient, utilisaient chacune d'elles.

	Rome :	Inde védique :	Scandinavie eddique :
I.	DIUS JUPITER	MITRA VARUṆA	TYR ÔÐINN
II.	MARS	INDRA	ÞÔRR
III.	QUIRINUS OPS, FLORA, etc. VORTUMNUS, LARES, etc.	NĀSATYA Déesses et dieux auxiliaires de 3ᵉ fonction	NJQRÐR, FREYR FREYJA. Dieux *Vanes*

D.I.E., p. 34 [1].

1. Dans ce tableau, Georges Dumézil a respecté l'usage linguistique qui recommande, dans un couple de noms, de citer en premier le plus court. Mais, d'un point de vue théologique, les dieux de la première fonction doivent être inversés : Jupiter est plus important que Dius Fidius, Varuṇa que Mitra, Oðinn que Týr (H. C.-B.).

CHAPITRE IV

LES DIVERSES FONCTIONS DANS LA THÉOLOGIE, LA MYTHOLOGIE ET L'ÉPOPÉE

1. *Inégal avancement de l'analyse théologique des trois fonctions.* — L'exploration de chacun des trois niveaux fonctionnels dans le monde indo-européen représente trois tâches très considérables, aujourd'hui inégalement avancées. Il n'a été possible d'aboutir assez rapidement à des résultats systématiques qu'au premier niveau. Si d'importants traits du second et du troisième ont été très tôt déterminés, ils n'en sont pourtant encore, en tant qu'ensembles structurés, qu'à la phase de prospection. Il ne peut donc être donné ici, quant à eux, que des orientations générales, et surtout des indications sur les moyens du travail.

2. *Les deux aspects de la première fonction chez les Indo-Iraniens : Varuṇa et Mitra, Aša et Vohu Manah.* — Le principe fondamental autour duquel s'organisait, chez les Indo-Iraniens, la théologie de la première fonction a déjà été signalé : dans le traité de Bogazköy, dans les formules védiques qui en ont été rapprochées, ce n'est pas un dieu, mais deux, Mitra et Varuṇa, qui la représentent et c'est encore ce couple que suppose la coexistence des deux figures, la « Bonne Pensée » et « l'Ordre », qui leur correspondent en tête de la liste des Entités substituées par Zoroastre aux dieux fonctionnels. Cette dualité a été expliquée de bien des manières, par les commentateurs indiens et par les diverses écoles mythologiques des cent dernières

années. Elle est aujourd'hui tout à fait claire et conforme à ce qu'on peut en partie déduire des noms mêmes : si le mot *Váruṇa,* apparenté ou non au grec οὐρανός, ὥρανος, reste obscur (on l'a interprété par des racines signifiant « couvrir », « lier », « déclarer »), en revanche *Mitra,* comme Meillet l'a expliqué dans un article célèbre (1907), est sûrement, de par son étymologie, le Contrat personnifié.

Dans la très grande majorité des cas, entre ces dieux dont les noms apparaissent souvent au double duel, c'est-à-dire avec une forme grammaticale qui exprime la plus étroite liaison, les poètes védiques ne font pas de différence : ils y voient comme deux consuls célestes, les dépositaires solidaires du plus grand pouvoir et, quand ils ne nomment que l'un des deux, ils ne se font pas scrupule de concentrer sur lui tous les aspects et moyens de ce pouvoir. Et cela est naturel : l'unité, l'harmonie de la fonction souveraine par rapport à tout ce qui lui est subordonné constitue pour les hommes le bien essentiel, celui qu'il faut mettre au premier plan dans la croyance et dans l'expression. Mais il arrive heureusement, même dans le lyrisme des hymnes, et surtout dans les livres rituels, que le poète ou le liturgiste dépasse ce premier plan et veuille distinguer les deux dieux pour mieux expliquer ou utiliser leur solidarité. Dans ces cas, les images diverses qui apparaissent sont toutes de même sens : Mitra et Varuṇa sont les deux termes d'un grand nombre de couples conceptuels, d'antithèses, dont la juxtaposition définit deux plans, chaque point d'un des plans, pourrait-on dire, appelant sur l'autre un point homologue, et ces couples, si divers soient-ils, ont cependant un air de parenté assez net pour que, de tout nouveau couple versé au dossier, on puisse prévoir à coup sûr quel sera le terme « mitrien » et quel sera le terme « varuṇien ». Parmi les spécifications si diverses de l'antithèse, il serait difficile d'en extraire une dont le reste serait dérivé, et sans doute cette tentative, parfois faite, n'a pas grand sens. Mieux vaut procéder à un bref échantillonnage, en observant et définissant l'antithèse par rapport aux principales catégories de l'être divin (cf. ci-dessus, II, § 5).

Quant à leurs *domaines,* dans le cosmos, Mitra s'intéresse plus à ce qui est proche de l'homme, Varuṇa à l'immense ensemble (et cette distinction se retrouve, nette, entre les Entités zoroastriennes correspondantes : v. ci-dessus, II, § 8, 4°) : passant à la limite, des textes diront que Mitra est « ce monde-ci », Varuṇa « l'autre monde », comme il est certain que, très tôt, Mitra a patronné le jour, Varuṇa la nuit. Mitra est assimilé aux formes visibles et usuelles du feu ou du soma, Varuṇa à leurs formes invisibles et mythiques.

Dans les *modes d'action,* si Mitra est proprement « le contrat » et forme, facilite entre les hommes les traités et les alliances, Varuṇa est un grand sorcier, disposant de la *māyā,* magie créatrice de formes, disposant aussi des « nœuds » dans lesquels il « saisit » les coupables par une prise irrésistible.

Ils ne s'opposent pas moins par leurs *caractères* : l'amical Mitra est bienveillant, doux, progressif, rassurant ; le dieu Varuṇa est impitoyable, violent, soudain, quelque peu démoniaque. D'innombrables applications illustrent ce théologème général : à Mitra appartient ce qui se casse de soi-même, à Varuṇa ce qui est coupé à la hache ; à Mitra ce qui est cuit à la vapeur, à Varuṇa ce qui est rôti ; à Mitra le lait, à Varuṇa le soma enivrant ; à Mitra l'intelligence, à Varuṇa la volonté ; à Mitra ce qui est bien sacrifié, à Varuṇa ce qui est mal sacrifié, etc.

Parmi les fonctions autres que la leur propre, Mitra a plus d'affinité pour la prospérité, la fécondité, la paix, Varuṇa, pour la guerre et la conquête ; et, parmi les provinces mêmes de la souveraineté, Mitra est plutôt — comme disait avec quelque anachronisme A. Coomaraswamy — « le pouvoir spirituel » et Varuṇa « le pouvoir temporel », en tous cas respectivement le *bráhman* et le *kṣatrá.* L. Renou (*Études véd. et pāṇin.,* II, 1956, p. 110) a décelé aussi dans le Ṛgveda une affinité différentielle de Varuṇa pour l'élite et de Mitra pour la masse, le commun peuple.

Les souverains Mitra et Varuṇa, en droit et en fait, sont égaux, et aussi actuels l'un que l'autre. Si les hymnes prononcent plus souvent le nom de Varuṇa, ce n'est pas parce qu'il y est « en train » de prendre de l'importance aux dépens d'un « plus vieux » dieu Mitra, mais simplement parce que la spécification magique, inquiétante, etc., de son action sollicite de l'homme plus de soins cultuels que le rassurant et tout clair domaine du juriste Mitra. Il faut souligner également qu'il n'y a jamais conflit entre ces deux êtres antithétiques, mais au contraire constante collaboration.

3. *Les deux aspects de la première fonction à Rome : Jupiter et Dius Fidius.* — Ce tableau indien et déjà indo-iranien a fourni la clef de quelques difficultés ou énigmes des mythologies occidentales. A Rome, où toute la pensée est utilitaire et patriotique, où le cosmos et ses diverses parties n'appellent attention et réflexion que dans la mesure où ils peuvent être utiles ou nuisibles à la Ville, on ne saurait s'attendre à observer la bipartition dans sa généralité : les lointains du ciel, l'ordre de l'univers, choses de Varuṇa, laissent le Romain indifférent. Réduite à quelques-unes seulement de ses spécifications indiennes, la bipartition subsiste cependant.

Si, dans la Rome historique, Dius, *Dius Fidius* — le dieu « lumineux » et garant de la « fides », de la loyauté, des serments — n'est plus guère qu'un aspect de Jupiter, il ne paraît pas en avoir été de même aux origines. Certes, les deux dieux étaient étroitement associés et le nom du premier flamine est plus près de Dius que de Jupiter. Mais le domaine strictement juridique que Dius se découpe dans la souveraineté conduit à considérer le reste, les auspices dont vit Rome, la direction mystique de la politique romaine, les miracles sauveurs de l'histoire romaine, comme plus proprement caractéristique de son grand associé. De même, dans la théorie des éclairs, Dius Fidius a une spécification nettement « mitrienne » : ce sont les éclairs de jour qui lui appartiennent, alors que les éclairs de nuit relèvent d'une variété sombre, « varuṇienne », de Jupiter, Summanus. Il est probable que cette théologie complexe a pâti, avant nos plus vieux textes, de la promotion et en même temps de la réforme théologique de Jupiter qui a coïncidé avec la création de son culte capitolin et avec la substitution d'une triade « Jupiter O.M., Juno Regina, Minerua » à l'antique triade « Jupiter, Mars, Quirinus ». Le Jupiter du Capitole paraît avoir été aussitôt impérialiste, absorbant Dius, concentrant en lui toute la souveraineté ; mais peut-être les deux plans traditionnels complémentaires sont-ils encore signalés dans l'étrange titulature double du dieu : *Optimus*, c'est-à-dire le très serviable, *Maximus*, c'est-à-dire le plus haut placé dans l'infinie classification des « maiestates », ce sont là, par rapport à l'homme, deux pôles, qui correspondent dans l'idéologie védique à Mitra et à Varuṇa.

4. *Les deux aspects de la première fonction en Scandinavie : Óðinn et Týr.* — Mais c'est dans le monde germanique que l'analogie indienne est particulièrement éclairante. Ni « Mercurius » (c'est-à-dire *Wōþanaz*) dans la Germanie de Tacite, ni Óðinn dans les textes nordiques ne sont seuls à leur niveau : il y a près d'eux celui que Tacite, pour des raisons perceptibles et bien intéressantes, appelle Mars (c'est-à-dire *Tiuz*) et les Scandinaves Týr. Ce dieu, homonyme du védique Dyauḥ, du grec Zeus, et qui, autant que ces dieux ou le Dius Fidius latin, évoque l'idée du ciel lumineux, est généralement considéré, dans ses rapports avec *Wōþanaz*, comme un « plus vieux » dieu, pâlissant devant un nouveau venu. Outre qu'il serait étrange que, à huit ou dix siècles de distance, Tacite d'une part, les poètes scandinaves d'autre part eussent connu et enregistré juste au même stade cette avance de l'un et ce recul de l'autre, les considérations comparatives nous engagent à donner un sens structural à cette association, où *Tiuz* n'est sans doute éclipsé par l'inquiétant *Wōþanaz* que pour la même raison qui fait que Mitra, théoriquement égal de Varuṇa, reçoit des poètes moins d'attention que lui et que Dius

Fidius est moins considérable que Jupiter : les hommes ont plus d'égards pour leur dieu souverain magicien que pour leur juriste.

La grande originalité du monde germanique est celle que signale Tacite, avec son interpretatio romana de *Tiuz en Mars. Elle rejoint des considérations développées au précédent chapitre, où nous avons vu Óðinn lui-même, le magicien, s'annexer une part de la fonction guerrière. Il en est de même du juriste, Týr. Voici comment Snorri le définit (*Gylfaginning*, ch. 25) :

> Il y a encore un Ase qui s'appelle Týr. Il est très intrépide et courageux et a grand pouvoir sur la victoire dans la bataille. Pour cela il est bon que les guerriers vaillants l'invoquent. De quelqu'un qui est plus brave que les autres et qui n'a peur de rien, on dit proverbialement qu'il est brave comme Týr...

Cette « martialisation » du souverain juriste des Germains n'est pas sans analogie avec celle qui, à Rome, a fait de Quirinus, dieu canonique de troisième fonction, patron des Romains dans la paix et les travaux de la paix, une variété de Mars. Dans les deux cas, l'évolution sociale a réagi sur les dieux : du jour — peut-être avec la réforme dite servienne — où les Quirites ont coïncidé avec les milites, ont été « les milites en congé entre deux appels », il était naturel que Quirinus tournât aussi au *Mars tranquillus*, au *Mars qui praeest paci* en attendant de *saeuire*.

Dans d'autres conditions moins formalistes et plus violentes, les sociétés germaniques anciennes ont de même étendu à l'administration du temps de paix les cadres de la guerre, l'ont pénétrée des mœurs et de l'esprit guerriers. A Rome l'exercitus urbanus qui constituait l'assemblée législative se réunissait bien au Champ de Mars, mais sans armes. Qu'on relise au contraire les chapitres colorés (*Germ.*, 11-13) où Tacite décrit le Ding des Germains, l'arrivée des chefs avec leurs bandes, les armes brandies ou frappées en manière de vote, les formes toutes militaires du prestige, de l'influence. Et c'est dans ces Ding que se disait le droit, que se réglaient les procès. Quelques siècles plus tard, l'antiquité scandinave ne donne pas un autre spectacle : là aussi, on se réunit en armes, on approuve en élevant l'épée ou la hache ou en frappant de l'épée sur le bouclier. Il n'est donc pas étonnant que le dieu qui présidait à ces réunions juridico-guerrières, l'héritier du dieu juriste indo-européen, ait revêtu l'uniforme de ses administrés, les ait accompagnés dans leur passage facile et constant de la justice à la bataille, et que les observateurs romains l'aient considéré comme un Mars. Des dédicaces trouvées en Frise sont adressées à un *Mars Thincsus* qui fait l'exacte liaison entre l'état indo-européen probable et l'aboutissement scandinave, entre Mitra et Týr, ce Týr dont on a noté aussi que son nom signale, dans la toponymie, d'anciens lieux de Ding.

Il semble en outre que, moins hypocrites que d'autres peuples, les anciens Germains aient aussi reconnu, toute question de décor guerrier mise à part, l'analogie profonde de la procédure du droit, avec ses manœuvres et ses ruses, avec ses injustices sans appel, et du combat armé. Bien utilisé, le droit est, lui aussi, un moyen d'être le plus fort, d'obtenir des victoires qui souvent éliminent l'adversaire aussi complètement qu'un duel. Quand il est dit que Týr, à la suite d'une ruse juridique, pour avoir risqué sa main droite en gage d'une affirmation utile, mais fausse, « est devenu manchot et n'est pas appelé pacificateur d'hommes », ce n'est là que la contrepartie, le complément moral du fait matériel qu'on se réunit au Ding en armes, avec des intentions de puissance plus que d'équité, et que la guerre est partout.

Ces indications très générales aideront à comprendre comment un *Tiuz-Mars* a pu se former à partir d'un dieu indo-européen dont le domaine propre était le droit, et dont, sur d'autres domaines, la civilisation aidant, le caractère s'est au contraire purifié, moralisé.

5. *Les dieux souverains mineurs dans le Rgveda : Aryaman et Bhaga près de Mitra.* — Mais, dans les hymnes du Rgveda, le juriste Mitra et le magicien Varuṇa, bien qu'ils paraissent se partager exhaustivement le domaine de la souveraineté, n'y sont pas seuls. Ils ne sont que les plus fréquemment nommés du groupe que forment les Āditya ou fils de la déesse Aditi, « la Non-Liée » c'est-à-dire la Libre, l'Indéterminée, etc.). La considération des noms et des fonctions des Āditya dans tous les contextes, l'étude des fréquences de mention de chacun, des fréquences surtout de leurs divers groupements partiels et de leurs liaisons avec d'autres dieux, ont permis d'interpréter la structure qu'ils dessinent. Il n'est possible ici, bien entendu, que de résumer très brièvement ces analyses et ces calculs, dont le détail a été publié en deux temps, en 1949 et en 1952.

Jusque dans la littérature épique, le souvenir sera gardé que les Āditya sont des dieux qui, comme les deux principaux d'entre eux, vont par couples. Ils seront, plus tard, jusqu'à douze. Dans le Rgveda, il semble qu'il y ait déjà flottement entre un ancien chiffre de six et une première extension à huit, par addition de deux dieux hétérogènes. De ces six, Mitra et Varuṇa forment le premier couple ; de chacun des deux autres couples, il est aisé de voir qu'un terme agit sur le plan et selon l'esprit de Mitra, l'autre, symétriquement, sur le plan et selon l'esprit de Varuṇa, en sorte qu'il est légitime et commode d'appeler ces figures complémentaires des « souverains mineurs ». Mais ce chiffre de six lui-même paraît avoir été, pour des raisons de symétrie, tiré d'un système plus bref de quatre dieux souverains, où le souverain « proche des hommes », Mitra, avait seul des assistants, deux assistants, tandis que Varuṇa restait solitaire dans ses lointains. Les noms et la distribution de ces Āditya primitifs sont : 1°) Mitra + Aryaman + Bhaga ; 2°) Varuṇa.

Le principe de l'étroite association d'Aryaman et de Bhaga à Mitra, prouvée par la statistique des mentions

1. VARUṆA	« Lieur » (ou « Couvreur »)
2. MITRA	*« Contrat », « Amitié, Ami »
3. ARYAMAN	aryá + -man (suffixe ou racine man-)
4. BHAGA	« Part »
5. AṂŚA	« Part »
6. DAKṢA	« Énergie réalisatrice »

Mitra	+	Aryaman	+	Bhaga
Varuṇa	+	Dakṣa (ou Dhātar)	+	Aṃśa

D.I.E., p. 45-46 [1].

simultanées, est simple : chacun de ces dieux exprime, précise l'esprit de Mitra sur chacune des deux provinces qui intéressent les hommes, celles que le droit romain retrouvera avec une autre orientation, plus individualiste, en distinguant les *personae* et les *res* : sous Mitra, dont l'être et le nom définissent l'aire et le mode général d'action que l'on sait (juridique, bienveillant, régulier, orienté vers l'homme), Aryaman s'occupe de maintenir la *société* des hommes arya auxquels il doit son nom, et Bhaga, dont le nom signifie proprement « part », assure la distribution et la jouissance régulières des *biens* des Arya.

6. *Aryaman.* — Aryaman protège l'ensemble des hommes qui, unis ou non politiquement, se reconnaissent « arya » par opposition aux barbares. Et il les protège non pas tellement comme individus mais en

1. *a)* Il n'apparaît pas plus de deux provinces dans le domaine des dieux souverains : il n'y a, symétriques, que la moitié Mitra et la moitié Varuṇa ;

b) mais chacun de ces dieux, dans sa moitié, a deux associés, qui sans doute le déchargent ou l'assistent pour une partie précise de son office ;

c) en outre l'existence des couples Aryaman-Dakṣa, Bhaga-Aṃśa, suggère que les auxiliaires de Mitra et de Varuṇa se répondent terme à terme, assurent des services comparables l'un dans la moitié Mitra, l'autre dans la moitié Varuṇa, selon l'esprit l'un de Mitra, l'autre de Varuṇa.

tant qu'éléments de l'ensemble. De son service multi-
forme, les aspects principaux sont les trois suivants :

1°) Il favorise les principales formes de rapports
naturels ou contractuels entre Arya. Il est le « donneur », il protège le « don » (ce qui l'oblige à s'intéresser
aussi à la richesse et à l'abondance), et particulièrement
à l'ensemble complexe de prestations qui forment
l'hospitalité. P. Thieme (*Der Fremdling im Rgveda*,
1938) a mis ce point en valeur, avec le tort d'en faire
le centre de tout concept divin et d'en déduire ou de
nier tout le reste. En fait, Aryaman n'est pas moins
primairement intéressé dans les mariages : il est prié
comme le dieu des bonnes alliances, trouveur de mari
(*subandhú, pativédana* : AV, xiv, 1, 17) ; il cherche un
mari pour la jeune fille, une femme pour le célibataire
(AV, VI, 60, 1). Son souci des chemins, de la libre
circulation (il est *átūrtapanthā* « celui dont le chemin
ne peut être coupé » : *RV*, X, 64, 5) ne doit pas être
nié ou minimisé, comme il a été fait par B. Geiger,
H. Güntert et P. Thieme : il ressort d'un grand nombre
de strophes des hymnes et d'un texte liturgique qui
le définit comme le dieu qui permet au sacrifiant
« d'aller où il désire », « de circuler heureusement »
(*Taittir. Saṃh.*, II, 3, 4, 2).

2°) Son souci des Arya a aussi un aspect liturgique :
dans les temps anciens, c'est lui qui a trait pour la
première fois la Vache mythique, et, en conséquence,
dans tout le cours des temps, il se tient, invisible, à
côté de l'officiant et trait la Vache mythique avec lui
(*RV*, I, 139, 7, avec le commentaire de Sāyaṇa). Il
lui est aussi demandé (*RV*, VII, 60, 9) d'expulser
sacrificiellement par des libations *(ava-yaj-)* de l'emplacement sacrificiel les ennemis qui trompent Varuṇa.

3°) Peu curieux de l'au-delà, les auteurs des hymnes
ne parlent pas d'une autre forme de service qui est au
contraire la seule dont l'épopée garde un vivant
souvenir et qui est sûrement ancienne. Dans l'autre
monde, Aryaman préside au groupe des « Pères », sortes
de génies dont le nom éclaire assez l'origine : ils sont
une représentation d'ancêtres morts, et Aryaman est

leur roi, prolongeant ainsi post mortem l'heureuse promiscuité, la communauté des Arya vivants. Le chemin qui mène chez les « Pères », réservés à ceux qui, pendant leur vie, ont exactement pratiqué les rites (par opposition aux ascètes et aux yogin) est appelé « le chemin d'Aryaman » (*Mahābhārata,* XII, 776, etc.).

7. *Bhaga.* — Bhaga, lui, s'occupe fondamentalement de la richesse, et c'est à lui que chacun — le faible, le fort, le roi même — s'adresse pour avoir « une part » (*RV,* VII, 41, 2). Un examen complet des strophes védiques qui le nomment ou emploient le mot *bhága* en valeur d'appellatif a permis de constater que cette « part » est bien douée des qualités requises pour appartenir à la moitié Mitra de l'administration souveraine : elle est régulière, prévisible, sans surprise, arrive à échéance par une sorte de gestation (l'enfant prêt pour la naissance « atteint son *bhága* » : *RV,* V, 7, 8) ; elle est le résultat d'une attribution sans rivalité, impliquant un système de distribution (verbes *vi-bhaj-, vi-dhṛ-, day-* : cf. grec $\delta\alpha\acute{\iota}\mu\omega\nu$) ; elle est enfin acquise et gardée dans le calme, elle est le lot d'hommes mûrs, rassis, « seniores » — par opposition aux « iuuenes » (*RV,* 1, 91, 7 ; V, 41, 11 ; IX, 97, 44). L'autre variété de part, imprévisible, violente, « varuṇienne », celle qui se conquiert par la bataille ou la course, est désignée par un autre mot qui, dès l'indo-iranien, avait une résonance combative et qui a justement fourni aux théologiens védiques le nom du « souverain mineur varuṇien » symétrique de Bhaga, *Aṃśa.*

8. *Transpositions zoroastriennes d'Aryaman et de Bhaga : Sraoša et Aši.* — Nous avons la certitude que cette structure était déjà indo-iranienne : de même que, dans l'Iran, la liste des dieux canoniques des trois fonctions a été sublimée par le zoroastrisme pur en une liste d'Entités qui leur correspondent terme à terme (v. ci-dessus, II, § 8), de même les deux souverains mineurs associés à Mitra ont produit deux figures complémentaires, non comprises dans la liste canonique des Entités, mais toutes proches, dont la statistique des emplois montre l'affinité exclusive de

l'une à l'égard de l'autre et des deux à l'égard de Vohu Manah (le substitut de *Mitra) et, aussi, dans les textes où ce dieu reparaît, à l'égard de Miθra, alors que rien ne les lie à Aša (le substitut de *Varuna). De plus, par leurs noms comme par leurs fonctions, ces deux Entités — Sraoša « l'Obéissance » (et « la Discipline »), Aši « la Rétribution » — sont bien ce qu'on peut attendre d'un Aryaman et d'un Bhaga repensés par les réformateurs.

Il est aisé de voir, point par point, que Sraoša est, pour la communauté des croyants, ce qu'Aryaman était pour la communauté des Arya, l'église remplaçant la nationalité.

1°) H.S. Nyberg a pu voir dans Sraoša la personnification « der frommen Gemeinde [1] », le terme « génie protecteur » serait plus exact, mais le point d'application est bien vu : Sraoša, qui est « chef dans le monde matériel comme Ôhrmazd l'est dans le spirituel et le matériel » (Greater Bundahišn, éd. et trad. B.T. Anklesaria, 1957, XXVI, 45, p. 219), patronne l'hospitalité comme faisait l'Aryaman védique (et déjà indo-iranien : cf. persan ērmān, « hôte », de *airyaman), quand elle est donnée, cela va de soi, à l'homme de bien, au zoroastrien (Yasna, LVII, 14, et 34). Si on ne le voit plus spécialement occupé des alliances matrimoniales et de la libre circulation sur les chemins, son action sociale sur les âmes est précisée : il est le patron de la grande vertu de la vie en commun, de celle qui assure la cohésion, à savoir la juste mesure, la modération (Zāt Spram, XXXIV, 44) ; il est même le médiateur et le garant du fameux pacte conclu entre le Bien et le Mal (Yašt, XI, 14) et le démon qui lui est personnellement opposé est le terrible Aēšma, « la Fureur », destructrice des sociétés (Bundah., XXXIV, 27). Il reste une précieuse trace mythique de la substitution de Sraoša à un dieu protecteur des Arya : d'après le Mēnōk ī Xrat, XLIV, 17-35, c'est lui qui est le seigneur et roi du pays appelé Ērān vēž (avestique

---

1. « Des hommes pieux » (H. C.-B.).

$Airyan\vartheta m\ vaēj\bar{o}$), ce « séjour des Airya » d'où l'Avesta (*Vidēvdāt*, I, 3) sait que sont venus les Iraniens.

2°) Le rôle liturgique d'Aryaman s'est naturellement amplifié en Sraoša : *Yasna*, LXII, 2 et 8, dit qu'il fut le premier à sacrifier, à chanter les hymnes, et tout le début de son *Yašt* (XI, 1-7), uniquement consacré à l'éloge des prières et à l'exaltation de leur puissance, se justifie par ce souvenir. Symétriquement, à la fin des temps, lors du suprême combat contre le Mal, c'est Sraoša qui servira de prêtre assistant dans le sacrifice où Ahura Mazdā lui-même sera le prêtre principal (*Bund.*, XXXIV, 29).

3°) Enfin, comme l'Aryaman de l'épopée indienne est le chef du séjour où vont — par « le chemin d'Aryaman » — les morts qui ont correctement pratiqué le culte arya, de même Sraoša a un rôle décisif dans les nuits qui suivent immédiatement la mort : il accompagne et protège l'âme du juste sur le dangereux parcours qui la mène au tribunal de ses juges, dont il fait d'ailleurs partie (*Dātastān ī Dēnīk*, XIV, XXVIII, etc.).

Aši, elle, est toujours une « distribution » comme l'était Bhaga, mais la nouvelle religion, qui attache plus d'importance à l'au-delà qu'au monde des vivants, lui demande surtout de veiller à la juste « rétribution », post mortem, des actes bons ou mauvais de l'homme. Cependant même dans les Gāthā, et très ouvertement dans les textes postgāthiques, tout en veillant, pour l'avenir, sur le trésor de ses mérites, elle n'oublie pas, dès la vie terrestre, d'enrichir l'homme pieux et d'emplir de biens sa maison.

9. *Juuentas et Terminus près de Jupiter O.M.* — L'analyse de cette conception déjà indo-iranienne de la souveraineté qui, on le voit, n'altère pas la grande bipartition que couvrent les noms de Mitra et de Varuṇa, mais donne seulement à Mitra deux adjoints qui l'aident à favoriser le peuple arya, éclaire une singularité de la religion romaine de Jupiter qui, malheureusement, n'est connue que dans la forme capitoline de cette religion. « Jupiter O.M. », en qui

s'est concentré toute la souveraineté, la « diale » aussi bien que la proprement « jovienne » (v. ci-dessus, § 3), logeait dans deux chapelles de son temple deux divinités mineures, et deux seules, Juuentas et Terminus. Une légende justifiait la cohabitation singulière de ces trois dieux et la datait de la fondation du temple capitolin, mais cette légende (utilisant d'ailleurs peut-être un vieux thème lié au concept de Juuentas) ne prouve évidemment pas que l'association n'était pas plus ancienne. L'analogie indo-iranienne engage à la considérer même comme préromaine.

Avec des glissements propres à la société et à la civilisation romaines, en effet, Juuentas et Terminus jouent bien, aux côtés de Jupiter O.M., des rôles comparables à ceux d'Aryaman et de Bhaga près de Mitra. Juuentas, dit la légende étiologique, garantit à Rome l'éternité, Terminus la stabilité sur son domaine : Aryaman, lui aussi, assure aux sociétés ayra la durée, et Bhaga, la stabilité des propriétés. Mais, prises en elles-mêmes, hors de cette légende, les deux divinités romaines sont bien plus que cela : Juuentas est la déesse protectrice des « hommes romains » les plus intéressants pour Rome, des *iuuenes*, partie essentielle et germinative de la société ; Terminus est le garant de la répartition régulière des biens, — seulement de biens surtout immobiliers, cadastraux, de parties du sol, et non plus des troupeaux errants qui, chez les nomades indo-iraniens et encore chez les Indiens védiques, constituaient l'essentiel de la richesse.

10. *Les dieux du groupe d'Óðinn.* — Dans le monde scandinave, un pareil tableau de souverains mineurs ne s'est pas, jusqu'à présent, laissé identifier. Ce n'est pas que, autour d'Óðinn, il n'y ait des dieux qui, d'après le peu qu'on sait d'eux, semblent avoir pour charge d'exercer des fragments spécialisés de souveraineté ; mais ces spécifications et l'analyse de la fonction souveraine qu'elles supposent sont originales et leurs représentants sans analogues indo-iraniens ni romains : tel Hœnir, réfléchi et prudent, et, d'après la fin de la Völuspá, projection mythique d'une sorte de prêtre ;

tel Mimir, conseiller d'Óðinn, réduit à sa tête qui reste pensante et parlante après décapitation ; tel Bragi, patron de la poésie et de l'éloquence. J'ai pensé jadis aux deux frères d'Óðinn, Vili et Vé, sûrement anciens puisque l'initiale de leur nom n'allitère en scandinave qu'avec une forme préhistorique de son nom (*Wōþanaz), mais on sait trop peu de chose d'eux pour interpréter cette triade. Une tout autre solution sera prochainement proposée [1].

$Rgveda$:		
Dieux souverains principaux :	Protection de la communauté arya :	Répartition normale des biens :
{ MITRA { VARUNA +	ARYAMAN +	BHAGA
$Zoroastrisme$:		
Entités principales de la fonction :	Protection de la communauté zoroastrienne et du salut :	Juste rétribution en ce monde et dans l'autre :
{ VOHU-MANAH { AŠA +	SRAOŠA +	AŠI
$Rome$:		
Dieu souverain principal :	Protection des $juvenes$ et de la vitalité (durée) romaine :	Protection des propriétés terriennes et de l'espace romain :
Dius F. / Jupiter → JUPITER O.M. +	JUVENTAS +	TERMINUS
$Edda$:		
Dieux souverains principaux :		
ÓÐINN TÝR +	Baldr +	Höðr

D.I.E., p. 67 et 77. L'Edda a été ajouté [2].

1. Cf. *Mythe et Épopée* I, 1968, p. 227, et *Les Dieux souverains des Indo-Européens,* 1977, p. 202-203. (H. C.-B.)
2. Dans l'*Edda* scandinave, « le couple, bien qu'inégal, que forment Óðinn et Týr ne reçoit le renfort d'aucun souverain mineur... [Mais il y a] des raisons d'interpréter ces deux personnages [Baldr et Höðr] comme l'aboutissement des souverains mineurs, transformés dans leurs natures, dans leurs places, dans leurs destinations » (*D.S.I.E.*, p. 202-203).

11. *Condition de l'étude théologique de la seconde et de la troisième fonctions.* — Les procédés d'analyse et de statistique qui ont permis, dans l'Inde védique d'abord, puis de proche en proche, d'expliquer et d'explorer ainsi exhaustivement l'organisation interne de la théologie de la première fonction, de la souveraineté, ne sont pas applicables, du moins n'ont pas jusqu'à présent trouvé de prise, sur les dieux des fonctions inférieures. Sans doute cette différence tient-elle à la nature des choses. La première fonction était plus apte à un traitement proprement théologique ; par ses concepts mêmes (les noms des personnes divines y sont en grande partie étymologiquement clairs et plusieurs sont des abstractions animées), elle se prêtait aisément à la réflexion philosophique, et il ne faut pas oublier non plus que les premiers philosophes, appartenant au personnel de cette fonction, étant des prêtres, ne pouvaient manquer de lui appliquer avec prédilection leur analyse. La contrepartie est que, dans le Rgveda, cette théologie si bien développée ne se double pas d'une mythologie riche à proportion : de Mitra, il n'est presque rien « raconté » ; de Varuṇa davantage, mais la liste des scènes où il intervient reste courte ; et, d'une manière générale, il est question des puissances et qualités des dieux souverains plus que de leur histoire, de leur type d'action plutôt que des actions précises qu'ils ont accomplies. Au contraire, la fonction guerrière, la fonction de fécondité et de prospérité prêtent surtout à l'image ; mieux que par des déclarations de principe, c'est par l'inlassable rappel d'exploits ou de bienfaits fameux que se prouve l'efficacité d'un dieu fort, des bons dieux thaumaturges. En sorte que ces deux provinces divines sont plus aptes à des développements mythologiques qu'à une mise en forme théologique ; ou plutôt, la doctrine s'y enjolive, s'y dissimule, s'y altère peut-être sous le foisonnement des récits.

Pour le comparatiste, cette différence est de grande conséquence. Sans que ce fait capital ait encore été énoncé dans toute son ampleur, le lecteur a pu remarquer que c'est la confrontation des religions védique et romaine qui, grâce au conservatisme de la dernière, est le plus propre à établir ou suggérer des faits indo-européens communs, la religion scandinave n'intervenant qu'à titre de confirmation, après que la route commune a été déjà reconnue et assurée. Or, dans l'état où nous la connaissons, la religion romaine présente encore une théologie bien constituée : dans le groupement « Jupiter Mars Quirinus », dans le groupement transversal « Jupiter Juuentas Terminus », elle a gardé, conscientes, des articulations conceptuelles très claires. Il faut malheureusement ajouter aussitôt que la religion romaine n'est plus que théologie : par un processus radical qui caractérise Rome, ses dieux — et, cette fois, non seulement ses dieux souverains, mais son Mars, mais son Quirinus, son Ops, etc. — ont été dépouillés de tout récit et réduits ascétiquement à leur essence, à leur fonction. Si donc, pour la détermination du cadre général triparti et pour l'exploration du premier niveau, la confrontation d'une théologie védique facilement déterminable et d'une théologie romaine immédiatement connue a permis les résultats nets, cohérents et à peu près complets qu'on vient de lire, il n'en est pas de même quand on passe aux deux autres niveaux : l'Indra, les Nāsatya védiques n'expriment les nuances de leur nature qu'à travers des aventures auxquelles Mars, Quirinus ne répondent par rien que par leur sèche définition et par ce qu'on peut entrevoir de doctrine à travers les cultes de leurs prêtres ; les documents, les langages des deux religions qui sont les principaux appuis du comparatiste ne s'ajustent plus.

12. *Mythologie et épopée.* — La difficulté serait probablement irréductible sans un autre fait, plus important encore pour nos études, et dont les précédents chapitres du présent livre ont déjà discrètement fourni quelques exemples. Les idées dont vit une société ne donnent pas lieu seulement à des spéculations ou imaginations relatives à l'invisible, aux dieux, mais aussi à des imaginations relatives aux hommes.

La théologie et la mythologie sont doublées par
« l'histoire ancienne », par l'épopée, où des hommes
prestigieux font l'application et la démonstration des
principes que les dieux incarnent et des conduites
qu'ils commandent. Certes, bien d'autres facteurs
contribuent à la formation de l'épopée d'un peuple,
mais il est rare qu'elle n'ait pas, dans quelques-uns
de ses grands thèmes et de ses premiers rôles, un
rapport essentiel avec l'idéologie qui, d'autre part,
dirige les représentations divines du même peuple.
Pour nos études comparatives indo-européennes, cette
heureuse circonstance joue en notre faveur de deux
manières, dont la seconde a été reconnue par
moi-même en 1939, et la première découverte en 1947
par mon collègue suédois Stig Wikander : d'une part
la plus grande épopée indienne, le Mahābhārata,
développe les aventures d'une équipe de héros qui
correspondent, terme à terme, aux grands dieux des
trois fonctions de la religion védique et même
prévédique, en sorte que l'Inde présente, avec cet
énorme poème et le Rgveda, comme une double
édition, répondant à deux différents besoins et avec
de sensibles variantes, de son « idéologie en images ».
D'autre part, si Rome a perdu toute mythologie et
réduit ses êtres théologiques à leur sèche essence, elle
a en revanche conservé, pour en constituer, sur le tard,
l'histoire à la fois merveilleuse et raisonnable de ses
propres origines, un vieux répertoire de récits humains,
colorés et divers, parallèle à ce qu'avait dû être, en
des temps moins austères, le dossier mythique des
dieux. Cette épopée est-elle l'ancienne mythologie
romaine dégradée en histoire à Rome même ? Ou
prolonge-t-elle directement une épopée préromaine,
italique, coexistant de toujours avec une mythologie
que Rome aurait alors perdue sans transfert ni
compensation ? L'une et l'autre thèse peut trouver des
arguments dans le détail des faits, mais, pour le
comparatiste, ce débat est sans incidence : dans les
deux cas, le premier livre de Tite-Live contient une
matière idéologiquement conforme au système des

dieux romains et dramatiquement comparable soit à l'épopée soit à la mythologie de l'Inde.

Pour essayer de gagner quelques lumières sur le détail des représentations indo-européennes de la deuxième et de la troisième fonctions, il est donc nécessaire d'introduire ces éléments nouveaux dans le travail comparatif.

13. *Le fond mythique du Mahābhārata d'après S. Wikander.* — Dans l'immense conflit de cousins qui remplit le Mahābhārata, les personnes sympathiques et finalement vainqueurs sont un groupe de cinq frères, les Pāṇḍava ou « fils de Pāṇḍu », qui présentent entre autres traits remarquables d'avoir à eux cinq, en commun, une seule épouse, Draupadī. Considéré comme trait de mœurs, ce régime polyandrique, qui est si contraire aux usages et à l'esprit des Arya, et qu'on voit pourtant attribué ici aux héros dont l'Inde arya se glorifie le plus, a constitué pendant plus d'un siècle une énigme irritante. En 1947, Wikander en a fourni la solution satisfaisante, découvrant du même coup la clef de toute l'intrigue du poème.

En réalité, les « fils de Pāṇḍu » ne sont pas ses fils. Sous le coup d'une malédiction qui le condamne à périr aussitôt qu'il accomplira l'acte sexuel, Pāṇḍu s'assure une postérité par un procédé d'exception. Une de ses deux femmes, Kuntī, à la suite d'une aventure de jeunesse, avait reçu, elle, un privilège inouï : il lui suffisait d'invoquer un dieu pour qu'il surgît aussitôt devant elle et lui fît un enfant. À la prière de son mari, elle invoque donc successivement plusieurs dieux, dont elle conçoit trois fils. Ces dieux sont Dharma « la Loi, la Justice » (entité où se rajeunit le vieux concept du juriste Mitra), puis Vāyu, dieu du vent, puis Indra. Les trois fils sont respectivement Yudhiṣṭhira, Bhīma, Arjuna. Son mari la prie ensuite de faire bénéficier Madrī, son autre femme, de cette chance ; Kuntī accepte, pour une seule fois ; ainsi limitée, Madrī tire du moins de la situation le meilleur parti et demande que soient évoqués les deux, les inséparables Aśvin ; des Aśvin, elle conçoit

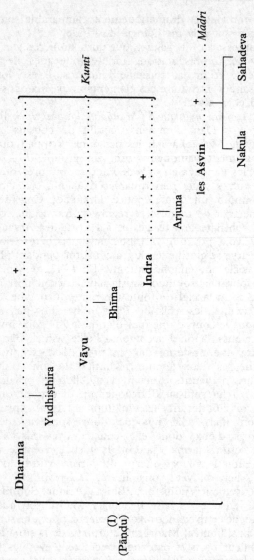

M.E.I., p. 53.

elle-même deux jumeaux, les derniers des cinq « fils de Pāṇḍu », Nakula et Sahadeva.

Wikander a aussitôt remarqué que la liste des dieux pères — Dharma, Vāyu, Indra, les Aśvin — reproduit dans l'ordre hiérarchique la liste canonique des anciens dieux des trois niveaux, rajeunie et appauvrie au premier niveau (Dharma représentant Mitra, et lui seul, sans que Varuṇa ait de répondant), et, au second niveau, donnant à Indra un des associés qu'il a encore le plus fréquemment dans le Ṛgveda, Vāyu. La diversité harmonieuse des pères devait commander le caractère et, dans une certaine mesure, les actions épiques des fils : elle les commande en effet. Yudhiṣṭhira est le roi, dont les autres Pāṇḍava sont seulement les auxiliaires, et un roi juste, vertueux, pur, pieux — *dharmarāja* — sans spécialité ni même vertu guerrière, comme il sied à un représentant humain de la « moitié Mitra » de la souveraineté. Bhīma et Arjuna sont les grands combattants de l'équipe. Quant aux deux jumeaux, ils sont beaux, mais surtout les humbles et dévoués serviteurs de leurs frères, comme, dans la théorie des classes sociales, la grande vertu des vaiśya, au troisième niveau, est de servir loyalement les deux classes supérieures. L'énigme de leur épouse unique se résout immédiatement dans cette perspective. Ce n'est pas là un trait de mœurs aberrant, mais la traduction épique de la conception védique, indo-iranienne et déjà indo-européenne, qui, on l'a vu, complète volontiers la liste des dieux mâles entre lesquels s'analysent et se hiérarchisent les trois fonctions, par une déesse unique, mais multivalente, exactement trivalente, telle que la védique Sarasvatī, qui opère en elle la synthèse des trois mêmes fonctions. En mariant Draupadī à la fois au roi pieux, aux deux guerriers, aux jumeaux serviables, l'épopée met en scène ce que, par exemple, *RV*, X, 125 mettait en formule quand il faisait dire à sa déesse Vāc (si proche de Sarasvatī) : « C'est moi qui soutiens Mitra-Varuṇa, moi qui soutiens Indra-Agni, moi qui soutiens les deux

Aśvin », ou encore ce qu'exprime (avec une autre spécification de la troisième fonction) la triple titulature de la principale déesse de l'Iran, « l'Humide, la Forte, la Pure ».

14. *Les deux types de guerrier dans l'Inde.* — Cette découverte a été le point de départ d'une exploration de tout le poème, surtout des premiers livres (de tout ce qui précède la grande bataille), appelée certainement à renouveler nos études : par son abondance, sa cohérence, sa variété aussi, la transposition épique permet, du système trifonctionnel, de chaque fonction et de plusieurs représentations connexes, une étude plus fouillée et plus poussée que ne faisait l'original mythologique connu surtout par les allusions de textes lyriques. D'autre part, dès son article-programme de 1947, Wikander a établi un point très important : la structure mythologique transposée dans le Mahābhārata est, à plusieurs égards, plus archaïque que celle du Rgveda, conserve des traits estompés dans cet hymnaire, mais dont des analogies iraniennes prouvent qu'ils étaient indo-iraniens. En ce sens, un des premiers services de la nouvelle étude a été de révéler, dans la fonction guerrière, une dichotomie que le Rgveda a presque entièrement détruite au profit du seul Indra. En fait, comme l'avaient montré des travaux antérieurs de l'école d'Upsal, Vāyu et Indra patronnaient à égalité, dans les temps prévédiques, deux types très différents de combattants dont leurs fils épiques, Bhīma et Arjuna, rendent possible une observation détaillée, et certainement une partie des caractères, même physiques, de l'Indra védique doivent être restitués à Vāyu pour une période plus ancienne. Ces deux types sont aisés à définir en quelques mots.

Le héros du type Vāyu, sorte de bête humaine, est doué d'une vigueur physique presque monstrueuse et ses armes principales sont ses seuls bras, prolongés parfois par une arme qui lui est propre : la massue. Il n'est ni beau, ni brillant, il n'est pas non plus très intelligent et s'abandonne aisément à de désastreux accès de fureur aveugle. Enfin, il opère souvent seul, hors de l'équipe dont il est pourtant le protecteur désigné, cherchant l'aventure, tuant principalement des démons et des génies. Au contraire le héros du type Indra est un surhomme, si l'on veut, mais d'abord un homme réussi et civilisé, dont la force reste harmonieuse et qui manie des armes perfectionnées (Arjuna est notamment un grand archer, le spécialiste des armes de jet). Il est brillant, intelligent, moral même, et surtout sociable, guerrier de bataille plus que chercheur d'aventures, et généralissime naturel de l'armée de ses frères.

15. *Les deux types de guerriers chez les Iraniens, les Grecs, les Scandinaves.* — Cette distinction, l'épopée iranienne la connaît aussi, avec son brutal Kərəsāspa armé de la massue et lié au culte de Vayu, et ses héros plus séduisants tels que Θraētaona. En Grèce, elle rappelle l'opposition typologique d'un Héraclès et d'un Achille, mais surtout elle permet de donner une formulation plus précise, en Scandinavie, aux rapports d'Óðinn et de Þórr et généralement de la première et de la seconde fonctions. Il a été signalé, au second chapitre, qu'Óðinn s'était annexé une partie importante de la fonction guerrière. Nous voyons maintenant qu'il s'agit principalement (sans que la démarcation soit rigoureuse : c'est Þórr, comme Indra, qui reste le Dieu tonnant, le dieu de la bagarre atmosphérique) de la partie que, chez les Indo-Iraniens, patronnait *Indra, alors que la partie que patronnait *Vāyu est plutôt celle de Þórr, le brutal cogneur, l'aventurier des expéditions solitaires contre les géants. Cela apparaît encore plus clairement si l'on considère dans l'épopée les héros qui correspondent à chacun de ces dieux : les héros odiniques, les Sigurðr, les Helgi, les Haraldr sont beaux, brillants, sociables, aimés, aristocrates, alors que le seul « héros de Þórr » que connaisse l'épopée, Starkaðr, est de la race des géants, — un géant réduit par Þórr à la forme humaine — rébarbatif, brutal, errant et solitaire, véritable réplique scandinave de Bhīma et d'Héraclès.

16. *Caractérisations fonctionnelles des Pāṇḍava.* — Dans les premiers livres tout au moins, les poètes du Mahābhārata, certainement conscients de cette structure, se sont plu à donner des cinq héros des présentations différentielles, à détailler si l'on peut dire, leurs manières diverses de réagir à une même circonstance. Je n'en rappellerai que deux.

Au moment où les cinq frères quittent le palais pour un injuste exil qui ne prendra fin qu'avec la formidable bataille où ils auront leur revanche, le pieux et juste roi Yudhiṣṭhira s'avance, « se voilant le visage de son vêtement, pour ne pas risquer de brûler le monde par son regard courroucé ». Bhīma « regarde ses énormes bras » en pensant : « Il n'y a pas d'homme égal à moi pour la force des bras » ; il « montre ses bras, enorgueilli par la force de ses bras, désirant faire contre les ennemis une action en rapport avec la force de ses bras ». Arjuna disperse le sable, « y figurant l'image d'une foule de flèches décochées sur les ennemis ». Quant aux jumeaux, leur souci est autre : Nakula, le plus beau des hommes, s'est enduit tous les membres de poussière, en se disant : « Que je n'entraîne pas sur ma route le cœur des femmes ! », et son frère Sahadeva s'est de même barbouillé le visage (II, 2623-2636).

17. *Les déguisements caractéristiques des Pāṇḍava.* — Au début du livre IV (23-71 et 226-253), les cinq frères ont à choisir un déguisement pour séjourner incognito à la cour du roi Virāṭa : Yudhiṣṭhira, héros de première fonction, se présente comme un brahmane ; le brutal Bhīma, comme un cuisinier-boucher et un lutteur ; Arjuna, couvert de bracelets et de boucles d'oreilles, sera un maître de danse ; Nakula sera un palefrenier expert à soigner les chevaux malades et Sahadeva un bouvier, informé de tout ce qui concerne la santé et la fécondité des vaches.

Ces deux spécifications diverses et voisines des jumeaux sont intéressantes : si le Ṛgveda permet de noter quelques fugitives distinctions dans le couple indissociable de leurs pères, Wikander a souligné l'importance du criterium ici révélé : tout en restant avant tout d'habiles médecins et en ignorant l'agriculture (ce qui engage à reporter fort haut la conception), Nakula et Sahadeva se partagent les deux principales provinces de l'élevage, réservant différentiellement à l'un d'entre eux le patronnage des vaches, à l'autre le patronnage de ces chevaux qui, pourtant, dans le Ṛgveda, leur fournissent leur second nom collectif, *Aśvin* (dérivé de *áśva* « cheval »). Nous avons ainsi le premier modèle de formules qui s'observent ailleurs à propos des homologues fonctionnels des Nāsatya-Aśvin : entre Haurvatāṭ et Amərətāṭ, par exemple, Entités zoroastriennes substituées aux jumeaux, la répartition se fait, à l'intérieur du genre « salubrité », selon les eaux et les plantes ; au moins partiellement, entre le Njörđr et le Freyr des Scandinaves, la distinction dans l'uniforme bienfait de « l'enrichissement » se fait d'après les deux sources de la richesse, la mer et la terre. On voit clairement ici comment la considération de l'épopée met en valeur des traits structuraux et suggère des enquêtes fécondes.

Le déguisement d'Arjuna n'est étrange au premier abord que parce qu'il est archaïque, mais, cette fois, d'un archaïsme que connaît encore le Ṛgveda, où Indra est le « danseur », comme aussi ses jeunes compagnons, la bande guerrière des Marut, et où ces derniers se couvrent le corps d'ornements d'or, notamment de bracelets et d'anneaux de chevilles, qui les font comparer à de riches prétendants. Commun à la plus vieille mythologie et à sa transposition épique, ce trait est certainement à verser au dossier du « Männerbund » indo-iranien. Et peut-être, dans le même ordre d'idées, la transposition épique laisse-t-elle seule entrevoir un aspect, sur lequel les hymnes sont silencieux, de la morale spéciale de ces groupes de jeunes gens, quand elle insiste sur le caractère « efféminé » du déguisement choisi par Arjuna.

18. *Pāṇḍu et Varuṇa*. — De proche en proche, d'autres correspondances entre l'intrigue du Mahābhārata et la mythologie védique et prévédique ont pu être

repérées, toujours avec le même avantage que l'épopée, narration ample et continue, facilite dans chaque cas l'analyse que gênent au contraire le lyrisme des hymnes et leur rhétorique de l'allusion. J'ai ainsi pu montrer que Varuṇa n'est pas absent de la transposition ; seulement il se trouve à la génération antérieure, inactuel, mort, quand le transposé de Mitra, le fils de Dharma, devient roi : Pāṇḍu, le père putatif des Pāṇḍava, et roi lui aussi avant son fils aîné Yudhiṣṭhira, présente en effet deux caractères originaux, improbables, que les livres liturgiques et un hymne attribuent aussi à Varuṇa ; à l'un de ces caractères, il doit son nom : *pāṇḍu* signifie « pâle, jaune clair, blanc », et en effet un incident de la naissance, ou plutôt de la conception de Pāṇḍu a fait qu'il eut la peau maladivement pâle ou blanche ; or le Varuṇa figuré dans certains rituels doit être *śukla* « très blanc », *atigaura* « excessivement blanc ». L'autre trait est de plus grande portée : Pāṇḍu est condamné à l'équivalent de l'impuissance sexuelle, condamné à périr (et il périra ainsi en effet) s'il fait l'acte d'amour ; or Varuṇa, dans des circonstances diverses (*AV*, IV, 4, 1 ; rituel de la consécration royale), est présenté comme devenu temporairement impuissant, dévirilisé (cette dévirilisation se faisant parfois au profit de ses proches, — ce qui rappelle, on le sait, un mythe important du Grec Ouranos, châtré par ses fils).

Le travail ne fait en somme que commencer. Wikander et moi-même espérons tirer de cette réserve inespérée une matière assez abondante et assez claire pour élucider plusieurs incertitudes ou difficultés qui sont encore irréductibles au niveau des hymnes et pour fournir à la reconstitution indo-européenne des éléments sans ambiguïté [1].

19. *Les premiers rois de Rome et les trois fonctions.* — L'épopée romaine a utilisé autrement l'idéologie des

---

1. Voir *Mythe et Épopée I*, 1ʳᵉ partie, 1968, et *Mythe et Épopée II*, 1971.

trois fonctions et de leurs nuances. Les héros qui les incarnent n'y sont plus des contemporains, des frères simplement hiérarchisés ; ils se succèdent dans le temps et, progressivement, constituent Rome. Ils ne se succèdent pas dans l'ordre canonique, mais dans l'ordre : 1°) jumeaux bergers (3e fonction) ; 2°) souverain « jovien », demi-dieu créateur et vite excessif (1re fonction, côté Varuṇa), puis souverain « dial », humain, pieux, régulateur et réglé (1re fonction, côté Mitra) ; 3°) enfin roi strictement guerrier (2e fonction). De plus le souverain jovien n'est autre qu'un des jumeaux, survivant au couple, mais profondément transformé. Cette double singularité ouvre de nouvelles perspectives à l'enquête comparative, mais nous considérerons d'abord les représentants des deux premières fonctions, qui ne posent pas de problèmes inédits.

20. *Romulus et Numa et les deux aspects de la première fonction.* — Dans la tradition annalistique, les deux fondateurs de Rome, Romulus et Numa, forment une antithèse aussi régulière, aussi développée, et de même sens, que celle de Varuṇa et de Mitra dans la littérature védique : tout s'oppose dans leur caractère, dans leurs fondations, dans leur histoire, mais d'une opposition sans hostilité, Numa complétant l'œuvre de Romulus, donnant à l'idéologie royale de Rome son second pôle, aussi nécessaire que le premier. Quand, au VIe chant de l'*Énéide*, dans les Enfers, Anchise les présente tous deux en quelques vers à son fils Énée (vv. 777-784 et 808-812), il définit Romulus comme le belliqueux demi-dieu créateur de Rome et, grâce à ses auspices, l'auteur de la puissance romaine et de sa croissance continue *(en huius, nate, auspiciis illa inclita Roma imperium terris, animos aequabit Olympo)* ; puis Numa comme le roi-prêtre, porteur des objets sacrés, *sacra ferens,* et couronné d'olivier, qui lui aussi, fonde Rome, mais en lui donnant des lois, *legibus.* Tout s'ordonne autour de cette différence — « l'autre monde, ce monde-ci » — où les *sacra,* le culte dont l'homme a l'initiative, équilibrent excellemment les *auspicia,* où

l'homme ne fait que déchiffrer le langage miraculeux de Jupiter. On vérifie immédiatement que l'opposition des deux types de souverains recouvre, point par point, celle qui a été analysée dans le cas de Varuṇa et de Mitra (v. ci-dessus, III, § 2).

Aussi importants l'un que l'autre dans la genèse de Rome, Romulus et Numa ne sont pas « assis » dans la même moitié du monde. Naïvement, Plutarque met dans la bouche du second, lorsqu'il explique aux ambassadeurs de Rome ses raisons de refuser le regnum, une remarque très juste (*Numa*, 5, 4-5) : « On attribue à Romulus la gloire d'être né d'un dieu, on ne cesse de dire qu'il a été nourri et sauvé dans son enfance par une protection particulière de la divinité ; moi, au contraire, je suis d'une race mortelle, j'ai été nourri et élevé par des hommes que vous connaissez... »

Leurs modes d'action ne diffèrent pas moins et la différence s'exprime de manière saisissante dans ce qu'on peut appeler leurs dieux de prédilection. Romulus n'établit que deux cultes, et ce sont deux spécifications de Jupiter — de ce Jupiter qui lui a donné la promesse des auspices, — Jupiter Feretrius et Jupiter Stator, qui s'accordent en ceci que Jupiter y est le dieu protecteur du regnum, mais dans des combats, dans des victoires ; et la seconde victoire est due à une prestidigitation souveraine de Jupiter, à un « changement à vue », contre lequel évidemment aucune force ne peut rien et qui bouleverse l'ordre attendu, l'ordre juste des événements. Au contraire tous les auteurs insistent sur la dévotion particulière que Numa a vouée à Fides. Denys d'Halicarnasse écrit (II, 75) : « Il n'y a pas de sentiment plus élevé, plus sacré que la bonne foi, ni dans les affaires des États, ni dans les rapports entre individus ; s'étant bien persuadé de cette vérité, Numa, le premier parmi les hommes, fonda un sanctuaire de la Fides Publica et institua en son honneur des sacrifices aussi officiels que ceux des autres divinités. » Plutarque (*N.*, 16, 1) dit semblablement qu'il fut le premier à bâtir un temple à Fides et en outre qu'il apprit aux Romains leur plus grand serment, le serment par Fides. On sent comme cette distribution se conforme à l'essence des dieux souverains antithétiques, Varuṇa et Mitra, Jupiter et Dius Fidius.

Les caractères des deux héros s'opposent de même : Romulus est un violent, que les annalistes se plaisent à décrire sous la figure d'un tyran à la mode grecque ou étrusque, mais avec des traits sûrement anciens : « Il avait toujours près de lui, dit Plutarque (*Rom.*, 26, 3-4), les jeunes gens qu'on appelait Celeres, à cause de leur promptitude à exécuter ses ordres. Il ne paraissait en public que précédé de licteurs armés de verges avec lesquelles ils écartaient la foule et ceints de courroies dont ils liaient sur-le-champ ceux qu'il ordonnait d'arrêter. » À ce souverain aussi matériellement « lieur » que Varuṇa, s'oppose le bon, le calme Numa, dont le premier soin, devenu roi, est de dissoudre le corps de Celeres (Plut., *N.*, 7, 6) et le second d'organiser *(ibid.)* ou de créer (Tite-Live, I, 20) les trois flamines maiores. Numa est dépourvu de toute passion, même de celles que les barbares estiment, comme la violence et l'ambition (Plut., *N.*, 3, 6).

En conséquence, les affinités de l'un sont toutes pour la fonction guerrière, celles de l'autre pour la fonction de prospérité. Jusque dans son conseil posthume, Romulus, le roi aux trois triomphes, prescrit aux Romains : *rem militarem colant* (Tite-Live, I, 16, 7). Numa, lui, s'assigne pour tâche de déshabituer les Romains de la guerre (Plut., *N.*, 8, 1-4) ; la paix n'est rompue à aucun moment de son règne *(ibid.,* 20, 6) ; il offre une bonne entente aux Fidénates qui font des razzias sur ses terres et institue à cette occasion, suivant une variante, les prêtres féciaux pour veiller au respect des formes qui empêchent ou limitent la violence (Denys d'Hal., II, 72 ; cf. Plut., *N.*, 12, 4) ; il distribue aux citoyens indigents le territoire conquis par Romulus « afin de les soustraire à la misère, cause presque nécessaire de la perversité, et de tourner vers l'agriculture l'esprit du peuple qui, en domptant la terre, s'adoucirait lui-même » ; il partage tout le territoire en *uici*, avec des inspecteurs et des commissaires qu'il contrôle lui-même, « jugeant des mœurs des citoyens par le travail, avançant en honneurs et pouvoirs ceux qui se distinguaient par leur activité, blâmant les paresseux et corrigeant leur négligence » (Plut., *N.*, 16, 3-7).

Bornons ici la comparaison, qui pourrait se poursuivre dans un grand détail, car il est évident que les

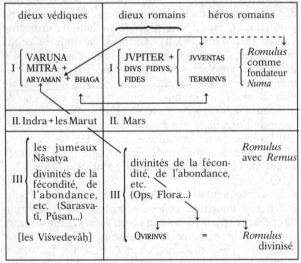

D.S.I.E., p. 182.

I, II, III : les trois fonctions :
grandes capitales : principaux dieux souverains ;
petites capitales : divinités auxiliaires des grands dieux souverains ;
bas de casse, romain : divinités des deux autres fonctions sans rapport direct avec la Souveraineté ;
bas de casse, italique : hommes, rois de Rome marqués fonctionnellement ;
trait continu : homologie fonctionnelle partielle entre divinités de niveaux différents ;
trait discontinu : homologie fonctionnelle partielle entre un dieu et un homme.

annalistes se sont ingéniés à pousser dans toutes les directions l'opposition des deux rois, l'un *iuuenis, ferox,* odieux aux *senatores* et peut-être tué par eux, sans enfant, etc. ; l'autre *senex* type, *grauis,* pieusement enterré par les senatores, ancêtre de nombreuses gentes, etc. Des prétentions gentilices ou l'imitation de modèles grecs ont pu introduire plus d'un détail, et à plusieurs époques, dans ces « vies parallèles inverses » et notamment dans celle de Numa. Mais il est clair que ces innovations mêmes se sont conformées à une donnée traditionnelle, dont l'intention était d'illustrer deux types de roi, deux modes de souveraineté : ceux mêmes que l'Inde couvre des noms de Varuṇa et de Mitra.

21. *Tullus Hostilius et la fonction guerrière.* — Après la fonction souveraine, la fonction guerrière ; après Romulus et Numa, Tullus Hostilius, qu'Anchise présente à Énée (*En.,* VI, 815) comme celui « qui ramènera aux armes, *in arma,* les citoyens devenus casaniers et déjà désaccoutumés des triomphes ». *Arma,* comme *auspicia* et *sacra* pour ses prédécesseurs, signale bien l'essentiel de son caractère et de son œuvre : *militaris rei institutor,* dira Orose et, bien avant lui, Florus : « La royauté lui fut conférée par égard pour son courage : c'est lui qui fonda tout le système militaire et l'art de la guerre ; en conséquence, après avoir exercé d'une manière étonnante la iuuentus romaine, il osa provoquer les Albains... »

22. *Les mythes d'Indra et la légende de Tullus Hostilius.* — C'est ici que la confrontation de l'épopée romaine et de la mythologie indienne a donné (1956) ses résultats les plus inattendus, et permis d'avancer l'étude détaillée de la fonction guerrière indo-européenne dont la seule confrontation des théologies explicites ne laissait entrevoir que les plus grands traits : dans leurs « leçons », mais aussi dans leurs affabulations, les deux épisodes solidaires qui constituent « l'histoire » de Tullus — la victoire du troisième Horace sur les trois Curiaces et le châtiment de Mettius Fuffetius, qui tirent Rome du péril que courait son

imperium naissant, l'un par la subordination d'Albe, l'autre par sa destruction — recouvrent de près deux des principaux mythes d'Indra, que la tradition épique présente souvent comme consécutifs et solidaires, à savoir la victoire d'Indra et de Trita sur le Tricéphale, et le meurtre de Namuci. Il n'est possible ici que de mettre dans un tableau schématique les homologies, en priant le lecteur qu'elles intéresseront de se reporter au livre où les arguments et les conséquences sont longuement exposés.

A, a) (Inde) : Dans le cadre de leur rivalité générale avec les démons, les dieux sont menacés par le redoutable monstre à trois têtes qui est pourtant le « fils d'ami » (dans le Ṛgveda), ou le cousin germain des dieux (dans les Brāhmaṇa et l'épopée), et en outre brahmane et chapelain des dieux. Indra (dans le Ṛgveda) pousse Trita, le « troisième » des trois frères ptya, à tuer le Tricéphale, et Trita le tue en effet, sauvant les dieux. Mais cet acte, meurtre d'un parent, ou d'un allié, ou d'un brahmane, comporte une souillure dont Indra se décharge sur Trita ou sur les Āptya, qui la liquident rituellement. Depuis lors, les Āptya sont spécialisés dans la liquidation de diverses souillures et notamment, dans tous les sacrifices, de celle que comporte l'inévitable mise à mort de la victime.

b) (Rome) : Pour régler le long conflit dans lequel Rome et Albe se disputent l'imperium, les deux parties conviennent d'opposer les trois jumeaux Horatii et les trois jumeaux Curiatii (dont l'un est fiancé à une sœur des Horatii ; et qui, même, dans la version suivie par Denys d'Halicarnasse, sont cousins germains des Horatii). Dans le combat, il ne reste bientôt qu'un Horatius, mais ce « troisième » tue ses trois adversaires, donnant l'imperium à Rome. Dans la version de Denys, ce meurtre de cousins risque de produire une souillure, mais une remarque de casuiste l'évite : les Curiatii ayant été les premiers à accepter l'idée du combat, la responsabilité est sur eux. Mais la souillure par le sang familial reparaît aussitôt, transférée sur un épisode qui n'a pas de parallèle dans le récit indien : le troisième Horatius tue sa sœur, qui le maudissait du meurtre de son fiancé. La gens Horatia doit donc liquider cette souillure et, chaque année, continue d'offrir un sacrifice expiatoire ; la date de ce sacrifice, au début du mois qui met fin aux campagnes militaires (calendes d'octobre), suggère que ces expiations concernaient, par-delà le légendaire Horatius, les soldats rentrant à Rome, souillés par les inévitables meurtres de la bataille.

B, a) (Inde) : Le démon Namuci, après de premières hostilités, a conclu un pacte d'amitié avec Indra, qui s'est engagé à ne le tuer « ni de jour ni de nuit, ni avec du sec ni avec de l'humide ». Un jour, profitant traîtreusement d'un état de faiblesse où Indra a été mis par le père du Tricéphale, Namuci dépouille Indra de tous ses avantages : force, virilité, soma, nourriture. Indra appelle à son secours les dieux canoniques de troisième fonction, Sarasvatī et les Aśvin, qui lui rendent sa force et lui indiquent le moyen de garder sa parole tout en la violant : il n'a qu'à assaillir Namuci à l'aube, qui n'est ni la nuit ni le jour, et avec de l'écume, qui n'est ni du sec ni de l'humide. Indra surprend ainsi Namuci qui ne se défie pas et le décapite bizarrement en « barattant » sa tête dans l'écume.

b) (Rome) : Après la défaite des trois Curiatii, le chef des Albains, Mettius Fuffetius, en vertu de la convention, s'est mis, lui et Albe, sous les ordres de Tullus. Mais, secrètement, il trahit son allié. Pendant la bataille contre les Fidénates, il se retire avec ses troupes sur une hauteur, découvrant le flanc des Romains. Dans ce péril mortel, Tullus fait des vœux aux divinités de troisième fonction, notamment à Quirinus, et reste vainqueur. Bien qu'ayant remarqué la trahison de Mettius, il feint d'être dupe et convoque au prétoire, comme pour les féliciter, les Albains qui ne se défient pas. Là il surprend Mettius, le fait saisir et le condamne à un châtiment unique dans l'histoire de Rome, l'écartèlement.

23. *Rapports de la fonction guerrière avec les deux autres.* — À travers ces mythes et ces légendes, c'est toute une philosophie des nécessités, des entraînements, des risques de la fonction guerrière qui s'exprime, et aussi une conception cohérente des rapports de cette fonction centrale avec la troisième, qu'elle mobilise à son service, et avec l'aspect « Mitra, Fides » de la première, qu'elle ne respecte guère,

qu'elle ne peut guère respecter, parce que, engagée dans l'action et dans les périls, comment accepterait-elle que la fidélité aux principes gêne cette action et la désarme devant ces périls ?

Les rapports d'Indra, de Tullus avec l'aspect « Varuṇa, Jupiter » de la fonction souveraine ne vont pas non plus sans heurts : on a déjà rappelé les hymnes védiques où Indra défie Varuṇa, se vante même d'abolir sa puissance (et les Hárbaðsljóð de l'Edda opposent de même Óðinn et Þórr dans un dialogue injurieux). Quant à Tullus, il est, à Rome, ce scandale vivant : le roi impie, et la fin de son histoire n'est que la terrible revanche que Jupiter, le maître des grandes magies, exerce contre ce roi trop purement guerrier, qui l'a si longtemps ignoré ; une épidémie frappe ses troupes, qu'il oblige néanmoins à continuer les guerres, jusqu'au jour où lui-même contracte une longue maladie : alors, dit Tite-Live (I, 31, 6-8),

> lui, qui, jusqu'à ce temps, avait considéré que rien n'est moins digne d'un roi que d'appliquer son esprit aux choses sacrées, soudain il s'abandonna à toutes les superstitions, grandes et petites, et propagea même dans le peuple de vaines pratiques... On dit que le roi lui-même, en consultant les livres de Numa, y trouva la recette de certains sacrifices secrets en l'honneur de Jupiter Elicius. Il se cacha pour les célébrer. Mais, soit au début, soit au cours de la cérémonie, il commit une faute de rituel, en sorte que, loin de voir apparaître une figure divine, il irrita Jupiter par une évocation mal conduite et fut brûlé par la foudre, lui et sa maison.

Telles sont les fatalités de la fonction guerrière. Si Indra, le grand pécheur Indra, n'aboutit pas à cette fin dramatique, c'est qu'il est dieu et que, tout compte fait, sa force et ses services restent ce qui intéresse le plus les hommes.

24. *Les jumeaux védiques et romains, mythologie et épopée de la troisième fonction.* — Quant aux jumeaux — que Rome, dans le Latium, n'était pas seule à honorer : la légende prénestine en plaçait

un couple, un peu autrement, au temps de ses
origines, — l'épopée romaine les met à la place
d'honneur dans les personnes de Romulus et de
Rémus. Il y a une différence du tout au tout entre
le Romulus roi que nous avons tout à l'heure observé
et opposé à Numa dans la seconde et dernière
partie de sa carrière, et le Romulus d'avant Rome,
le *Remo cum fratre Quirinus*. Cette différence éclate
en effet, à propos même de la fondation, dans la
querelle des auspices et le meurtre de Rémus :
Romulus cesse alors d'être « un des deux jumeaux »,
l'associé fidèle et sans querelle de son frère, pour
devenir le roi prestigieux, créateur, bientôt terrible,
tyrannique et, par l'institution des hommes qui
portent devant lui des cordes toutes prêtes, aussi
littéralement « lieur », on l'a vu (ci-dessus, § 20),
que son homologue du panthéon védique, Varuṇa,
armé des liens.

La correspondance typologique des jumeaux de
l'épopée romaine et des dieux jumeaux, Nāsatya-
Aśvin, qui terminent la liste trifonctionnelle indo-
iranienne, est précise. Jusqu'à leur départ d'Albe et
à la fondation de la Ville, ils sont et ne sont que « de
troisième fonction » : pasteurs, élevés par un pasteur,
vivant une vie exemplaire de pasteurs seulement
relevée par un goût marqué pour la chasse et les
exercices physiques. Dans cette définition pastorale,
l'évolution de la protocivilisation romaine (disparition
du char de guerre, notamment) a éliminé le « côté
cheval » (en évidence dans le mot Aśvin) et il ne reste
que le « côté bœuf et mouton », asseyant davantage,
si l'on peut dire, Romulus et Rémus dans l'économie
rurale.

Les Nāsatya, on se le rappelle, sont d'abord tenus
à distance par les dieux parce que trop « mêlés aux
hommes » (*Śat. Brāhm.*, IV, 1, 5, 14, etc.) et, dans
la littérature postérieure, ils seront même considérés
comme des dieux d'abord śūdra, des dieux de ce qu'il
y a de plus bas, hors classe, par rapport à la société
ordonnée. Ainsi vivent, pensent, agissent Romulus et

son frère. Il n'y a en eux rien du « souverain », aucun respect pour l'ordre. Dévoués aux plus humbles, ils méprisent les intendants, inspecteurs et chefs de troupeaux du roi (Plutarque, *Rom.*, 6, 7). La troupe qui leur servira dans leur révolte sera une troupe de bergers (Tite-Live, 1, 5, 7), ou un rassemblement d'indigents et d'esclaves (Plut., *R.*, 7, 2), préfigurant l'hétéroclite peuplement de l'Asyle (*ibid.*, 9, 5).

Ils sont des redresseurs de torts, comme les Nāsatya passent leur temps à réparer les injustices des hommes ou du sort. Simplement, étant dieux, les Nāsatya font leurs libérations, restaurations et guérisons par des miracles, alors que Romulus et Rémus ne peuvent recourir qu'à des moyens humains pour protéger leurs amis contre les brigands, rétablir dans leurs droits les bergers de Numitor brimés par ceux d'Amulius, et finalement châtier Amulius. Un des plus célèbres services des Nāsatya, origine de leur fortune divine, est d'avoir rajeuni le vieux Cyavana décrépit ; le grand exploit de Romulus et de Rémus et l'origine de la fortune du premier est de même d'avoir restauré leur vieux grand-père qui avait été dépouillé de la royauté d'Albe.

Les deux Nāsatya, dans le Ṛgveda, sont presque indiscernables, agissent ensemble ; un texte cependant marque une grave inégalité, qui rejoint celle des Dioscures grecs : l'un d'eux est fils du Ciel, l'autre fils d'un homme. L'inégalité des jumeaux romains est différente, mais aussi considérable : égaux par la naissance, un seul d'entre eux pourtant poursuivra sa carrière et deviendra dieu — le dieu canonique de troisième fonction, Quirinus, — l'autre périssant précocement et ne recevant plus dès lors que les honneurs habituels aux grands morts. Ovide pourra dire d'eux (*Fastes*, II, 395-6) : *at quam sunt similes ! at quam formosus uterque ! plus tamen ex illis iste uigoris habet...*

Certaines actions étranges des Nāsatya — mal connues, comme toute leur mythologie — paraissent aussi rejoindre des traits de la légende de Romulus et de Rémus, parfois seulement avec une inversion (protecteurs, et non protégés) qui tient au fait qu'ils sont des dieux et les jumeaux romains des hommes. Un des services fréquents des Nāsatya est de faire cesser la stérilité des femmes et des femelles : or Romulus et Rémus sont les premiers chefs des Luperques, dont un des offices, par la flagellation, est de rendre mères les femmes romaines (une légende étiologique, mais qui place l'origine de ce rite *après* la fondation de Rome et l'enlèvement des Sabines, dit qu'il a été destiné d'abord à faire cesser une stérilité générale). — Dans tout le Rgveda, le loup est un être mal vu, est l'ennemi ; la seule exception se trouve dans le cycle des Nāsatya : un jeune homme avait égorgé cent et un béliers pour nourrir une louve, en punition de quoi son père lui avait crevé les yeux ; à la prière de la louve, les jumeaux divins rendirent la vue au malheureux. Dans l'histoire de Romulus et Rémus et dans elle seule à Rome, c'est non plus nourrie mais nourricière que la louve occupe la place flatteuse que l'on sait. — Dans les rites et légendes des Lupercales (Ovide, *F.*, II, 361-379), dans les récits sur la jeunesse de Romulus et de Rémus (Plutarque, *Rom.*, 6, 8), les courses jouent un rôle considérable : également, mais les courses en char, dans la mythologie des « Aśvin ». — Un trait malheureusement obscur de la fête rustique de Pales (le « cheval mutilé », *curtus equos*), et aussi le concept même de la déesse « Pales », si étroitement lié à Romulus et à Rémus et à la fondation de Rome, rappellent la légende où les Nāsatya remettent en état la jument dite *« Pálā de la víś »* (*víś*, principe de la troisième fonction, et aussi « clan ») qui, dans une course, avait eu la jambe coupée.

Cette confrontation sommaire suffit à établir que, dans leur carrière « préromaine », Romulus et Rémus correspondent aussi précisément aux Nāsatya que Romulus devenu roi et son successeur Numa correspondent à Varuṇa et à Mitra, et Tullus à Indra. Quand Romulus mort sera déifié sous le nom du dieu canonique de troisième fonction, Quirinus, il ne fera donc que revenir à sa première valeur et, soit dit en passant, cette remarquable convergence engage à réviser l'idée généralement admise que l'assimilation de Romulus et de Quirinus est secondaire et tardive.

25. *La troisième fonction, fondement des deux autres.* — Quant à l'ordre d'apparition des trois fonctions dans l'épopée des origines romaines — 3, 1, 2 —, et à la transformation de Romulus lui-même de « Nāsatya » en « Varuṇa », ils ne sont pas non plus sans parallèles, et révèlent un aspect de la structure trifonctionnelle que nous n'avons pas encore eu l'occasion de signaler. Nous voyons ici comme une reconnaissance du fait certain que, si la troisième fonction est la plus humble, elle n'en est pas moins le fondement et la condition des deux autres : comment vivraient les sorciers et les guerriers si les pasteurs-agriculteurs ne les entretenaient pas ? Dans la légende iranienne, Yima, comme Romulus, ne devient un roi prestigieux et bientôt excessif — défiant Ahura Mazdā — qu'après avoir été différentiellement, dans la première partie de sa carrière, un bon « héros de troisième fonction », aux riches pâturages, sous lequel la maladie et la mort n'atteignaient ni les hommes, ni les bêtes, ni les plantes (*Yašt*, XIX, 30-34). Dans l'épopée ossète (v. ci-dessus, I, § 4), les deux jumeaux Æxsært et Æxsærtæg, dont le second tue le premier dans un accès de jalousie, puis engendre la famille des Æxsærtægkatæ (différentiellement la famille des Forts, des Guerriers), sont eux-mêmes, selon certaines variantes, issus de la race de « Bora » c'est-à-dire des Boratæ (la famille des Riches). C'est la même philosophie qui s'exprime, dans les rituels indiens, sur l'aire même du sacrifice : trois feux y doivent être réunis, correspondant aux trois fonctions, un feu qui transmet les offrandes aux dieux, un feu de défense contre les démons, un feu du maître de maison ; or c'est ce dernier, présenté avec les caractères d'un « feu vaiśya », qui est le feu fondamental, allumé le premier, et c'est lui qui sert à allumer les deux autres.

26. *Développement de la recherche.* — Le lecteur est maintenant introduit non pas seulement dans l'entrepôt où sont classés les résultats, mais, pour la théologie et la mythologie de chacune des trois fonctions, et notamment de la seconde et de la troisième, installé sur le champ de fouilles même où le comparatiste en est encore à se battre avec sa matière. Le travail va se continuer, avec ses suites ordinaires, qui ne sont pas seulement des trouvailles nouvelles, mais aussi des corrections, des réinterprétations de détail à la lumière d'ensembles mieux compris, et généralement des réflexions critiques sur les bilans antérieurs.

Avant de prendre congé, le guide doit rappeler que, pour importante, centrale même, que soit l'idéologie des trois fonctions, elle est loin de constituer tout l'héritage indo-européen commun que l'analyse comparative peut entrevoir ou reconstituer. Un grand nombre d'autres chantiers, plus ou moins indépendants, sont ouverts : sur les « dieux initiaux », sur la déesse Aurore, et sur quelques autres, sur la mythologie des crises du soleil, sur des variétés de sacerdoces et sur des mécanismes rituels, sur les concepts fondamentaux de la pensée religieuse, la comparaison, et spécialement la comparaison des faits indo-iraniens et des faits romains, a déjà permis ou va permettre de reconnaître des coïncidences qu'il est difficile d'attribuer au hasard.

TROISIÈME PARTIE

LA FABRICATION DE L'HISTOIRE

Un des reproches les plus fréquemment adressés à Dumézil par ses contradicteurs porte sur l'aspect mécaniste, voire réducteur, de sa démarche : dans le système triparti, tout serait fixé d'avance. A cela, il n'a cessé de répondre :

1) *que l'héritage commun n'est pas exclusif d'emprunts aux premiers occupants rencontrés par les envahisseurs indo-européens ou aux sociétés voisines.* Les Romains ont fait de nombreux emprunts aux Grecs, sans avoir aucune conscience de l'origine commune des dieux « étrangers » qu'ils incorporaient à leur panthéon. Dumézil a particulièrement insisté sur ces problèmes d'emprunts à propos des Scythes.

Si la tradition fidèlement gardée par les Ossètes éclaire un grand nombre de données scythiques d'Hérodote et de Lucien, il n'en est pas moins légitime et fécond de continuer à demander des lumières aux « empires des steppes », Huns, Turcs, Mongols, dont les conditions de vie étaient comparables à celles des Scythes, des Sarmates, des Alains et avec lesquels l'Europe orientale a eu des rapports presque constants d'affrontement, d'alliance, parfois d'union. Par exemple la comparaison qu'on lira plus loin des coutumes funéraires des Scythes avec celles des Ossètes, reprise de Vs. Miller, n'annule pas les parallèles établis depuis longtemps avec celles de plusieurs peuples sibériens. Le « chamanisme » scythique, étudié spécialement par Karl Meuli, est une réalité, même si cet auteur lui a attribué plus que son dû.

Si, tenu par mes problèmes habituels, je me suis

surtout intéressé depuis cinquante ans à « l'héritage
indo-européen » des Scythes, si j'ai interprété par
exemple l'étroite analogie du Syrdon des Ossètes et du
Loki des Scandinaves par la double conservation d'un
type déjà formé chez les ancêtres communs des uns et
des autres, je ne conteste pas l'importance d'un autre
type de problèmes : les problèmes d'emprunt. Les
arrière-pays de la mer Noire et de la mer Caspienne
ont toujours été des terres de passage ou d'attente et
la circulation entre la Baltique et la Méditerranée, active
dès la préhistoire, traversait les terres scythiques.

2) *que la tripartition et les autres éléments du fonds commun
indo-européen ne constituaient qu'un cadre général que chaque
peuple organisait à sa guise.* Contrastant avec la si riche
mythologie indienne, la mythologie romaine est presque
inexistante. « La Rome classique n'a pour ainsi dire plus de
mythologie divine, ne sait plus rien raconter de ses dieux
dont les définitions et les relations fonctionnelles restent
pourtant claires. » L'héritage indo-européen a été transposé
dans une épopée nationale. Dès les débuts de l'enquête,
Dumézil a formulé la notion de « champs idéologiques » :

Chaque société a une forme d'esprit et de goût,
d'imagination et de sens moral, qui ne permet aux
institutions comme aux mythes, quels qu'en soient
l'origine et l'âge, de vivre et de prospérer en elle que
s'ils se modèlent sur certains types et s'orientent dans
certains sens.

Par « approximations successives », l'historien peut mettre
en évidence « les systèmes de coordonnées, parfois fort
dissemblables, à l'aide desquels des sociétés diverses formulent et dessinent des "fonctions conceptuelles" identiques
ou analogues ». Dumézil a ainsi défini les principaux
caractères différentiels des champs romain et indien.

Les Romains pensent *historiquement* alors que les
Indiens pensent *fabuleusement*. Tout récit, en tout pays,
concerne un morceau du passé, mais, pour avoir
audience auprès des Romains, il faut que ce passé soit
relativement proche, se laisse situer dans le temps
comme dans l'espace, qu'il concerne des hommes et non

des êtres imaginaires, et généralement qu'il mette en jeu le moins possible les forces et ressorts étrangers à la vie courante. À l'inverse, les Indiens ont le goût des lointains, des durées et des distances immenses ; ils aiment aussi bien l'imprécision amplificatrice que la monstruosité grandiose ; ils sont friands de merveilles.

Les Romains pensent *nationalement* et les Indiens *cosmiquement*. Les premiers ne s'intéressent à un récit que s'il a quelque rapport avec Rome, s'il se présente comme de l'« histoire romaine », justifiant un détail d'organisation de la Ville, une règle positive ou négative de conduite, une prétention, un préjugé romains. À l'inverse, les seconds, du moins ceux des Indiens qui développent et consignent les mythes, se désintéressent des patries éphémères ; ce qui les touche, ce sont les origines, les vicissitudes, les rythmes du grand Tout, de l'Univers même plutôt que de l'Humanité.

Les Romains pensent *pratiquement* et les Indiens *philosophiquement*. Les Romains ne spéculent pas ; s'ils sont en état d'agir, s'ils sont au clair sur l'objet et sur les moyens de leur action, ils sont satisfaits et ne cherchent ni à comprendre ni à imaginer davantage. Les Indiens vivent dans le monde des idées, dans la contemplation, conscients de l'infériorité et des périls de l'acte, de l'appétit, de l'existence même.

Les Romains pensent *relativement, empiriquement* ; les Indiens pensent *absolument, dogmatiquement*. Les uns sont toujours en éveil sur l'évolution de la vie, pour la freiner sans doute, mais aussi pour la légitimer et lui donner une forme acceptable ; l'édit du préteur, les votes des comices, l'escrime subtile ou violente des magistrats assurent en tous temps un juste équilibre entre l'être et le devenir, entre la tradition et les sollicitations du présent. L'Inde n'a de regard que pour l'immuable ; le changement est pour elle, suivant les matières, illusion, imperfection ou sacrilège ; les maximes qui règlent les rapports humains sont donc inchangeables, comme l'est l'organisation sociale elle-même, comme l'est toute organisation légitime, tout *dharma*.

Les Romains pensent *politiquement,* les Indiens pensent *moralement*. La plus auguste réalité accessible aux sens étant Rome, la vie de Rome étant un problème constamment posé, et la religion elle-même n'étant qu'une partie de l'administration publique, toutes les

réflexions des Romains, tous leurs efforts s'ordonnent
à la *res publica*, tous les devoirs, toutes les règles et par
conséquent tous les récits qui forment le trésor de la
sagesse romaine ont une pointe tournée vers la politique,
vers les institutions, vers les procédures, vers la
casuistique du consul, ou du censeur, ou du tribun. Pour
les Indiens, du plus élevé au plus humble, tout homme
a d'abord affaire soit aux dieux, soit aux grandes notions
qui valent des dieux ; l'ordre social n'étant pas absolu
ou plutôt ne tenant sa valeur absolue que de sa
conformité aux lois générales du monde, tout ce qui
le concerne n'est qu'une science seconde, déduite de
vérités supérieures, et non pas un art directement induit
de l'examen de sa matière.

Enfin les Romains pensent *juridiquement,* les Indiens
pensent *mystiquement.* Les premiers ont dégagé très tôt
la notion de personne et c'est sur elle, sur l'autonomie,
sur la stabilité, sur la dignité des personnes qu'ils ont
construit leur idéal des rapports humains — *jus —,* les
dieux n'y intervenant guère que comme témoins. L'Inde
s'est au contraire de plus en plus persuadée que les
individus ne sont qu'apparences trompeuses et que seul
existe l'Un profond ; que par conséquent les vrais
rapports entre les êtres, humains ou autres, sont plutôt
des rapports de participation, d'interpénétration que des
rapports d'opposition et de négociation ; que dans toute
affaire, même la plus temporelle, le principal partenaire
est le grand invisible dans lequel, à vrai dire, se
rejoignent, se fondent les partenaires visibles.

De même, il a caractérisé les champs idéologiques de
Rome et de l'Iran zoroastrien.

A Rome la pensée est toute politique et nationale.
La religion, comme tout le reste, s'incorpore très tôt
et de plus en plus profondément à l'État, suit ses
vicissitudes, sert ses intérêts. L'individu l'intéresse peu.
Elle ne se soucie ni d'éveiller ni de satisfaire aucune
aspiration mystique. La morale qu'elle appuie se
développe dans les édits des préteurs et non par la
méditation des prêtres. Elle est ritualiste, disciplinaire,
et non spirituelle. — Au contraire, dans le zoroastrisme
pur, les formes politiques n'intéressent la vie religieuse
que par les obstacles qu'elles lui opposent ou les services

qu'elles lui rendent. La notion même d'*Arya* qui, dans l'Inde, fournit à la religion un cadre racial sinon politique, et qui restera importante dans d'autres parties de l'Iran, ne joue pas de rôle dans les *Gâthâ*. Ce qui compte, c'est d'être bon et non méchant, *ashavan* et non *drəgvant*. Il est à peine anachronique de dire que, pour le croyant, « le Royaume n'est pas de ce monde ». Et naturellement, sur cette base, se développe une religion de salut, une religion militante, où l'enjeu, le combattant, le champ de bataille sont *individuels*. Les rites s'émoussent, armes inutiles pour faire triompher la vertu. Plus tard l'État sassanide changera en partie cela : en quoi il ne sera pas fidèle à l'esprit du prophète.

Le second caractère différentiel dérive du premier. Il a été possible de déceler, dans les deux premiers livres de Tite-Live, depuis les règnes et figures de Romulus et de Numa jusqu'aux exploits de Coclès et de Scaevola, une bonne part de mythes indo-européens, mais transformés en récits vraisemblables, humains, datés. La vieille mythologie a subsisté, avec la philosophie sous-jacente, avec les services éducatifs qu'elle rendait ; mais, pour subsister et continuer de servir, elle a dû se plier au goût si marqué de la société romaine de tout rapporter à elle-même, à ses quelques siècles d'existence, à son *ager*, à ses *patres* : elle s'est faite histoire, et histoire nationale. — Le zoroastrisme au contraire, n'étant pas enfermé dans son cadre de temps et d'espace, cherche ailleurs son appui : il pense non pas historiquement, mais théologiquement. Lui non plus, pour d'autres raisons, ne présente plus à l'observateur une mythologie au sens précis du mot. Mais il a été plus radical : il n'a pas, comme Rome, sauvé ses mythes en les travestissant, en les transportant dans une autre province de la mémoire. Il les a sacrifiés. Seulement, les sacrifiant, il en a gardé l'essentiel, l'armature philosophique, pour l'appliquer à l'analyse ardente de l'objet nouveau de sa foi : le dieu unique, créateur et maître universel.

Ces oppositions fondamentales ont eu une influence déterminante sur l'évolution des institutions.

L'Inde s'est progressivement engourdie dans un système féodal, rigide et immobile, durcissant les trois classes sociales fonctionnelles — prêtres, guerriers, éleveurs-agriculteurs — en castes étanches, hypertrophiant le pouvoir ou du moins le prestige des organes souverains, rois et caste brahmanique, anémiant au contraire et paralysant peu à peu les éléments dynamiques, les facteurs de rajeunissement et de renouvellement de l'ancienne société conquérante. À l'inverse, les Romains se sont engagés très tôt dans la voie qui devait les mener à l'abolition de la royauté, à la conception civique de la société et de l'État, à l'oubli de la classification fonctionnelle, à l'établissement de classifications d'un autre type (d'après la résidence, ou d'après la fortune...) permettant à tout citoyen d'être et de cesser d'être, tour à tour ou simultanément selon les cas, civil et militaire, magistrat laïc ou magistrat religieux.

Les différences entre les Romains et les Indiens sont particulièrement marquées. Mais on en trouve d'également nettes entre des peuples plus proches. Ainsi, chez les Romains comme chez les Irlandais, la « mythologie est fondue dans l'épopée, se présente comme un fragment relativement récent de la vie réelle du pays », mais cette rencontre est « compensée par une énorme différence : les deux peuples ne s'accordent pas du tout sur la conception de ce cadre humain où se situent leurs mythes ».

Pour le brillant et poétique paladin irlandais qui, malgré des débauches de bravoure et la plus vive intelligence, n'aura pas su avant notre siècle organiser son île, divin et humain ne s'opposent pas, ne se distinguent pas réellement : autant que parmi son clan et ses ennemis, l'Irlandais vit dans la surnature, parmi les fées des tertres et les fantômes de la brume ; il sait que rien n'est impossible à personne ; que les réseaux de tabous mystiques gouvernent la société et la vie de chacun plus souverainement que la casuistique des lois et des usages où pourtant sa finesse excelle ; que les dons et les secours mystérieux ont dans le succès des entreprises plus de part que les calculs ; que chaque homme est celui qu'il croit être, mais parfois aussi un autre, réincarné pour la troisième ou la quatrième fois, et encore un animal de la forêt ; il sait qu'au détour d'un récif des mers occidentales, la barque du pêcheur peut soudain aborder au pays des Morts, ou plutôt des

Vivants, et qu'ensuite, naturellement, elle en reviendra chargée de sorts et de mélancolie.

Au contraire, pour le soldat laboureur qui devait en moins de mille ans asservir le monde à quelques collines du Latium, l'humain se définit par une opposition rigoureuse au divin ; l'humain, c'est exclusivement le positif, le vraisemblable, le naturel, le prévisible, le codifiable, le régulier ; si donc les mythes sont « humains » et terrestres, les dieux y auront peu de part, et l'essentiel des récits se passera vraiment entre hommes, en machinations calculées et en réalisations exactes, comparables à ce qu'on racontera un peu plus tard des Scipions ou des Gracques, de Sylla ou de César ; la communication entre l'humain et le divin ne se fera guère, comme dans la vie même, que par sacrifices et prières d'un côté, présages et prodiges de l'autre ; les morts, comme dans la pratique, n'y interviendront qu'à titre d'exemples à imiter ou d'*imagines* à porter en procession ; le flux de l'irrationnel y sera contenu par les nombreuses digues que ce peuple de juristes et d'annalistes a su, respectueusement, élever devant lui.

À côté de l'exploration des différentes applications de l'idéologie tripartie, Georges Dumézil a consacré une bonne part de son activité à mettre en lumière la spécificité de chaque camp idéologique. En dehors de leur utilité directe pour la connaissance des religions et des « provinces » indo-européennes ainsi étudiées, de telles recherches « particulières » ont une double utilité.

1) Elles donnent à la comparaison sa pleine signification, en enracinant ses résultats dans des philologies, des histoires particulières. Ce programme a été défini dès les années quarante avec la série des *Mythes romains* et *Naissance de Rome* (1944) : « Tant que je ne fournissais pas un moyen précis d'insérer mes vues dans la perspective historique de Rome, la démonstration restait valable mais incomplète et surtout inefficace sur beaucoup d'esprits. Pour cette combinaison stable de faits authentiques, d'anticipations républicaines et de mythes indo-européens qui, si j'ai raison, constitue l'histoire des origines romaines, il faut présenter un "modèle plausible". » Ce projet aboutira deux décennies plus tard à la démonstration magistrale qu'est *La Religion romaine archaïque,* paru en 1966.

Il ne suffit pas d'extraire de la religion romaine ancienne les morceaux qui se laissent éclairer par les religions d'autres peuples indo-européens. Il ne suffit pas de reconnaître, de présenter la structure idéologique et théologique que dessinent, par leurs liaisons, ces îlots de tradition préhistorique. Il faut les replacer, ou plutôt les laisser *in situ*, dans le tableau romain et regarder comment ils se sont comportés aux différents âges de la religion romaine, comment ils y ont survécu, ou dépéri, ou s'y sont transformés. En d'autres termes, il faut établir, rétablir la continuité entre « l'héritage » indo-européen et la réalité romaine... Sans renoncer aux services de la méthode comparative ni aux résultats de la recherche indo-européenne, mais en associant à cet outillage nouveau, sans ordre de préférence, les autres moyens de connaissance traditionnels, il faut considérer Rome et sa religion en elle-même, pour elle-même, dans leur ensemble.

2) Elles répondent à la question énoncée elle aussi très tôt, en conclusion de *Tarpeia* (1947) : « Comment concevoir le travail d'adaptation, d'actualisation historique et géographique qui a organisé la légende des premiers siècles de Rome en grande partie à l'aide de mythes préromains, indo-européens ? Quels hommes, quels groupes d'hommes, entre 350 et 280, ont mis au point ce chef-d'œuvre ? » Question centrale, car on ne peut échapper à l'impression de mécanisme qu'engendre inévitablement le schéma triparti qu'en mettant en valeur le génie propre des historiens romains, des scaldes scandinaves, des réformateurs zoroas-triens et des générations de brahmanes qui ont amené le *Mahābhārata,* ce « monstre » de quatre-vingt-dix mille vers, à sa forme définitive.

Parmi les « provinces » européennes, c'est le domaine romain qui a bénéficié d'une attention privilégiée, parce qu'il est celui « qui, dans nos pays, intéresse le plus grand nombre d'esprits cultivés », et aussi parce que « tandis que les faits indiens, ainsi que les faits iraniens tout proches, sont bien connus et immédiatement accessibles, les faits romains, fossiles pour la plupart et mal compris des anciens eux-mêmes, exigent un long traitement ». Après les trois volumes des *Mythes romains* (*Horace et les Curiace,* 1942 ; *Servius et la fortune,* 1943 ; *Tarpeia,* 1947) et *Naissance de Rome* (1944), se sont succédé *Jupiter Mars Quirinus IV*

(1948) (1re partie), *L'Héritage indo-européen à Rome* (1949), *Rituels indo-européens à Rome* (1954), *Déesses latines et mythes védiques* (1956). Les autres « provinces » ont été comparativement moins bien traitées. La Germanie a fait l'objet d'une attention spéciale avec *Loki* (1948), *La Saga de Hadingus* (1953) et *Les Dieux des Germains* (1958). Le dossier iranien a été étudié dans *Naissance d'archanges* (1945) et *Le Troisième Souverain* (1949).

Dans les « bilans » commencés au début des années soixante, des monographies devaient être consacrées à chacun des principaux peuples indo-européens pour « exposer comment leurs diverses religions avaient, en cours d'histoire, maintenu, altéré, métissé, tôt ou tard estompé ou même perdu leur part initiale d'héritage indo-européen ». Par ailleurs, trois livres réunis sous le titre général de *Mythe et Épopée* « devaient exposer les usages non plus théologiques, mais littéraires, que les principaux peuples indo-européens ont fait de leur commun héritage, tant du tableau des trois fonctions que d'autres parties de l'idéologie ».

La série *Mythe et Épopée* a paru de 1968 à 1973. Le premier volume, de loin le plus gros, présente une vue d'ensemble de « l'idéologie des trois fonctions dans les épopées des peuples indo-européens », autour de trois grands tableaux : le *Mahābhārata* indien ; l'histoire des origines de Rome ; la légende des Nartes des Ossètes, lointains descendants caucasiens des Scythes. Ces tableaux ont permis, « du point de vue comparatif, l'observation de divergences progressives plutôt que l'approfondissement des concordances originelles préalablement reconnues ». Ils sont suivis d'exposés plus brefs sur « les utilisations de moindre envergure que d'autres peuples indo-européens — Grecs, Celtes, Germains, Slaves même — ont faites de l'idéologie tripartie soit dans des récits proprement épiques, soit dans des romans inséparables de l'épopée ». Les deux tomes suivants réunissent « des études comparatives plus limitées dans leur matière, qui posent des types nouveaux de problèmes, tels que les formes et les conséquences du péché, les types du dieu ou du héros coupable aux divers niveaux fonctionnels ». Le deuxième étudie des « types épiques indo-européens » à partir de personnages du *Mahābhārata*, confrontés à un dossier grec (pour le héros), à un dossier iranien (pour le sorcier), et à deux dossiers irlandais et iranien (pour le roi). « Le résultat a été, en gros, de repérer des épopées dont la matière et partiellement la forme existaient déjà avant les premières ou les dernières migrations préhistoriques. » Le troisième volume réunit des « histoires romaines » relatives aux Ve et IVe siècles (les débuts de Rome ont été traités dans le premier volume), elles aussi confrontées à des données comparatives (la première à deux dossiers iranien et irlandais ; la deuxième à un dossier indien ; la troisième dans le cadre général des trois fonctions) pour répondre à la question déjà posée dans *Tarpeia* et que reformule l'introduction du volume : « Comment s'est formée l'histoire des quatre premiers siècles de Rome telle qu'elle s'est imposée ensuite aux fondateurs de l'annalistique et, à travers eux, aux écrivains que nous lisons ? » Un quatrième tome, envisagé par Dumézil au début des années quatre-vingt et qui aurait dû, lui aussi, être consacré à des histoires romaines, n'a pas paru (la matière en est passée dans des esquisses).

En complément de cette grande fresque sur l'épopée, deux livres ont été consacrés à des textes majeurs de la mythologie scandinave : l'*Edda* de l'Islandais Snorri Sturluson, étudié dans *Loki* (1986 ; nouvelle rédaction du livre publié en 1948 ; il ne s'agit pas vraiment d'une monographie, car l'essentiel du propos est d'ordre comparatif, mais les deux premiers chapitres contiennent une présentation très détaillée du document et de la valeur qu'on peut lui accorder), et les *Gesta Danorum* du Danois Saxo Grammaticus auxquels est consacré *Du mythe au roman : La saga de Hadingus* (1970 ; nouvelle édition du livre de 1953).

À côté de l'épopée, les monographies religieuses consacrées à chaque peuple indo-européen n'ont pas connu un développement aussi harmonieux. Comme durant la période des « rapports de fouilles », c'est Rome qui « a été servie la première et la plus largement » avec l'*opus magnum* qu'est *La Religion romaine archaïque* (1966 et 1974), complété par *Idées romaines* (1969), *Fêtes romaines d'été et d'automne* (1975) et les « XV Questions romaines » placées en appendice à *Mariages indo-européens* (1979). Les Ossètes du Caucase, qui ont perpétué à travers les Alains du Moyen Age la langue et le folklore des Scythes, ont eu droit à un recueil, *Romans de Scythie et d'alentour* (1978), prolongé par des esquisses de *La Courtisane et les Seigneurs colorés* (1983). L'équivalent sur les Iraniens, pourtant anoncé comme imminent en 1977, n'a pas paru. Paradoxalement, l'Inde, omniprésente dans la comparaison, n'a bénéficié d'aucune monographie (en guise de compensation, le chapitre consacré à l'Inde dans *Les Dieux souverains des Indo-Européens*, 1977, a été plus développé que les autres). Les Germains ont eu droit à une version augmentée de l'ouvrage consacré à leurs dieux, disponible seulement en langue anglaise : *Gods of the Ancient Northmen* (1973 ; en français, les éléments en ont été dispersés dans *Les Dieux souverains des Indo-Européens* et dans les nouvelles éditions de *Heur et Malheur du guerrier*, 1985, et de *Loki*, 1986). Leurs voisins celtes ont été réduits à la portion congrue : quelques pages dans la quatrième partie de *Mythe et Épopée I*, et une seule esquisse ; carence qui s'explique non par le désintérêt, mais par le fait que Françoise Le Roux et Christian Guyonvarc'h ont entrepris d'étudier le domaine celtique dans une perspective dumézilienne qui a permis au maître de leur abandonner ce secteur de l'enquête. Rançon du « miracle grec » qui a conduit très tôt à l'abandon des schèmes indo-européens pour de nouveaux cadres de pensée, la Grèce n'a pas fait l'objet d'une étude systématique, mais a bénéficié d'importantes esquisses dans *Apollon sonore* (1982) et *L'Oubli de l'homme et l'honneur des dieux* (1985). Les Slaves sont eux aussi restés en marge, leur mythologie étant très largement perdue : le dernier chapitre de *Mythe et Épopée I* et une esquisse de *La Courtisane et les Seigneurs colorés* ont cependant étudié des bylines russes (contes populaires), renouant avec la matière du premier article publié par Dumézil en 1925, « Soukhmanti Odykhmantievitch, le paladin aux coquelicots ». Pour l'anecdote, on peut signaler que cet article, consacré à un héros qui meurt en donnant naissance à un fleuve, notait, sans aucune référence indo-européenne, que les démarches de celui-ci « se développent sans imprévu par une application de la fastidieuse "règle de trois" qui veut que, dans tant de contes populaires, tout exploit se divise en trois, ou ne réussisse qu'à la troisième reprise, ou soit tenté par trois héros » : Soukhmanti s'approche de trois rivières ; au cours de sa lutte contre les Tatars, il est blessé par trois archers... Ce premier contact avec le triple ne manque pas de saveur quand on considère l'usage que Dumézil en fera par la suite.

Cette énumération montre l'inégale exploration des différentes « provinces » indo-européennes, mais elle témoigne surtout de la prodigieuse étendue de l'enquête, qui n'a guère d'équivalent dans la science contemporaine. Il faut rappeler que dans tous les cas, Georges Dumézil est parti de documents originaux, au lieu de se référer à des manuels ou à des traductions.

*
* *

Le texte qui suit, extrait d'*Idées romaines,* montre comment s'effectue ce processus d'adaptation du cadre triparti hérité des Indo-Européens, à travers un exemple particulièrement remarquable de « retouches homologues à deux traditions parallèles », à Rome et en Iran. Les notes ont été allégées.

CHAPITRE V

LES ARCHANGES DE ZOROASTRE
ET LES ROIS ROMAINS DE CICÉRON

L'autre morceau d'« histoire » auquel l'idéologie des trois fonctions a fourni son cadre est la succession des quatre rois préétrusques, des quatre types de règne qui ont achevé, par des créations successives et complémentaires, la création de Rome. Avec quelques variantes sans conséquence sur le quatrième roi, Ancus, la présentation est constante, chez les poètes comme chez les historiens. Une seule exception : le Romulus et le Tullus, le premier et le troisième roi de Cicéron, ne se conforment pas à la vulgate. Il y a eu retouche. Pourquoi ?

À l'autre bout du monde indo-européen, chez les Indiens et chez les Iraniens, une même conception des trois fonctions domine la théologie : le polythéisme védique confie chaque fonction ou aspect de fonction à un dieu ; le monothéisme de Zoroastre à un « Archange », à une Entité, sublimation d'un dieu traditionnel. Entre les deux listes — l'une colorée, celle des dieux, l'autre pâle et abstraite, celle des Archanges — la correspondance est bonne, et le type du dieu reconnaissable sous l'Archange. Sauf pour Aša et Xšaθra, le premier et le troisième Archanges. Il y a eu retouche. Pourquoi ?

Commandées par des philosophies bien différentes, par des philosophies personnelles, celle de Zoroastre et celle de Cicéron, il se trouve que ces retouches portent sur les mêmes points et sont allées dans le même sens. Ainsi s'établit, entre deux domaines éloignés et sans interaction possible, une concordance d'un type rare : non plus de celles qui imposent, comme leur interprétation la plus vraisemblable, le maintien en plusieurs lieux d'un héritage commun, ni de celles qui résultent de développements parallèles, récents et indépendants, mais contenus déjà en germe dans l'héritage, telles que les comparatistes en décèlent souvent dans les faits de langue ; mais de celles que produit, en réaction contre la tradition, la réflexion de deux penseurs tendant par des voies convergentes, ici religieuse et là politique, vers le même idéal moral.

Les bandes de conquérants arya qui, au cours du second millénaire avant Jésus-Christ, se répandirent de la Syrie à l'Indus, celles de l'ouest pour une domination éphémère, celles du centre et de l'est pour des triomphes définitifs, portaient avec elles une explication du monde et de la société à la fois simple et puissante. Les forces qui animent l'une et l'autre, pensaient-ils, se groupent, pour l'essentiel, sur trois niveaux hiérarchiquement ordonnés et cosmiquement superposés, dont les deux premiers se laissent noter d'un mot rapide : souveraineté magique et juridique, vigueur guerrière ; quant au troisième, il est plus complexe, bien qu'on sente le facteur commun de ses manifestations : santé et nourriture, abondance en hommes et en biens, attachement au sol, et aussi paix, aspiration à la jouissance tranquille d'un âge d'or.

Cette idéologie est donc faite de contrastes organisés ; loin de tendre à l'uniformité, elle repose sur le postulat — ou sur la donnée expérimentale — que la vie de l'univers, comme celle des groupes humains, requiert l'ajustage de forces antagonistes, solidaires par leur antagonisme même, et qui, pour tenir leur place dans la synthèse, doivent d'abord se conformer jusqu'au bout à leur essence.

Dès cette époque ancienne, une équipe de divinités personnelles fortement caractérisées incarnait les trois « fonctions », exprimait dramatiquement, en figures et en aventures, l'opposition et l'interdépendance des concepts fondamentaux : ce sont ces dieux fonctionnels qui, joints à des dieux rituels comme Agni et Soma (le Feu et la Liqueur) et à quelques moindres seigneurs, se laissent complaisamment observer dans le RgVeda ; ils se retrouvent, avec leurs noms et leur hiérarchie, dans la formule de serment d'un roi arya, chez les Hourrites du haut Euphrate, au XIVᵉ siècle avant Jésus-Christ. Ce sont « Mitra-Varuṇa, Indra, les Nāsatya [1] ».

Varuṇa et Mitra, « les deux rois », présentent les deux aspects antagonistes, également nécessaires, de la Souveraineté [2] : du point de vue de l'homme, l'un est inquiétant, terrible, maître de la $m\bar{a}y\acute{a}$, c'est-à-dire de la magie créatrice de formes, armé de nœuds, de filets, c'est-à-dire punissant par saisie immédiate et irrésistible ; l'autre (Mitrá signifie proprement « le contrat ») est rassurant, amical (mitrá signifie aussi « l'ami »), inspirateur des actes et rapports honnêtes et réglés, ennemi de la violence. L'un est l'inflexible garant des grandes lois et des grands devoirs ; l'autre est plus attentif à ce que nous appellerions les problèmes humains. L'un, Varuṇa, dit un texte célèbre, est l'autre monde ; ce monde-ci est Mitra, etc.

En Indra se résument les mouvements, les servitudes, les nécessités de la Force brutale, qui produit victoire, butin, puissance. Ce champion vorace, dont l'arme est la foudre, abat les démons, sauve l'univers. Pour ses exploits, il s'enivre du soma qui donne vigueur et fureur. Son brillant et bruyant cortège, le bataillon des Marut, est la projection mythique, dans l'atmosphère, de la « société des jeunes guerriers », des márya, du Männerbund indo-iranien dont M. Stig Wikander

---

1. L'ordre vrai des deux premiers dieux serait « Varuṇa-Mitra » ; l'ordre « Mitra-Varuṇa » paraît être purement linguistique : dans les composés au double duel, du type mitrǎvǎruṇǎ, le nom le plus court est mis le premier.

2. Cf. Les Dieux souverains des Indo-Européens, 1977, p. 55-85, et Mythe et Épopée, I, 1968, p. 147-149.

a établi l'existence et déterminé les caractéristiques [1].
Bref, une morale de l'exubérance s'oppose ici à la
toute-puissance rigoureuse et à la modération bienveillante qui se réunissaient sur le premier niveau.

Les dieux canoniques du plus bas niveau, les deux
jumeaux Nāsatya, ceux que l'Inde appelle aussi les
Aśvin, n'expriment qu'une partie d'un si complexe
domaine. Ils sont surtout des donneurs de santé, de
jeunesse et de fécondité, des guérisseurs, des thaumaturges secourables aux infirmes comme aux amoureux,
aux vieilles filles qui souhaitent un mari comme aux
vaches qui n'ont pas de veau. Souvent ils sont renforcés
ou remplacés par des dieux et par des déesses qui
patronnent les autres aspects de la troisième fonction :
l'abondance, l'opulence, et aussi la « masse » populaire,
ce caractère pluriel et collectif qu'exprime bien le mot
$viśaḥ$ « les clans », que RV, VIII, 35 oppose déjà à
$bráhman$ et à $kṣatrá$, « formulation mystique » et
« puissance guerrière », comme les $vaiśya$ « éleveurs-
agriculteurs » seront plus tard subordonnés, dans la
théorie des trois $varṇa$, aux $brāhmaṇa$ et aux $kṣatriya$.

Tels sont les dieux des trois niveaux. On voit comme
ils se distinguent fondamentalement. Un hymne
dialogué du RgVeda met dans la bouche d'Indra et
de Varuṇa des vanteries alternées qui ne manquent
pas d'insolence. Des mythes, qui se prolongent jusque
dans l'épopée, racontent que l'accession des Nāsatya
au monde divin n'a pas été chose facile et qu'il a fallu
de puissantes interventions pour vaincre la résistance
d'Indra et des dieux. On a conclu de là, dans la
perspective historiciste dont certains esprits ne se
détacheront jamais, qu'Indra est un dieu plus récent
que Varuṇa, ou le dieu d'un groupe social qui, devenu

---

1. La nuance érotique du mot est certaine, M. Maryhofer,
Orientalia, XXXIV, 1963, p. 336 ; cf. L. Renou, *Études védiques et
pāṇinéennes*, IV, 1958, p. 49 ; X, 1962, p. 10, n. 1 et p. 64 (qui,
à tort, élimine l'élément guerrier, dont ne doutaient certainement
pas les Égyptiens ni tous ceux qui, dans le Proche-Orient, avaient
fait l'expérience des *márya*).

dominant, a poussé sa religion aux dépens d'autres cultes ; et que les Nāsatya ont eu d'abord une « base ethnique » encore différente et ne sont devenus des dieux de toute la société arya que par un compromis [1]. En fait, ces querelles et ces réconciliations entre personnages divins ont peu de chances d'être des « souvenirs historiques » mythisés. Par des gestes et des paroles, par de petits drames, elles expriment les *ressorts* internes de toute la structure *conceptuelle* de la religion, les tensions et les équilibres qui la constituent, le double fait de l'*opposition* et de la *solidarité* des *éléments* à l'intérieur de l'*ensemble* : comme il est ordinaire, théologie et mythologie montrent en acte ce que l'idéologie contient en puissance.

Nous ne savons pas bien ce qu'il faut entendre par « la réforme zoroastrienne ». Mais nous en connaissons les antécédents, la matière première, qui était sûrement fort proche du système védique et prévédique qui vient d'être résumé, et, dans les diverses parties de l'Avesta, nous en lisons, nous en voyons se développer les effets.

Au nord-est de l'Iran, entre 1000 et 600 avant Jésus-Christ, un ou plusieurs voyants sont entrés en commerce personnel avec un dieu dont *Varuṇa, le grand asura indo-iranien, semble bien avoir fourni les traits principaux, mais qui, apparaissant dans toute sa majesté, est devenu le dieu unique, aussi exigeant que le jaloux d'Israël. Cette intuition monothéiste, cette unicité du Seigneur Sage, *Ahura Mazdā,* est le thème fondamental des hymnes où le zoroastrisme se présente dans son état pur, les gāthā de l'Avesta. Et elle est de grande conséquence.

Le dieu unique, amplification d'un des dieux du niveau souverain, mais transcendant maintenant toute

---

1. Il existe des problèmes exactement symétriques dans la mythologie scandinave : des interprétations historicisantes ont été données de l'assaut d'injures que font Óđinn et Þórr dans les *Hárbarđsljóđ,* et surtout de la guerre, puis de la fusion des Ases et des Vanes ; Jan de Vries en a fait justice.

réalité, impose à ses fidèles un choix, une seule formule de choix : chaque homme est tout avec lui ou tout contre lui, « partisan de l'*aša* (l'ordre cosmique, mystique et légal) » ou « partisan de la *druj* (la tromperie, le mal) ». Avec quelques réserves, on peut parler de « réforme moralisante », car il est certain que beaucoup des commandements et surtout des défenses du zoroastrisme ont constitué un progrès moral. Mais je n'insiste ici que sur le caractère *universel, absolu* de chacune de ces prescriptions et de l'ensemble qu'elles forment : il n'y a plus place pour des comportements divers, voire opposés, également licites à des niveaux ou dans des organes sociaux différents. Or, cette uniformisation, cette mise au pas doit se manifester surtout en deux points qu'il est aisé de prévoir.

D'une part, au premier niveau, une polarité conceptuelle comme celle qui soutenait le couple *Mitra-*Varuṇa est devenue impossible. Le dieu unique est cohérent. Il est le modèle de ce qu'il exige de chaque fidèle. La richesse de ses qualités est donc en équilibre stable, sans tension, et, quelle que soit l'origine, plutôt varunienne, d'Ahura Mazdā, le centre de cet équilibre est résolument mis dans l'« aspect Mitra » de la souveraineté : pas de surprise ni de piège en Dieu, mais l'exercice juste et bienveillant du pouvoir suprême, selon sa propre loi connue des hommes, communiquée par lui au prophète ; plus rien surtout de l'aspect inquiétant, presque démoniaque, du grand magicien *Varuṇa : entre le bon et le mauvais, la rupture est totale, sans frange, — et le mauvais, c'est l'ancien polythéisme (les *daēva* sont maintenant les « démons »), avec son assortiment bigarré de concepts et de conduites.

D'autre part, dans la société qui s'est vouée à Ahura Mazdā, les guerriers ne peuvent plus être que des croisés au service de *la* religion, et des croisés liés par les mêmes obligations que tous les autres fidèles, sans privilège ni exemption. Si Dieu interdit l'ivresse à ses prêtres, il l'interdira aussi à ses soldats. La violence ne sera plus pour eux une valeur, une fin en soi, fleur de l'exubérance légitime des jeunes *márya* ; strictement conditionnée, elle ne se tournera que contre le mécréant : M. Wikander a montré qu'*Aēšma*, l'un des pires fléaux et, plus tard, le plus redoutable démon aux yeux des mazdéens [1], et qui incarne la fureur destructrice de la société, ne fait que personnifier en mal la qualité qui, au contraire, avec la même racine, fournit au ṚgVeda une épithète laudative propre aux compagnons d'Indra, les Marut, et à leur père, le terrible Rudra : *iṣm-īn* « præcipites », et sans doute plutôt « furiosi ». (Ces mots sont formés sur la racine non seulement du grec οἶστρος du latin *ira*, mais sans doute du verbe vieux-scandinave *eiskra* qui désigne l'état de fureur des guerriers-fauves, des berserkir, en sorte qu'il semble bien qu'on touche ici un terme technique des « sociétés de guerriers » indo-européens.)

Ainsi fondé avec ses exigences, le monothéisme aurait pu se borner à affirmer Dieu et à rejeter tout le reste comme superstition. Mais les réformateurs appartenaient à la classe sacerdotale (Zoroastre est présenté comme *zaotar*), et ils n'ont pas voulu renoncer à ce qu'il y avait d'explicatif dans le système des fonctions dont ils rejetaient les personnifications divines : souveraineté, force, santé et prospérité sont, en soi, des notions saines, répondant à des besoins authentiques, dont la distinction, par conséquent, aide à analyser le réel et à comprendre l'œuvre du Créateur. De là est né le système, si original, des *Aməša Spənta*, des « Immortels Bienfaisants (ou Efficaces) », premières créatures et fonctionnaires supérieurs de Dieu dans l'administration du monde et dans le drame du salut [2].

Cette liste de six entités aux noms abstraits — les « Archanges » du mazdéisme — est calquée, avec sa hiérarchie, sur une forme de l'ancienne liste des dieux fonctionnels où, simplement, une déesse (du type de l'indienne Sarasvatī) exprimait la troisième fonction

---

1. On sait que l'*Asmodée* de la Bible porte le nom de cet *Aēšma daēva* ; en géorgien, *ešma, ešmaki* veut encore dire « diable ».

2. Cf. *Les Dieux souverains des Indo-Européens*, p. 115-149 (H. C.-B.).

avec, devant, les jumeaux Nāsatya : en tête, les deux principaux Archanges, la *Bonne Pensée* (Vohu Manah) et l'*Ordre* (Aša) ont pris la place du bienveillant *Mitra et de *Varuna, maître de l'ordre (r̥tá) ; à la place d'Indra se présente le troisième archange, la *Puissance* (Xšaθra), dont le nom est le mot même qui, dans l'Inde, dès *RV*, VIII, 35, désigne différentiellement la fonction guerrière ; puis vient un archange dont le nom signifie à peu près *Piété* (Ārmaiti), mais qui, dès les gāthā, est aussi le génie de la terre en tant que nourricière ; ce sont enfin, presque inséparables, les archanges *Intégrité* et *Non-Mort* (Haurvatāt̠ et Amərətāt̠), patrons des eaux et des plantes, en qui l'on avait depuis longtemps soupçonné un démarquage des jumeaux Nāsatya, donneurs de santé et de jeunesse. Ainsi, grâce à la hiérarchie des Archanges, sans porter atteinte à son principe, le monothéisme a pu sauver la science du monde que lui proposait le polythéisme traditionnel.

Seulement, chaque archange a dû renoncer à la plus grande partie de son originalité. Ils ne sont plus, tous, que les délégués d'un même dieu ; pour tous, la vertu et le vice, le licite et l'interdit, les fins de l'individu, de la société et du monde sont *les mêmes*. D'où cette uniformité, cette monotonie, cette pâleur décourageante, cette apparence interchangeable que les historiens des religions iraniennes ont souvent notées : tout se passe comme si, malgré leurs noms et malgré les provinces bien diverses que paraissent définir soit ces noms, soit les éléments matériels qui leur sont associés (le métal pour Xšaθra, la Terre pour Ārmaiti, les eaux et les plantes pour Haurvatāt̠ et Amərətāt̠), les quatre derniers archanges n'avaient à faire, avec moins de fréquence ou d'intensité, que ce que font déjà, activement, les deux premiers. C'est que, au fond, il n'y a plus qu'une « fonction » : le service de la vraie religion [1].

---

1. On comprend dès lors que des savants considérables tels que B. Geiger aient pu penser que tous les Aməša Spənta sont du niveau,

Sur quels points ce nivellement des anciens dieux fonctionnels aura-t-il causé les altérations les plus sensibles ? Nous l'avons prévu : sur l'archange $A\check{s}a$, substitut de *Varuna, et sur l'archange $X\check{s}\hat{a}\theta ra$, substitut d'*Indra.

De fait, Aša n'est pas varunien, n'est ni plus ni moins « inquiétant » que Vohu Manah, qu'il double avec majesté, seulement un peu plus loin de l'homme. On enseigne couramment que les deux premiers archanges ont même formule, même domaine. C'est excessif, mais il a fallu en effet regarder de très près pour observer dans leur rapport le reflet de quelques-unes des formes anciennes de l'opposition de Mitra et de Varuṇa [1].

Quant à Xšaθra, profitant des glissements de sens que permettaient les diverses valeurs anciennes du mot, les réformateurs l'ont orienté moins vers l'idée de « Puissance » que vers celle de « Royaume », déjà presque au sens où l'Évangile parlera du Royaume de Dieu. Pour lui aussi, on a eu de la peine à recueillir quelques traces de l'aspect batailleur du prototype indo-iranien [2].

---

de l'essence des Āditya. Cette vue s'ajuste à la mienne : Zoroastre a haussé les quatre derniers Aməša Spənta au niveau des deux premiers, substituts légitimes des deux principaux Āditya (dieux souverains, dieux de première fonction), *Mitra et *Varuna ; le système des dieux des trois niveaux fonctionnels lui a fourni la *matière* à sublimer, le type des dieux du premier niveau (les Āditya védiques) lui a fourni l'*esprit* de la sublimation.

1. *Naissance d'archanges*, p. 97-98, 131-132, 137-142.
2. *Ibid.*, p. 142-146. Les arguments les plus forts restent ceux qui sont tirés du nom même de Xšaθra : la valeur différentielle de « deuxième fonction » de védique *kṣatrá*, d'osse *Æxsærtæg* (p. 146-153) ; et aussi la représentation de *Šaorēoro* (Xšaθra Vairya) en guerrier sur les monnaies indo-scythes (p. 154-155). Le « métal *des armes* », d'ailleurs bien attesté, a tourné la plupart du temps au « métal précieux » (en tant que caractéristique du « Roi ») ou au métal de l'ordalie eschatologique (en tant qu'assurant aux Bons l'entrée du « Royaume ») : p. 155-156.

Telle est la situation dans le zoroastrisme pur des gāthā [1]. Le monothéisme, par la morale unique qu'il proposait et imposait, a opéré comme fait un champ de force. Tout en laissant en place, sous forme d'Archanges aux noms abstraits, l'ancienne hiérarchie des fonctions et de leurs dieux, il les a toutes et tous orientés dans un même sens, alors que, dans le polythéisme, la raison de leur nombre et l'intérêt de leur groupement étaient de faire éclater des orientations diverses, souvent même opposées deux à deux. Et c'est dans les provinces, dans les types du dieu « souverain terrible » et du dieu guerrier que l'alignement a commandé les plus notables, les plus assagissantes modifications.

*
* *

Ce système des trois fonctions, avec ses subdivisions et ses nuances, les Indo-Iraniens ne l'avaient pas inventé : la théologie scandinave (Óðinn-Týr, Þórr, les dieux Vanes), la théologie archaïque de Rome (Juppiter-Dius, Mars, Quirinus) se distribuent selon le même modèle et, sur d'autres points du domaine indo-européen moins bien connus, on en trouve des vestiges.

À Rome, c'est moins dans la théologie, nette mais courte, que dans « l'histoire » des origines que cette structure a été utilisée. Avant d'être, à l'école des Grecs, d'excellents historiens, les Romains ont eu en effet l'esprit historique, ou plutôt historicisant, en ce sens qu'ils ont inséré dans leur propre passé, en le chargeant de noms d'hommes, de peuples, de lieux, de *gentes* pris à leur expérience, ce qui, chez des peuples dont l'imagination s'attachait moins exclusivement aux intérêts nationaux, se présente comme des récits fabuleux, hors cadre, ou comme des légendes divines [2].

---

1. Pour simplifier, je ne considère pas ici les formes postérieures du mazdéisme, où reparaissent Miθra, Vərəθragna, comme *dieux*, mais Indra, Naonhaiθya, etc. comme *démons*.

2. V. la seconde partie (romaine) de *Mythe et Épopée*, I, et *Idées romaines*, p. 179.

Rome, donc, imaginait la première période de sa carrière — les temps préétrusques — comme une croissance régulière en quatre temps, la Providence suscitant chaque fois un roi d'un caractère nouveau, conforme au besoin du moment [1] : *Romulus* d'abord, le demi-dieu aux enfances mystérieuses, qui eut l'ardeur, les auspices et le pouvoir nécessaires pour créer la Ville ; puis *Numa,* le sage religieux qui fonda les cultes, les prêtres, le droit, les lois ; puis *Tullus Hostilius,* roi tout guerrier, qui donna à Rome l'instrument militaire de sa puissance ; puis *Ancus Marcius,* dont l'œuvre est complexe comme l'est la troisième fonction elle-même : fondateur, par Ostie et par le pont du Tibre, du commerce impérial, draineur d'*opes* ; et aussi roi sous lequel l'immense plèbe, la « masse » romaine, s'est domiciliée dans Rome ; roi enfin sous qui, avec l'opulent immigré Tarquin, avec Acca et Tarutius, la richesse a fait son apparition à Rome comme élément de prestige ou de puissance.

Ces quatre rois forment un système qui n'est pas une vue de l'esprit, mais que les Romains comprenaient, affirmaient, admiraient — *quadam factorum industria* — en tant que système. Ce n'est pas nous, c'est Anchise, au VIe chant de *L'Énéide* [2], c'est Florus dans son *Anacephalaeosis de septem regisu* [3], qui, d'une

---

1. J'ai étudié ces règnes et leurs rapports dans divers livres : Romulus et Numa, en tant que personnages antithétiques, dans *Mitra-Varuṇa,* 2e éd., 1948, p. 55-74 ; Tullus Hostilius dans *Horace et les Curiaces,* 1942, p. 79-88 ; Ancus Marcius dans le troisième mémoire de *Tarpeia,* 1947. Résumé dans *Mythe et Épopée,* I, p. 271-281.

2. *Énéide,* VI, 777-784, et, après une politesse à Auguste, 808-816 : commenté dans *Tarpeia,* p. 161-175. Les quatre rois sont excellemment définis par quatre signalements que dominent respectivement les mots *auspicia* (du demi-dieu Romulus), *sacra* et *legibus* (de l'humble et tout humain Numa), *arma, agmina* (de Tullus), *popularibus auris* (d'Ancus).

3. *Epitome,* I, 8, résumant les présentations des sept rois (1-7) : *Haec est prima aetas populi Romani, et quasi infantia, quam habuit sub regibus septem, quadam fatorum industria, tam uariis ingenio ut reipublicae ratio et utilitas postulabat. Nam quid Romulo ardentius ?...*

phrase ou d'un mot, d'une étiquette différentielle, résument le caractère et l'œuvre de ces quatre rois, et cela d'une manière constante pour les trois premiers, d'une manière variable pour le quatrième, mais toujours correspondant à l'un des aspects de la troisième fonction (roi *popularis,* roi *aedificator*...). Ce n'est pas l'analyste moderne, c'est Tite-Live, c'est Denys d'Halicarnasse, c'est Plutarque, c'est toute la tradition qui s'ingénie à opposer point par point, sur tous les points imaginables, « les deux fondateurs », Romulus et Numa. C'est Tite-Live encore qui avertit que Tullus a plus d'affinité avec Romulus, qu'au contraire Ancus ressemble à Numa son grand-père...

D'autre part, l'invraisemblance historique de cette séquence, de ses résultats progressifs, éclate aux yeux. Le second, le troisième roi auraient réussi deux fois, en sens inverse, de *feroces* en religieux, de religieux en belliqueux, à retourner le caractère des Romains ? Le second roi, parce que telle était son humeur, aurait pu passer quarante années sans guerre ? Sous Tullus, la petite collectivité des *montes,* même étendue aux *colles,* aurait eu la force de supprimer Albe ? Sans parler des anachronismes dûment repérés dans l'œuvre d'Ancus... Il y a donc bien structure et même, très conscient, système, et système que des événements n'ont pu suggérer, système de concepts : les annalistes ont travaillé sur le vieux schème qui voulait que, pour être complète, adulte, une société accumulât (hiérarchiquement, ici successivement) les bienfaits d'un chef créateur, ardent, voire bénéficiaire des *auspicia* ; d'un chef sacerdotal, calme, juste et juriste, instituteur des *sacra* ; d'un chef militaire, technicien des *arma* ; enfin d'un chef occupé de la masse *(plebs, turba),* des richesses *(opes, diuitiae)* et des constructions *(aedificator).*

Comme le tableau indien des dieux fonctionnels, ce tableau romain des rois vaut, en tant qu'ensemble, par

Quid Numa religiosius ?... Quid ille militiae artifex Tullus ?... Quid aedificator Ancus ?... »

la vivacité des contrastes qu'il enferme et que, comme les poètes védiques, les annalistes latins soulignent.

Dans ce dessein d'accentuer l'expression, et par opposition à Numa et à Ancus qui sont tout « bons », deux termes, le premier et le troisième, les homologues de Varuṇa et d'Indra (qui, comme ces deux dieux, présentent entre eux des affinités) se distinguent par des traits qui seraient aisément « blâmables ».

On sait quel caractère une partie au moins de la tradition attribue à Romulus-roi (après la mort de Tatius, événement qui ouvre son vrai « règne fonctionnel »), et comment ce caractère explique une des versions de sa mort, celle qui le montre mis en pièces par les sénateurs. Tite-Live n'y fait qu'une discrète allusion, mais Denys et Florus le déclarent nettement et Plutarque y insiste longuement (*Romulus, 26, 1-4*) :

> « Tout enhardi par son succès, s'abandonnant à son orgueil, il perdit son affabilité populaire et prit les manières odieuses et offensantes d'un despote. Cela commença par le faste de son habit : vêtu d'une tunique rouge et d'une toge bordée de pourpre, il donnait audience assis sur un siège au dos renversé. Il avait toujours autour de lui cent jeunes gens qu'on appelait les *Celeres* à cause de leur promptitude à exécuter ses ordres. D'autres marchaient devant lui, écartant la foule avec des bâtons, ceints de courroies pour lier sur-le-champ tous ceux qu'il leur désignerait... »

Royauté terrible, en vérité, et distante, poussée à l'extrême de son type, par opposition à celle de Numa, toujours affable, mesuré, équitable ; et royauté « lieuse », aussi matériellement que celle de Varuṇa. Les quelques traits pris à l'image grecque du tyran s'associent à un fonds bien romain, aux *Celeres,* sombres prototypes des *lictores.* Avec sa *māyā* et ses nœuds, Varuṇa pourrait d'ailleurs être décrit, lui aussi, par les Grecs en termes de tyrannie, par opposition au juste, au sacerdotal Mitra.

Quant à Tullus, les annalistes avaient un tel souci de le réduire entièrement à son type de roi militaire qu'ils en ont fait un athée, un impie. Indra, dans quelques hymnes, se contente de défier Varuṇa. Tullus, lui, méprise les dieux, ignore Juppiter, qui le châtie — car ce crime est aussi la cause de sa mort. Si Denys d'Halicarnasse, tout en disant la chose, l'édulcore, Tite-Live est d'une grande vigueur. Il a d'abord bien présenté son héros (I, 22, 2) :

« Loin de ressembler à son prédécesseur, Tullus fut encore plus impétueux *(ferocior)* que Romulus ; son âge, sa vigueur, et aussi la gloire de son aïeul [le compagnon le plus prestigieux de Romulus] aiguillonnaient son esprit ; il croyait que, par la paix, la société devenait sénile... »

Et voici la fin (I, 31, 5-8) :

« Peu après [la guerre sabine], une épidémie éprouva les Romains. Bien qu'ils eussent alors perdu le goût de se battre, aucune trêve ne leur était accordée par ce roi belliqueux, qui croyait que la santé des *iuuenes* rencontrait de meilleures conditions dans les camps que dans leurs foyers — jusqu'au jour où il contracta lui-même une longue maladie. Son âme impétueuse fut brisée avec ses forces physiques : *lui qui, jusqu'à ce moment, avait considéré que rien n'est moins digne d'un roi que d'appliquer son esprit aux choses du culte,* soudain il s'abandonna à toutes les superstitions, grandes et petites, et propagea même dans le peuple de vaines pratiques. Déjà la voie publique réclamait qu'on restaurât la politique de Numa, dans la conviction que la seule chance de salut pour les corps malades était d'obtenir la clémence et le pardon des dieux. On dit que le roi lui-même, en consultant les livres de Numa, y trouva la recette de certains sacrifices secrets en l'honneur de Juppiter Elicius ; il se cacha pour les célébrer ; mais, soit au seuil, soit au cours de la cérémonie, il commit une faute de rituel, en sorte que, loin de voir apparaître une figure divine, il irrita Juppiter par une évocation mal conduite et fut brûlé par la foudre, lui et sa maison. »

Encore une fois, dans le cas de Tullus comme dans celui de Romulus, l'*excès* (ici tyrannie, là impiété) n'est qu'une manière de mettre en relief le *normal*, le *nécessaire*, le type *spécial* que l'une ou l'autre figure légendaire est chargée, à son rang, d'exprimer.

Cette tradition sur les rois a rencontré son Zoroastre, je veux dire un auteur qui, la soumettant à un principe plus important qu'elle à ses yeux, à un principe exigeant, uniformisant, s'est trouvé conduit à diminuer les singularités de Romulus et de Tullus, à faire de Romulus et de Tullus des « Romains modèles » au même titre que Numa et Ancus : correction sans portée, sans lendemain, mais curieusement parallèle, dans son origine et dans son expression, à la profonde réforme du prêtre iranien.

Que veut prouver Cicéron, par la revue rapide qu'il fait des sept rois de Rome au second livre du *De Republica* ? Que les rois, du second jusqu'à l'avant-dernier inclusivement, ayant tous régné en vertu d'une *lex curiata de imperio,* et que le premier même, le fondateur, Romulus, s'étant acquis par sa conduite une autre sorte de légitimité, ont tous correctement préfiguré les « magistrats » de la Rome historique, ont surtout incarné ceux de la République idéale. Seul le dernier, le Superbe, le tyran, a manqué à la règle, s'est fait *de rege dominus* — et l'on sait les conséquences douloureuses pour la ville, fatales à la royauté, de cette violation des principes.

Dès lors, pour les besoins de la démonstration, Romulus devient une sorte de Numa. Tatius mort, loin de tourner au « souverain excessif », de provoquer les *patres,* il s'appuie plus encore sur leur prestige et sur leurs avis, *multa etiam magis patrum auctoritate consilio-que regnauit* (II, 8, 14) ; le chapitre suivant insiste : Romulus, dit Cicéron, montra par sa conduite qu'il pensait, comme Lycurgue de Sparte, que le régime monarchique fonctionnait plus heureusement *si esset optimi cuiusque ad illam uium dominationis adiuncta auctoritas.* Loin d'être présenté comme l'instituteur terrible des licteurs, des « lieurs », armés de courroies et de verges, il reçoit de Cicéron cet éloge : c'est par des amendes comptées en brebis et en bœufs, *non ui et suppliciis,* qu'il punissait. Et, bien entendu, le récit de la mort et de l'apothéose ne fait ensuite aucune allusion à un assassinat du roi par les *patres.*

Tullus subit une métamorphose analogue. Le palimpseste ne nous a pas gardé la fin du chapitre (II, 17, 31) qui lui est consacré et nous ne lisons plus la phrase où Cicéron parlait de sa mort [1]. Mais les lignes qui traitent de son œuvre sont remarquables. Bien entendu, il garde sa spécification militaire, guerrière : *cuius excellens in re militari gloria, magnaeque exstiterunt res bellicae.* Mais, loin de le représenter comme un impie, en qui le génie guerrier excluait la pensée religieuse, Cicéron, seul de tous les auteurs anciens, lui attribue la création de la partie de la religion et du droit qui concerne, domine, sanctifie la guerre : *constituit ius, quo bella indicerentur, quod per se iustissime inuentum sanxit fetiali religione, ut omne bellum, quod denuntiatum indictumque non esset, id iniustum esse atque impium iudicaretur.* Partout ailleurs c'est à Numa, en tant qu'initiateur de tous les *iura* et de toutes les *religiones,* qu'est rapporté l'établissement des prêtres fétiaux et du *ius fetiale* ; ou, chez Tite-Live, à Ancus, en tant que participant à l'esprit de Numa, son grand-père. Mais on comprend l'intention, le besoin de Cicéron : son Tullus reste guerrier, mais il faut qu'il soit pieux et juste au sein de sa spécialité [2], dans le

---

1. Saint Augustin, *Cité de Dieu,* III, 15, comble d'ailleurs cette lacune d'une manière significative ; après avoir cité le *De Rep.,* II, 10 sur la mort de Romulus, il ajoute : « Cicéron, dans le livre que je viens de citer, dit de Tullus Hostilius, troisième roi, frappé aussi de la foudre, que les Romains ne crurent pas pourtant qu'il eût été promu par ce genre de mort au rang des dieux, sans doute parce qu'ils ne voulurent pas, en l'attribuant trop facilement à un second, déprécier l'honneur fait à Romulus. » Il ressort de ce texte que Cicéron, s'il rapportait la légende de Tullus foudroyé, ne présentait pas cette mort comme un châtiment, mais comme une amorce d'apothéose.

2. Dans le même ordre d'idées, c'est à Tullus, et non à Romulus, que Cicéron, dans ce chapitre XVII, attribue l'institution des

même sens et au même degré que Numa, que tous les rois « réguliers » qui ont régné ou régneront *iussu populi*, le peuple ayant été consulté *curiatim*. De Romulus à Servius, Juppiter peut être uniformément content des rois de Rome.

Ainsi en Orient et à Rome, avant les grandes monarchies iraniennes et dans le déclin de la République impériale, la vieille « superstructure » indo-européenne survit aux changements radicaux de la structure économique et sociale : elle s'est réfugiée là dans la mythologie, ici dans l'histoire des origines. Puis, sur cette idéologie libérée de ses attaches réelles mais toujours vivace et puissante, deux esprits bien différents travaillent : un voyant des marches chorasmiennes, mystique et poète ; bien des siècles plus tard, en sa villa de Tusculum, un philosophe hellénisant. Tous deux retouchent la matière traditionnelle pour l'accorder l'un à sa foi, l'autre à sa thèse. Chacun est original, peut se croire indéterminé, libre. Ils font la même chose.

licteurs. Mais comme nous sommes loin de l'insolence du « souverain terrible » ! C'est tout le contraire : *ne insignibus quidem regiis Tullus, nisi iussu populi, est ausus uti. Nam ut sibi duodecim lictores cum fascibus anteire liceret...* Ici commence la lacune du palimpseste, mais *liceret* dit assez que Tullus demanda et obtint du peuple « qu'il lui fût permis » de se faire précéder de licteurs.

QUATRIÈME PARTIE

LE DISCOURS DE LA MÉTHODE

La méthode... Georges Dumézil n'aimait pas le mot, et encore moins le méthodologisme qui a envahi les sciences sociales. A toutes les demandes de systématisation, il opposait la formule de Marcel Granet : « La méthode, c'est le chemin après qu'on l'a parcouru. » Quand on lui faisait remarquer que quelques dizaines de livres et quelques centaines d'articles constituaient un chemin plus que respectable, il changeait de registre : « Ma méthode, c'est une longue suite de repentirs. » La plupart de ses livres ne comportent qu'une très brève préface et vont tout de suite à la question traitée. Et lorsqu'il doit procéder à une mise au point contre certaines « tentations » de chercheurs imprudents, c'est pour affirmer aussitôt que celle-ci « ne formule pas les "règles" d'une "méthode" : en fait de règles, je ne connais que celles du Discours. Il ne s'agit que de précautions, fondées sur le bon sens ». D'où un rejet de Durkheim et des « méthodes préfabriquées » : « Publier les *Règles de la méthode sociologique* avant de faire l'œuvre, cela ne me semblait pas acceptable. » La deuxième édition de *Mitra-Varuna* (1948) s'ouvre sur une attaque très dure contre la fureur théorisante des épigones de Durkheim, qui n'avaient pas tous le talent de Marcel Mauss ou d'Henri Hubert.

Une des faiblesses ordinaires — et actuelles — des études sociologiques est de multiplier les règles préa- lables et les définitions *a priori* dont on ne sait plus ensuite se dégager, ou encore de dresser de brillants pro- grammes qu'on est bien empêché de remplir. Beaucoup d'heures de travail se perdent ainsi chaque année en spéculations faciles, flatteuses, mais peu fructueuses, du moins du point de vue de l'esprit. Nous n'ajouterons pas à ce gaspillage. Auprès des deux maîtres dont les noms figurent en tête de ce livre, nous avons appris, entre autres choses, à respecter le concret, la matière toujours changeante de l'étude ; car, en dépit d'injustes critiques et malgré un illustre exemple, rien n'est plus étranger à la pensée de ces grands hommes que l'apriorisme et l'exclusivisme. M. Mauss nous disait un jour : « J'appelle sociologie toute science bien faite » ; et nous n'avons pas oublié une boutade de Marcel Granet, parlant de l'art de découvrir et jouant sur l'étymologie : « La méthode, c'est le *chemin, après* qu'on l'a parcouru. » Cela ne veut pas dire que nous ne nous connaissions pas de méthode. Mais mieux vaut agir que prêcher. Dans les études naissantes, comparatives ou autres, tout ne se ramène-t-il pas aux règles classiques, à Descartes et à Stuart Mill, au bon sens ? Utiliser toute la matière qui s'offre, quelles que soient les disciplines spéciales qui se la partagent provisoirement et sans y faire soi-même d'arbitraires découpages ; regarder longuement le donné, avec ses évidences, qui sont souvent moins que des évidences, et ses mirages, qui sont parfois mieux que des mirages ; se défier des jugements traditionnels mais, tout autant, des opinions singulières et des nouveautés à la mode ; éviter de se lier par un langage technique prématuré ; ne considérer ni la hardiesse ni la prudence comme « la » vertu par excellence mais jouer de l'une et de l'autre, vérifiant sans cesse la légitimité de chaque démarche et l'harmonie de l'ensemble ; ce « pentalogue » contient tout l'essentiel.

On pourrait dès lors être tenté de conclure à un empirisme absolu. Ce serait une erreur grave : la « nouvelle mythologie comparée », dont il a défini l'objet et les buts, repose sur une méthode rigoureuse qui a été décrite et affinée dans plusieurs textes fondamentaux : certes, le mot « méthode » y apparaît fort peu et le point de départ est toujours un problème mythologique précis, qu'il soit romain, scandinave ou indien. Mais leur portée est plus générale. Mis bout à bout, ces fragments de discours laissent voir avec une grande netteté des principes directeurs (puisque Georges Dumézil récusait les « règles ») très fermement énoncés et tout aussi fermement maintenus.

1) Premier principe, constamment réaffirmé contre le refus des spécialistes : Dumézil s'est toujours présenté comme historien. Ainsi que l'a écrit son ami Mircea Eliade, « Dumézil n'a pas utilisé la méthode philologique, étymologique de Max Muller, mais une méthode historique : il a comparé des phénomènes socioreligieux historiquement apparentés (à savoir les institutions, les mythologies et théologies d'un certain nombre de peuples descendant de la même matrice ethnique, linguistique et culturelle) ».

Ce changement de perspective différencie radicalement la nouvelle mythologie comparée de l'ancienne, celle de l'école d'Adalbert Kuhn (1812-1881) et de Friedrich-Max Muller (1823-1900) : elle préfère la concordance des concepts aux concordances des noms divins, étymologiques et linguistiques, elle recherche un héritage commun plutôt qu'un hypothétique prototype des noms de dieux. Dans ses premiers travaux, antérieurs à 1938, Dumézil s'est obstiné à réexaminer d'anciennes équations onomastiques, mais l'échec a été total : « Les années passant, très peu de ces équations ont résisté à un examen phonétique plus exigeant : l'Erinys grecque n'a pu continuer à faire couple avec l'indienne Saraṇyu, ni le chien Orthros avec le démon Vṛtra. La plus incontestable s'est révélée décevante : dans le Dyau védique, le "ciel" est tout autrement orienté que dans le Zeus grec ou le Juppiter de Rome, et le rapprochement n'enseigne presque rien. » Après 1938, il a maintenu pendant un certain temps quelques équations, puis il les a soit explicitement reniées (ainsi le rapprochement entre l'irlandais *airig* et l'indo-iranien *Arya,* d'où Aryens), soit purement et simplement « évacuées » (ainsi à propos de *flamen brahman* : « Je continue à regarder le rapprochement comme probable, mais cela n'a aucune importance »). De temps en temps, l'étymologie sera utilisée, « quand elle est évidente », mais en règle générale elle ne sera qu'« un renfort, non un fondement de l'interprétation ». La préface de *Mythe et Épopée III* énonce une véritable apologie de l'histoire.

Comme il faut bien, à toute recherche, un domicile honorable dans la République des Lettres, j'aurai l'audace de solliciter pour celle-ci une place au prytanée des historiens, et des historiens selon la définition la plus traditionnelle : ceux qui s'efforcent par tous les moyens raisonnables d'établir, de dater, d'expliquer des faits, mais qui, lorsqu'ils se rendent compte qu'ils n'en ont pas les moyens, se refusent à en établir, à en dater, à en expliquer. C'est à ce double titre, positif et négatif, qu'elle me paraît mériter ce bel hébergement : certes, les faits qu'elle détermine relèvent de l'histoire des idées plutôt que de l'histoire des événements ; elle n'en est pas moins de l'histoire, et en outre elle aide à démasquer de faux événements trop facilement reçus.

Reconnaître que la légende de l'éruption du lac Albain au début de la Canicule appartient à la théologie de Neptune dont la fête ouvre la série des jours caniculaires, et que cette théologie et cette légende rejoignent des conceptions indo-iraniennes et irlandaises qui les éclairent ; comprendre que les rapports de Camille et de Mater Matuta ne se limitent pas à un vœu formulé, exaucé et payé, mais s'expriment dans beaucoup des choses qui sont racontées de Camille ; constater que, dans les biographies du même Camille et de Coriolan, l'idéologie des trois fonctions a suggéré aux auteurs près d'une dizaine de « tableaux tripartis » dont chaque terme répond à une intention fonctionnelle immédiatement sensible : n'est-ce pas là rechercher et obtenir des faits aussi importants que le seront, quelques siècles plus tard, le dessein monarchique de César ou le programme restaurateur d'Auguste, habilement décelés par l'interprétation d'actes et de résultats ? Simplement, ce ne sont pas les « plans » de Coriolan, de Camille ou du Sénat qui se découvrent, mais ceux des hommes de lettres qui ont composé ces récits.

Aucun des procédés ici employés n'est pris non plus à une autre pratique que celle des historiens ou de leurs indispensables auxiliaires : l'explication des textes, la détermination de constantes ou de leitmotive, de parallélismes et d'oppositions en série, sont couramment utilisées par les disciplines, philologie, archéologie, épigraphie, qui soutiennent l'histoire. La comparaison même, si elle n'a guère de moyens, en dehors des Tables ombriennes d'Iguvium, de s'exercer sur le domaine italique, est depuis toujours familière aux hellénistes à qui Doriens, Ioniens, Arcadiens et, depuis peu, Achéens, fournissent souvent, dans la religion, les institutions, les légendes, des matières divergentes mais si visiblement apparentées qu'ils ne peuvent pas ne pas essayer d'en préciser les ressemblances et les différences et d'entrevoir les lignes d'évolution qui, à partir d'une origine commune, les ont fait être ce qu'elles sont. Le genre de comparaison que je mets au point depuis une quarantaine d'années n'a pas d'autre fondement. Le niveau d'application est changé, non le type des rapports : Indo-Iraniens, Grecs, Latins, Germains, Celtes, etc., sont, les uns par rapport aux autres et tous ensemble par rapport aux Indo-Européens communs, ce que les Achéens, les Arcadiens, les Ioniens, les Doriens sont entre eux et vis-à-vis des ἀνδρές préhistoriques qui, bande après bande, sont descendus des montagnes ou des steppes du Nord. Comparer Śiśupāla, Starkaðr, Héraclès et déterminer leur point de départ, sinon leur prototype, commun, c'est faire, à un étage plus ancien, ce que les historiens de la fable grecque font et refont depuis des siècles avec les Héraclès d'Argos, de Thèbes, de Sparte et d'ailleurs.

Enfin ces recherches consistent pour une grande part à éprouver les sources de notre information, à reconnaître exactement le genre, à mesurer la quantité des enseignements qu'elles donnent : n'est-ce pas là, ne faut-il pas que ce soit là un des premiers soucis des historiens ? Si le débordement du lac Albain et la création d'une rivière éphémère, en punition d'une faute rituelle, à la saison des Neptunalia, apparaît comme la forme romaine d'un mythe dont la forme irlandaise est la naissance de la rivière Boyne, produite par le débordement du puits de Nechtan en punition d'un sacrilège ; si Camille transpose au masculin, devant Faléries, avec le vil pédagogue qu'il expulse de son camp sous les verges et les petits garçons innocents qu'il honore, ce que les dames romaines miment rituellement chaque année à la fête de sa protectrice, la déesse Aurore ; si toute l'histoire du siège du Capitole par les Gaulois tient dans trois scènes clairement distribuées sur les trois fonctions — le prodigieux acte de piété d'un Fabius, le succès de Manlius contre l'escalade nocturne, les derniers pains jetés du haut de la citadelle sur les avant-postes ennemis —, ces « faits », tous révélés ou mis en valeur par la comparaison à divers niveaux, dissuadent, malgré les précisions de noms de lieux et d'hommes, de chercher des événements réels sous les récits considérés et engagent à les restituer à la littérature pure, une littérature elle-même nourrie d'une religion et d'une conception du monde traditionnelles, plus anciennes que Rome.

Alors que la sociologie cherche à dégager des types universels, la nouvelle mythologie comparée se fixe une tâche « plus limitée et autrement orientée. Sans le moins du monde opposer les deux méthodes, qui sont également saines, également légitimes et d'ailleurs complémentaires, nous ne faisons pas de la comparaison *typologique* mais de la comparaison *génétique* ; avec toutes les adaptations que commande la différence des matières, nous essayons d'obtenir sur le domaine indo-européen, pour les faits religieux, ce que d'autres comparatistes ont obtenu par les faits linguistiques : une image aussi précise que possible d'un système préhistorique *particulier,* dont un certain nombre de systèmes historiquement attestés sont, pour une bonne part, la survivance ».

Cette étude s'appuie sur des textes. À ceux qui parlent d'histoire problématique, Dumézil oppose le primat du document et, à travers lui, le primat du fait (Dumézil n'hésite pas à employer le mot malgré sa consonance positiviste). Encore en 1982, présentant son premier recueil d'esquisses, qui propose à ses successeurs des dossiers à approfondir, il se fixe pour but de consigner « le plus clairement possible les énoncés des problèmes, avec ce qui me semble être, pour chacun le principal moyen de solution, c'est-à-dire, presque partout, selon l'enseignement de Marcel Granet, l'explication d'un texte ou d'un document ».

2) Cette étude des textes est d'abord comparative. Ce que dit la préface d'*Apollon sonore* vaut pour l'ensemble de l'œuvre : « Bien peu de données sont inédites, mais des analyses conduites sous la lumière comparative font apparaître des articulations ou des valeurs auxquelles on n'avait pas prêté attention. » Dès *Jupiter Mars Quirinus*, Dumézil revendique formellement le primat de la comparaison sur les philologies particulières.

Beaucoup de philologues spécialistes — indianistes, latinistes, etc. — estiment prudent, nécessaire, de réserver la comparaison pour un second stade de la recherche ; ils entendent traiter d'abord leurs dossiers, apprécier les textes, interpréter les divers témoignages, composer une image probable des formes les plus anciennes, même préhistoriques, de la religion et généralement de la société qui constitue la matière de leur philologie, et cela en toute souveraineté, par les seuls moyens de la critique interne et externe, éclairés par ce qu'ils savent, devinent ou sentent du génie du peuple considéré, tel justement que le leur révèle l'étude philologique des textes. Chacun des spécialistes entend que ses pairs, les spécialistes des autres provinces indo-européennes, en fassent autant. Une fois que les philologies indienne, latine, germanique, etc., auront librement constitué une image des plus anciennes formes de la vie sociale et des représentations religieuses des divers peuples qu'ils traitent distributivement, *et alors seulement,* le comparatiste sera admis à s'emparer de ces résultats et à les confronter, sans d'ailleurs avoir à les retoucher sensiblement par ses méthodes propres. Ils conçoivent ainsi le travail par étages superposés et par étapes nettement distinctes : philologie pure à la base, et « philologies séparées » (pour ce qui nous concerne, « mythologies séparées ») ; puis, en superstructure, la comparaison.

Ce programme repose sur une illusion bien compréhensible : c'était celle, somme toute, des hellénistes qui s'irritaient, il y a un siècle, contre les intrus qu'on appelait bizarrement les « grammairiens comparés » ; ils avaient construit, de l'intérieur du grec, avec des matériaux grecs, des systèmes plausibles pour expliquer l'opposition de *esti* « il est » et de *eisi* « ils sont », et ces systèmes leur semblaient autrement rassurants que les « hypothèses » qui reconnaissaient ici l'opposition sanscrite de *asti* « il est » et de *santi* « ils sont » et les oppositions latine et allemande toutes semblables de *est* et de *sunt,* de *ist* et de *sind.* Les comparatistes avaient pourtant raison. Il en est de même pour notre matière : ce n'est pas de l'intérieur d'une société indo-européenne particulière qu'on peut déterminer avec vraisemblance ce qui, en elle, dans l'état de sa maturité, provient d'une innovation plus ou moins récente, et ce qui a été maintenu de l'héritage ancestral ; ce n'est pas l'historien d'une société indo-européenne particulière qui, d'après ce qu'enseigne la seule histoire, peut conjecturer la préhistoire : dans les équilibres qu'il constate, les plus vieux éléments sont souvent réduits à peu de chose et détournés de leur fonction première ; comment, par quelle intuition pressentirait-il et surtout démontrerait-il leur ampleur et leur valeur anciennes ? Le comparatiste au contraire dispose d'un moyen objectif d'appréciation : le repérage des coïncidences entre deux sociétés apparentées, et des coïncidences en groupe plutôt qu'isolées. Si l'on reconnaît, enchâssée dans un équilibre spécifiquement indien et dans un équilibre spécifiquement romain par exemple, une même série, suffisamment originale, d'éléments soutenant entre eux des relations homologues, il y a pour ces derniers présomption d'antiquité, d'héritage à partir de la préhistoire commune, et plus le groupe d'éléments considérés sera complexe et délicat, plus la présomption sera forte ; si un troisième équilibre, spécifiquement scandinave ou irlandais par exemple, présente le même groupe d'éléments singuliers, la preuve est bien près d'être acquise. Au fond, il en est de la méthode comparative en matière religieuse comme en matière linguistique : elle seule permet de remonter avec assurance, avec objectivité, dans la préhistoire par l'utilisation simultanée des archaïsmes, des bizarreries (des « irrégularités », disent les grammairiens), de toutes les traces qui, ici et là, au sein de chaque équilibre particulier substitué à l'équilibre préhistorique commun, témoignent bien de ce lointain passé, mais n'en témoignent qu'à la condition d'être recoupées, confirmées, interprétées et parfois restaurées du dehors.

Par conséquent, la comparaison, l'esprit comparatif doivent intervenir *dès le début*, dès la collecte et l'appréciation des documents. En procédant à l'inverse l'indianiste isolé d'une part, le latiniste isolé d'autre part risquent de construire pour la préhistoire de leurs domaines deux images où les points communs n'apparaîtront pas ensuite clairement, ou même auront été négligés à cause de leur insignifiance apparente dans l'équilibre historique indien et dans l'équilibre historique romain. C'est ce qui est plusieurs fois arrivé.

Dumézil restera toujours fidèle à cette démarche. Dans les entretiens avec Didier Eribon, parus après sa mort, il répond aux critiques « en conseillant une lecture plus attentive des textes anciens, une lecture "à la Granet" et, je l'avoue volontiers puisque c'est ma raison d'être, une lecture éclairée par la comparaison de ce qu'enseignent d'autres peuple indo-européens ». Cette comparaison ne prétend pas « reconstituer un mythe, un rituel, un organe politique ou un rouage social indo-européen dans la forme concrète, pittoresque, où il a pu exister trois mille ans avant notre ère mais [...] donner des moyens objectifs de se représenter sur cinq cents, mille ou deux mille ans suivant les cas, une partie de la préhistoire des civilisations indo-iranienne, italique, germanique, etc., historiquement connues ». Les spécialistes de ces civilisations ne disposaient, pour reconstituer la préhistoire de leurs religions, que du « point d'arrivée », connu par les plus anciens documents disponibles, la comparaison y ajoute le « point de départ » : l'état indo-européen, non pas reconstitué concrètement, mais défini dans son type. La comparaison fournit l'hypothèse de départ qui est ensuite vérifiée analytiquement (cf. *supra*, p. 180-187, à propos de la naissance de Rome).

3) Cette comparaison porte sur des ensembles. Un dieu, un héros... ne révèle sa pleine signification que considéré dans ses rapports avec d'autres dieux, d'autres héros...

On dit couramment de nos jours que, si Romulus appartient à la légende, en revanche, ce qui est raconté de son successeur Numa et des rois qui vinrent ensuite offre des garanties d'authenticité ; ce faisant, on néglige d'une part le fait massif que les caractères et les biographies de Romulus et de Numa sont construits de manière à former, sur tous les points, une antithèse, et d'autre part le fait, sur lequel les Romains eux-mêmes ont pourtant insisté, que les quatre rois préétrusques sont censés avoir apporté chacun à la Ville qui venait de naître un des organes ou couple d'organes fonctionnels, nécessaires à son bel avenir, les deux fondateurs, Romulus et Numa, lui donnant l'un les auspices et l'État, l'autre *sacra* et *leges* ; puis Tullus Hostilius lui imposant la science, le goût et la pratique des armes ; Ancus Marcius enfin lui ouvrant les voies de toutes les abondances.

Les spécialistes qui ont refusé de reconnaître cette évidence ont perverti l'une des règles de Descartes : « Ils divisaient volontiers les problèmes en autant de parcelles qu'il fallait pour ne plus les voir. »

Dumézil énonce dès la préface de sa thèse ce principe de la reconnaissance de « la primauté des ensembles sur leurs constituants ». *Le Festin d'immortalité* (1924) ne parle pas encore de système ou de structure, mais l'idée y est.

Supposons que dans les légendes des divers peuples indo-européens, nous retrouvions un même thème isolé : la constatation ne prouverait rien quant à la qualité indo-européenne du thème, d'abord parce que le nombre des thèmes connus dans le monde, si grand soit-il, est limité et qu'il y a de fortes chances pour que le thème en question apparaisse chez maint peuple d'autre famille ; puis, en admettant qu'il n'apparaisse que chez les peuples indo-européens, parce qu'une concordance aussi restreinte peut sans paradoxe être attribuée au hasard. Si la concordance s'étend à une, à plusieurs séquences thématiques, l'intervention du seul hasard devient moins probable, surtout si les séquences sont complexes et originales, c'est-à-dire associent des thèmes nombreux qui n'apparaissent nulle part ailleurs dans le même groupement. Si enfin l'on reconnaît, chez tous les peuples indo-européens et chez eux seuls, plusieurs séquences riches en thèmes groupées elles-mêmes autour d'un centre, dans un ordre toujours le même, de manière à former ce que nous avons appelé un cycle, l'hypothèse du hasard sera exclue. Mais exclue en même temps sera, cette fois, l'hypothèse d'un emprunt : à qui, quand, et comment cet emprunt aurait-il été fait, pour recouvrir ainsi toute l'aire indo-européenne, et elle seulement ? Force sera donc d'admettre, comme en matière de langage, des évolutions indépendantes à partir d'un original commun.

Notre tâche est dès lors définie : c'est un cycle, complexe et précis, que nous devons chercher.

Dans l'introduction du premier exposé d'ensemble sur la tripartition (1941), « le mot "cycle", peu heureux », a disparu. Dumézil parle maintenant de système.

Mais il ne faut pas oublier qu'une religion — et ces deux mots se sont déjà rencontrés plusieurs fois dans l'exposé qui précède — est un *système,* un *équilibre.* Elle n'est pas faite de pièces et de morceaux assemblés au hasard, avec des lacunes, des redondances et des disproportions scandaleuses. Si nous osions risquer après tant d'autres une définition, toujours extérieure, nous dirions qu'une religion est une explication générale et cohérente de l'univers soutenant et animant la vie de la société et des individus. Si donc on ne veut pas se méprendre grossièrement sur la forme, l'ampleur et la fonction propre de tel ou tel d'entre les rouages d'une religion, il est urgent de le situer avec précision par rapport à l'ensemble. Quitte à retoucher ensuite cette première image, il faut dessiner d'abord les lignes maîtresses de toute l'architecture religieuse qu'on étudie ou qu'on reconstitue. Sinon, n'importe quel dieu étant plus ou moins amené à s'occuper de toutes les provinces de la vie humaine, on risque d'attribuer essentiellement à celui, quel qu'il soit, qu'on étudiera ce qui ne lui appartient qu'accidentellement ; on le centrera sur la marge de son domaine ou même au-delà et l'on méconnaîtra au contraire sa destination fondamentale. Bref, contrairement à une illusion fréquente, contrairement à un précepte de fausse prudence fort révéré, les monographies ne peuvent être constituées avec quelque assurance que lorsque l'ordre d'ensemble a été reconnu. Ou, si l'on préfère une formule plus modérée, il faut pousser parallèlement, l'une corrigeant sans cesse et améliorant l'autre, l'étude du cadre et celle des détails, l'étude de l'organisme et celle des tissus.

Cette appellation de « système des trois fonctions » se retrouve dans *Les Dieux des Indo-Européens* (1952), mais concurrencée par la notion de structure. L'idée reste la même : les trois fonctions constituent « une théologie articulée, dont il est difficile de penser qu'elle s'est faite par le rassemblement de pièces et de morceaux ; l'ensemble, le plan conditionnent les détails ; chaque type divin, dans son orientation propre, exige la présence de tous les autres, ne se définit même bien que par rapport aux autres, avec la vivacité que seule produit l'antithèse ». Dumézil a par la suite regretté cette substitution.

J'ai cédé à une objection de Victor Goldschmidt, le futur exégète de Platon, qui était alors mon auditeur à l'École des Hautes Études : « système », m'a-t-il dit, implique conscience, volonté, calcul ; alors que le capital mythique d'une société est, pour chaque membre de cette société, un donné indépendant de sa volonté ; mieux vaut donc employer le mot « structure ». En fait, Goldschmidt n'avait pas raison : « structure » dit simplement en latin ce que « système » dit en grec. Et quand on parle du système solaire, du système nerveux d'une part, de structures moléculaires d'autre part, les deux substantifs sont synonymes.

Le problème essentiel est que « structure » renvoie à un mouvement de pensée en plein essor vis-à-vis duquel la position de Dumézil est vite ambiguë : dans le chapitre III des *Dieux des Indo-Européens*, significativement intitulé « Structure et chronologie », il oppose les historicistes aux structuralistes, en se rangeant clairement dans le camp des seconds. Mais sa crainte d'être « catalogué » comme apparte- nant à une école le conduit à prendre ses distances : le mot fera encore des apparitions dans les livres suivants, mais celui d'« idéologie » lui sera progressivement préféré. Sa promotion comme concept central, esquissée dans la leçon inaugurale au Collège de France, est consacrée, dans l'introduction, aux *Rituels indo-européens à Rome* (1954).

Les rituels sont importants au même titre que les autres éléments d'une religion : théologie, mythologie, littérature sacrée, organisation sacerdotale ; mais tous ces éléments sont eux-mêmes subordonnés à quelque chose de plus profond, qui les oriente, les groupe, en fait l'unité, et que je propose d'appeler, malgré d'autres usages du mot, l'*idéologie,* c'est-à-dire une conception et une appréciation des grandes forces qui animent le monde et la société, et de leurs rapports. Souvent cette idéologie n'est qu'implicite et doit être dégagée par analyse de ce qui est dit en clair des dieux et surtout de leurs actions, de la théologie et surtout de la mythologie, ce qui conduit à restaurer dans une certaine mesure la primauté de ce genre de documents. Mais, virtuelle ou explicite, tant qu'on n'a pas compris l'idéologie d'une religion, on n'en peut interpréter les diverses manifestations sans commettre à chaque instant de graves, parfois de grossiers contresens. Bien des rituels, en particulier, sont remarquablement analogues dans de nombreuses religions de niveaux très divers, et pourtant, à les rapprocher sans précaution, à les unir sous un même titre, on risque de dévoyer l'étude de chacun et de créer, dans une théorie générale, des entités illusoires. On voit bien tout ce qu'on perd pour l'intelligence des faits, on ne voit pas ce qu'on gagne, à ranger la consommation du totem des Arandas et l'eucharistie chrétienne sous le vocable de « théophagie » : dans les deux cas, sous des apparences gestuelles voisines, les communiants ont conscience d'opérations mystiques radicalement distinctes, avec des intentions, des processus et des bénéfices qui n'ont guère d'élément commun.

Le concept n'est sans doute pas très bien choisi, car la définition qu'en donne Dumézil est beaucoup plus large que celle sur laquelle on s'accorde communément (encore que certains chercheurs, et notamment l'indianiste Louis Dumont, adoptent une conception semblable) et il peut en résulter des contresens. Peut-être eût-il mieux valu, comme Daniel Dubuisson le fera plus tard, parler de logique des trois fonctions. Mais Georges Dumézil n'a jamais eu beaucoup de goût pour les controverses sémantiques, et les notions de « système », de « structure » et d'« idéologie » cohabitent sans heurts, souvent employées comme synonymes. Au-delà des variations de vocabulaire, la primauté des ensembles n'a jamais cessé d'être le fil conducteur.

4) Ces trop brèves remarques suffisent à suggérer une épistémologie fortement architecturée, tant dans son principe que dans ses techniques. L'immense étendue de l'enquête, la quasi-absence de développements théoriques ne doivent pas faire oublier qu'il existe une véritable herméneutique duméziliennne. Ce que l'on prend souvent pour de l'empirisme n'est en fait que le refus des systèmes préconçus. Une fois guéri de son « intoxication » frazérienne des débuts, Dumézil a toujours rejeté toute explication *a priori*, à partir d'un modèle, que celui-ci soit primitiviste ou sociologique. D'où sa condamnation des ambitions prématurées des sciences humaines qui, « grisées par l'avance prodigieuse des mathématiques et des sciences de la matière, s'abandonnent au rêve de sonder, de toucher, en une génération, le fond de leurs problèmes ». D'où aussi sa mise au point à l'égard des développements récents d'un structuralisme qui entreprenait, sous la plume de chercheurs jeunes et pressés, d'« adapter » ses résultats.

Depuis quelques années, le mot « structure » est devenu ambigu. Tout en gardant sa valeur précise, ancienne — lorsqu'il est question, par exemple, de la structure d'une démonstration, d'un roman, d'un État —, il a pris un emploi technique beaucoup plus ambitieux dans un système philosophique aujourd'hui fort en vogue, auquel il a même donné son nom. Il en résulte de la confusion. On range volontiers mon travail — et c'est, suivant les auteurs, un éloge ou un blâme — parmi les manifestations ou, étant donné les dates, parmi les prodromes du structuralisme. Il arrive même que de jeunes structuralistes s'impatientent de ma lenteur ou de mon incapacité à suivre les progrès de la doctrine et des techniques interprétatives qu'elle inspire et m'enseignent, exemples à l'appui, le parti que des esprits plus agiles ou plus orthodoxes peuvent déjà tirer de mes dossiers. Je tiens à mettre un terme à ces bienveillances sans objet : je ne suis pas, je n'ai pas à être, ou à n'être pas, structuraliste. Mon effort n'est pas d'un philosophe, il se veut d'un historien, d'un historien de la plus vieille histoire et de la frange d'ultra-histoire qu'on peut raisonnablement essayer d'atteindre, c'est-à-dire qu'il se borne à observer les données primaires sur des domaines que l'on sait génétiquement apparentés, puis, par la comparaison de certaines de ces données primaires, à remonter aux données secondes que sont leurs prototypes communs, et cela sans idée préconçue au départ, sans espérance, à l'arrivée, de résultats universellement valables. Ce que je vois quelquefois appelé « la théorie dumézilienne » consiste en tout et pour tout à rappeler qu'il a existé, à un certain moment, des Indo-Européens et à penser, dans le sillage des linguistes, que la comparaison des plus vieilles traditions des peuples qui sont au moins partiellement leurs héritiers doit permettre d'entrevoir les grandes lignes de leur idéologie. A partir de là, tout est observation. Je ne connais de « structures » théologiques, mythologiques, institutionnelles, etc. — qu'il s'agisse des trois fonctions, des saisons, des feux, des eaux — que celles qui sont inscrites dans les documents indiens, iraniens, romains, irlandais, etc., et, pour les temps qui précèdent ces documents, que celles qui résultent de leur comparaison. Aucune n'est imposée *a priori* ni par extrapolation et quand, alerté par quelque ressemblance, j'ouvre un chantier comparatif, je ne sais pas d'avance ce que j'y trouverai.

*
* *

Les textes qui suivent donnent une idée de la manière dont Dumézil a précisé ses méthodes : dans les deux cas, il part d'un problème précis, mais les conclusions qu'il en tire ont une portée heuristique générale.

Le premier texte définit les critères de reconnaissance de la trifonctionnalité. De même que tout ce qui brille n'est pas or, tout ce qui est triple n'est pas triparti, et « il faut bien distinguer entre les triplements intensifs et les triades classificatoires ». Dans son dernier recueil d'esquisses, Dumézil a donné un exemple de cadre triple qui n'a « rien de trifonctionnel au sens indo-européen du mot, rien qui engage le pouvoir sacré, la force et la prospérité ; la triade correspond ici à une analyse logique et technique des opérations ». Ces « faux tripartis » sont particulièrement fréquents dans le monde celtique : « À toute époque les Gallois et les Irlandais ont usé et abusé du moule commode de la triade pour classer concepts, conseils, légendes, et ce serait un vain travail de prétendre par exemple rechercher parmi les nombreuses triades des Lois galloises médiévales, des traces de conceptions triples préchrétiennes. » À propos des mariages indo-européens, Georges Dumézil précise les conditions requises pour qu'un objet d'étude soit reconnu comme une application du schéma triparti.

Le second texte traite du problème redoutable de la valeur à accorder aux sources. On a parfois reproché à Dumézil de faire reposer toute sa construction sur un très petit nombre de sources. Ce n'est pas exact, car le corpus utilisé est immense, d'un traité signé par le roi de Mitani et trouvé sur une tablette à Bogazköy sur le site d'une capitale de l'empire hittite à la formule d'abjuration des Saxons conservée dans un manuscrit du IXe siècle, d'un texte de l'écrivain byzantin du VIe siècle Jean le Lydien aux légendes galloises, de l'Iliade aux bylines russes... Mais il est vrai que quelques textes ont constitué des sources d'information privilégiées : le Mahābhārata indien, Properce, Virgile et Cicéron à Rome, l'Edda scandinave, l'Avesta (livre sacré des zoroastriens) iranien, l'épopée narte des Ossètes... Or, la plupart de ces textes sont très tardifs : à Rome, lorsque Virgile et Properce écrivent, la religion s'est profondément transformée, la triade Jupiter-Mars-Quirinus a cédé la place à la triade capitoline Jupiter-Junon-Minerve ; les textes scandinaves et celtes sont postérieurs à la christianisation... Empruntent-ils leur contenu à des sources dont nous ne disposons plus ou opèrent-ils une reconstitution imaginaire ? Contre les excès de l'hypercritique, Georges Dumézil a défendu leur valeur de témoins. Sa « Réhabilitation de Snorri » dépasse largement le cas germanique et même le cadre indo-européen. Le texte a été allégé de notes philologiques, très techniques.

CHAPITRE VI

REMARQUES SUR L'INTERPRÉTATION TRIFONCTIONNELLE DES MARIAGES INDO-EUROPÉENS

Mis à part l'enlèvement des Sabines, les ensembles épiques qui viennent d'être étudiés — mariages successifs conclus ou projetés par Héraclès et par Sigurðr, mariages successifs procurés par Bhīṣma à ses jeunes parents — remplissent les conditions requises pour qu'on les interprète comme des applications de la « théorie matrimoniale » tripartie qui a été d'abord dégagée par la comparaison des droits romain et indien. Ces conditions sont les mêmes que pour les interprétations trifonctionnelles d'autres ensembles [1] : quant aux éléments de l'ensemble, tous les trois (ou, avec le rapt, tous les quatre) doivent être *distincts, solidaires, homogènes, exhaustifs* ; quant à l'interprétation de chaque élément, elle doit être immédiatement *évidente*.

Soient les trois engagements de Sigurðr dans la Grípisspá. Ils concernent successivement trois héroïnes, Sigrdrifa, puis la pupille de Heimir, puis la fille de Gjuki, le rapport du second au premier (oubli) étant le même que celui du troisième au second. Ils sont préparés ou contractés par un seul et même personnage, donc solidaires. Ils le sont dans des circonstances

---

1. Les nombreux chercheurs qui, depuis quelque temps, découvrent un peu partout des triades trifonctionnelles devraient se pénétrer d'abord de ces exigences de bon sens.

voisines, sinon identiques (1, rencontre; 2 et 3, réception chez un hôte), en vertu du même dessein, prendre femme. Enfin l'insertion d'un mariage supplémentaire de Sigurðr entre son premier exploit et sa mort n'est guère pensable. Quant à l'interprétation, elle est immédiate et certaine pour chaque terme : entre Sigurðr et Sigrdrífa, il y a, après une esquisse de rapt ou de violence, une promesse mutuelle, libre, par amour partagé, sans intervention de la famille de Sigrdrífa; puis Sigurðr achète Brynhildr à son père nourricier; puis la mère de Gudrun donne, impose sa fille à Sigurðr. Ce sont bien les orientations caractéristiques des modes *gāndharva* (après un début évoquant le *rākṣasa*), *āsura, brāhma*.

Pour Héraclès, la formule est un peu différente en ce que le mariage proprement *gāndharva* est dilué dans quantité de liaisons libres et fécondes, mais qui n'ont pas la valeur institutionnelle, l'effet juridico-religieux d'un mariage. Mais les autres unions se succèdent et sont bien distinctes, le héros n'épousant Déjanire que longtemps après avoir répudié Mégara, puis enlevant Iolé que, sur son bûcher de mort, il ne peut que léguer pour épouse au fils qu'il a eu de Déjanire. Elles ne sont pas moins solidaires, puisqu'elles ne se succèdent pas seulement, mais se commandent, le héros ne recherchant Iolé que parce qu'il a dû répudier Mégara, puis n'épousant Déjanire que parce que Iolé lui a été refusée, enfin n'enlevant Iolé malgré son mariage avec Déjanire que pour venger ce refus. Elles sont aussi homogènes, puisqu'elles répondent toutes au désir constant qu'a un seul et même personnage de se marier. Exhaustives enfin, puisqu'elles couvrent la totalité de sa vie humaine. Quant à l'interprétation, elle est immédiate pour tous les termes : Mégara conférée par son père à un héros brillant, Déjanire gagnée par un service qui vaut « kalym », Iolé conquise par la violence — sans parler de la foule des partenaires obtenues par simple consentement mutuel. Il s'agit donc bien, en succession, d'un mariage *brāhma,* d'un *āsura,* d'un *rākṣasa,* le tout saupoudré de *gāndharva* en grand nombre.

Pour Bhīṣma, le marieur, les termes sont distincts puisqu'il s'agit de quatre demandes successives à propos de jeunes filles différentes ; solidaires, puisqu'ils satisfont tous la même intention, assurer par des mariages réguliers la durée d'une même dynastie ; homogènes, puisque chacun se fait selon un mode canonique ; exhaustifs puisqu'il ne reste ensuite aucun jeune homme à pourvoir, aucun mode à utiliser. Quant à l'interprétation, elle est sans ambiguïté : les termes se conforment successivement aux modes *rākṣasa,* *brāhma* (ou assimilé), *gāndharva* et *āsura.*

Seule la légende romaine de l'enlèvement des Sabines contrevient à deux de ces règles, celle de la distinction et celle de l'homogénéité des termes. La raison de la première exception a été donnée plus haut : la future théorie des modes d'acquisition de la *manus* est présentée dans sa genèse, à l'état embryonnaire, dans une Rome encore informe. La raison de la deuxième exception est sensiblement la même : la *confarreatio* est le seul mode expressément différencié, créé par le fondateur ; les autres ne sont encore que préfigurés à des moments divers de l'événement.

Tout ce que ce bilan autorise à conclure — mais, du point de vue de notre étude, c'est l'essentiel — est que, dans les quatre cas, lorsque s'est constituée l'épopée nationale, la théorie des quatre modes de mariage respectivement fondés sur les principes des trois fonctions (la seconde fonction alignant ses deux principes, l'autonomie à côté de la force) était encore claire et complète et offrait un moule tout prêt aux compositions des poètes, des romanciers, des historiens, et un moule stable, quelles que pussent être ensuite les évolutions de la pratique juridique.

Par une action en retour, cette utilisation d'un même modèle dans quatre littératures confirme que, dans l'examen des droits, nous n'avons pas été la victime de mirages ou de sophismes en dégageant ce même modèle archaïque par la confrontation du tableau indien des formes de mariage et du tableau classique romain des moyens d'acquisition de la *manus*.

A ce point de la recherche, quelques remarques et quelques questions sont sans doute venues à l'esprit du lecteur.

D'abord une variante de l'objection qui a été souvent faite, et réfutée, à propos du dossier central de mon travail, celui des « trois fonctions ». Les trois fonctions de souveraineté magico-et juridico-religieuse, de force et de productivité, a-t-on dit, sont dans la nature des choses : quoi d'étonnant à les voir s'exprimer dans tant de structures conceptuelles, institutionnelles ou littéraires ? Et, si l'on en constate la présence dans l'Inde, à Rome, en Scandinavie, de quel droit conclure qu'elles sont partout le prolongement d'un héritage commun, alors qu'elles doivent être assurées en tout lieu et à tout moment pour que la société et les individus puissent vivre : ne faut-il pas, à tout moment et en tout lieu, sous des formes diverses, une direction spirituelle et politique, des moyens de défense et d'attaque, une organisation de la production — au sens le plus large — pour l'entretien de tous ? A quoi je fais en général une réponse en trois temps [1] :

1) Ces trois fonctions, conditions nécessaires et suffisantes de la survie, sont en effet assurées dans tout organisme, depuis les termitières des bois jusqu'aux empires de l'histoire. Mais c'est une chose bien différente que de prendre conscience de cette nécessité au point d'en tirer le cadre d'un système de pensée, une explication du monde, bref une théologie et une philosophie ou, si l'on préfère, une idéologie.

2) Dans les sociétés indo-européennes anciennes, c'est une telle idéologie que l'on constate, soit explicitée en formules, soit manifestée par de nombreuses applications dont beaucoup, d'une province

---

1. V. notamment ma réponse à John Brough, *Kratylos*, 4, 1959, reprise avec une introduction dans *ME*, III, p. 338-361.

indo-européenne à l'autre, présentent des ressemblances trop précises pour être indépendantes.

3) Dans l'ancien monde — Europe, Asie, Afrique du Nord — cette idéologie active ne se rencontre que chez les peuples parlant des langues indo-européennes et chez quelques peuples limitrophes dont on est assuré, parfois avec des précisions de dates, qu'ils ont été exposés à l'influence d'Indo-Européens, comme l'Égypte à partir de ses contacts avec les Hittites et les para-Indiens de Palestine ou de l'Euphrate, ou les Finnois, dont la langue est chargée d'emprunts germaniques et indo-iraniens. En particulier, ni les sociétés sémitiques du Proche-Orient, ni les sociétés sibériennes, ni la Chine ne l'ont pratiquée : cette dernière, par exemple, comme les Turcs les plus anciennement connus, coulait sa luxuriante réflexion, sa théologie notamment, dans un moule binaire (Ciel et Terre, haut et bas ; socialement : le mandataire du Ciel et tout le reste). En quelques autres points du monde — Amérique centrale, Afrique noire —, des ébauches d'une systématisation des trois fonctions « naturelles » s'observent parfois, dans des fêtes, par exemple, où trois épisodes rituels fonctionnellement caractérisés se succèdent, ou même dans des divisions sociales. Nulle part cependant, à ma connaissance, ces premières expressions n'ont été développées, n'ont fourni d'idéologie.

La situation n'est pas différente pour le tableau indo-européen des formes du mariage :

1) Le rapt ou l'achat par le prétendant, le don par le père et l'union légitime des deux partenaires épuisent si bien les possibilités qu'on n'imagine pas de procédure qui ne se ramène, dans son principe, à l'un ou l'autre de ces quatre types. Certes, mais la systématisation de ces types en un tableau dont tous les termes sont admis et ont le même effet juridique constitue un phénomène intellectuel d'un autre ordre.

2) Ce sont de tels tableaux qui apparaissent, au niveau du droit, à Rome et dans l'Inde et qui, à l'Inde,

à la Scandinavie, à la Grèce ont fourni des cadres épiques.

3) Autant que je sache, de tels tableaux ne se rencontrent pas, dans l'ancien monde, en dehors des domaines indo-européens. Faute d'une enquête prolongée que je n'ai plus le temps de conduire, cette proposition n'est naturellement que provisoire. Mais aucun fait de grande notoriété ne la contredit. Dût-on d'ailleurs, à l'expérience, reconnaître des exceptions, il n'en resterait pas moins que la densité et l'importance des attestations du tableau chez les peuples indo-européens recommanderait encore l'explication par l'héritage commun.

Dès cette esquisse, on peut discerner les points sur lesquels le tableau primitif était vulnérable, c'est-à-dire, les mœurs évoluant, le plus exposé soit à une élimination, soit à une déformation.

1) Dans le droit romain comme dans l'indien, le rapt était le terme le plus menacé. De fait, il a disparu de la systématisation romaine et plusieurs des systématisations indiennes le déclarent *adharmya*, contraire au dharma. Quand Bhīṣma affirme au contraire dans le Mahābhārata que ce mode est le plus honorable (pour les kṣatriya), cette doctrine est commandée par l'épisode épique qu'elle introduit ; en tout cas elle n'est pas reproduite ailleurs.

C'est ensuite le mariage *gāndharva* qui risquait le plus de sortir de l'actualité. A Rome, il n'en reste quelque chose, atténué et transformé, que dans une des formes d'acquisition de la *manus* : la « volonté libre » qui le fondait subsiste dans le choix laissé à la femme par le mode *usu* de *uelle* ou de *nolle*, c'est-à-dire d'accepter ou de refuser de sortir de la *manus* de son père ou de son tuteur : si elle n'emploie pas la procédure prévue pour exprimer ce *nolle*, c'est qu'elle souhaite entrer sous la *manus* de son mari. Dans l'Inde, bien qu'incorporé aux classifications sous sa forme pure où le jeune homme et la jeune fille, en tête à tête, secrètement *(rahasi)*, conviennent, avec effets de droit, de s'unir sexuellement, le mode *gāndharva* cède sa place dans la pratique à une forme plus policée, où la liberté de la jeune fille est toujours entière, mais où la manifestation en devient publique, officielle, organisée et annoncée par le père : c'est le *svayaṃvara* ; tous les prétendants s'assemblent et, le moment venu, la jeune fille déclare son choix non pas seulement au bénéficiaire, mais à tous les autres.

L'achat a eu des fortunes diverses. Inscrit, mais mal noté, condamné parfois, dans des classifications indiennes du mariage (mode *āsura*), il semble être devenu, dans la Rome historique, le mode ordinaire d'acquisition de la *manus* ; mais l'acte même de l'achat n'y est plus que symbolique.

2) Les légendes pouvaient être plus conservatrices et le sont en effet. Les tableaux épiques indien, grec, scandinave, romain même qui ont été analysés plus haut continuent d'organiser tous les modes, mêlant parfois les deux modes de deuxième fonction fondés l'un sur la force, l'autre sur l'autonomie, c'est-à-dire le rapt et l'engagement libre (Sigurðr et Sigrdrifa, les Romains et les Sabines). Sous cette réserve, à la différence de ce que l'on constate dans les droits réellement pratiqués, le rapt occupe une place de choix. Au contraire l'achat, réputé inférieur ou vulgaire, ou du moins peu héroïque, n'a que peu d'occasions de paraître, et dans des épisodes secondaires, ou bien prend la forme plus honorable d'un service convenu.

3) La remarque qui précède justifie la double démarche, les deux temps de l'étude qui vient d'être esquissée. La comparaison des statuts *juridiques* pratiqués à Rome et dans l'Inde a d'abord dégagé le tableau indo-européen, mais à travers des réformes et des dégradations. Celle des intrigues *épiques,* qui n'avaient pas à suivre la réalité sociale dans ses évolutions, manifeste au contraire cette même structure préhistorique presque intacte et par conséquent en confirme l'authenticité.

CHAPITRE VII

RÉHABILITATION DE SNORRI

La partie la plus considérable du dossier qu'on vient de lire et la mieux articulée, les pièces sans lesquelles toutes les autres ne seraient que des membra disjecta, *ce sont les nombreux chapitres ou suites de chapitres tirés de l'œuvre de Snorri, de ces traités didactiques qu'on désigne globalement sous le nom d'*Edda en prose : la Gylfaginning *ou « Fascination de Gylfi » et les* Bragarœður *ou « Propos de Bragi », où sont racontés tout au long beaucoup de mythes ; les* Skáldskaparmál, *sorte de recueil de connaissances littéraires utiles aux scaldes, qui complète la* Gylfaginning *et consigne, parfois en les expliquant, un grand nombre de périphrases scaldiques* [1]. *Longtemps ces documents ont joui d'une autorité incontestée : on admettait que Snorri n'avait eu qu'à recueillir autour de lui une matière encore vivante, qu'il était donc le témoin, informé et fidèle, d'un savoir auquel les poèmes eddiques et scaldiques faisaient de leur côté des emprunts plus fragmentaires ; l'accord général de Snorri et de ces poèmes, le bonheur avec lequel soit des poèmes entiers, soit des strophes s'insèrent dans les traités en prose et y trouvent un commentaire exhaustif, loin d'éveiller les soupçons, semblaient la meilleure garantie de la sincérité et du soin de l'érudit islandais.*

1. La poésie scaldique est composée à partir du IXe siècle par des personnages prophétiques en Irlande et en Norvège (H. C.-B.).

Puis est venu l'âge de la critique, c'est-à-dire, très vite, celui de l'hypercritique, cette maladie de jeunesse (et, malheureusement, souvent chronique) qui menace toute philologie et qui s'accompagne presque toujours d'une euphorie agressive. L'expression doctrinale la plus complète de cet effort et de cet état d'esprit — et, pour le problème de Loki, celle qui a eu les plus graves conséquences — a été donnée par l'illustre historien des religions germaniques, Eugen Mogk, dans un véritable manifeste de trente-trois pages, confié aux Folklore Fellows Communications *de Helsinki (n° 51) en 1923, sous le titre : « Novellistische Darstellung mythologischer Stoffe Snorris und seiner Schule. » Là, avant de passer à quelques exemples qu'il croyait démonstratifs et que nous retrouverons tout à l'heure, E. Mogk a fortement charpenté une « reconstitution » de l'activité littéraire qu'il attribue à Snorri. Voici, presque littéralement traduites, ces pages importantes (p. 7-11).*

1. Eugen Mogk contre Snorri

Snorri, remarque E. Mogk, travaille au XIIIᵉ siècle, c'est-à-dire plus de deux cents ans après la conversion officielle de l'Islande au christianisme. Pendant ces deux cents ans, l'île a eu un commerce constant — matériel, religieux, intellectuel — avec l'Angleterre et l'Irlande, la France et l'Allemagne. Par ses évêques et ses voyageurs d'abord : les tout premiers évêques, Ísleifr et son fils Gizurr, avaient été formés en Allemagne ; l'évêque Þorlákr avait longtemps et profitablement séjourné à Paris et à Londres ; Sæmundr même, le père de l'historiographie islandaise, avait passé nombre d'années de sa jeunesse à l'étranger, notamment à Paris, et son arrière-petit-fils, l'évêque Pál, était revenu d'Angleterre plus érudit qu'aucun homme de son siècle. Puis par les écoles : sur le modèle de l'Europe occidentale, Ísleifr déjà avait fondé celle de Skálholt, Jón Œgmundarson celle de Hólar, Teitr celle de Haukadal, Sæmundr celle d'Oddi ; en 1133, les Bénédictins ouvrirent des couvents et naturellement des écoles ; des clercs étrangers y enseignèrent, tel ce Hróðúlfr, venu d'Angleterre, qui resta dix-neuf ans en Islande. On y lisait les mêmes ouvrages latins qu'en Europe et souvent on les traduisait : les homélies de saint Grégoire et d'autres Pères, Origène, Eusèbe, Gélase, Bède, des légendes sur la Vierge, sur les apôtres, sur les saints ; on connaissait Pline, Horace, Ovide, Salluste, Jordanès, Paul Diacre, les traités grammaticaux de Priscien et de Donatien, et nous possédons encore des fragments d'un *Elucidarius* et d'un *Physiologus* du XIIᵉ siècle. À côté de cette littérature occidentale, il y avait les sagas et tous les poèmes scaldiques conservés pendant plusieurs siècles par la récitation et pour lesquels Sæmundr et Ari avaient réveillé l'intérêt. C'est à l'école d'Oddi qu'on faisait les efforts les plus notables pour associer les deux traditions, la nationale et l'étrangère ; or, c'est là que Snorri a passé sa jeunesse, auprès de Jón, le petit-fils de Sæmundr, l'un des hommes les plus instruits et les plus intelligents de l'époque ; il y est même resté auprès du fils de Jón, Sæmundr ; c'est donc là que cet esprit ouvert, ambitieux, a dû recevoir les premières touches de sa vocation littéraire. Plus tard, il mit en pratique les leçons d'Oddi dans son domaine de Reykjaholt : il y fonda un véritable atelier, s'attachant des poètes comme Guðmundr Galtason et Sturla Baraðrson, il prit avec lui ses neveux Óláfr Þórðarson et Sturla Sighvatsson, et il se mit à composer — *samansetja*, c'est-à-dire probablement à « diriger » l'œuvre de composition collective —, à « faire écrire » (*ek lét rita*, comme il dit dans la préface de la *Heimskringla*) les grandes œuvres qui portent son nom et sa marque.

Comment travaillait cette équipe si fermement conduite ? Les principales sources, pour l'*Edda* comme pour la *Heimskringla*, étaient à la fois les compositions écrites déjà existantes et la tradition orale, notamment les poèmes. Mais l'imagination et le don de combinaison de Snorri ont joué le plus grand rôle. Il est peu probable qu'il ait disposé de beaucoup plus de matériaux qu'il n'en subsiste aujourd'hui : en effet, la partie purement didactique de l'*Edda*, par ses références, témoigne d'une bibliothèque qui, en gros, est encore à notre disposition ; d'autre part n'est-il pas invraisemblable que, deux cents ans après l'introduction du christianisme en Islande, les récits mythologiques sur lesquels reposaient les périphrases des scaldes et qui — ne l'oublions pas — étaient des récits non pas islandais mais norvégiens aient été encore vivants dans la tradition orale du peuple islandais ? Snorri a donc été conduit à *interpréter* des périphrases, des métaphores poétiques que ni lui ni ses contemporains ne comprenaient plus. Il l'a fait par divers procédés : il a combiné des sources indépendantes, il a imaginé des intrigues pour relier des données sporadiques, il a complété la matière ancienne par de pures inventions. Et c'est ainsi que s'est trouvé créé — par deux chefs-d'œuvre, l'*Edda*, le début de la *Heimskringla* — un nouveau genre littéraire, « le conte mythologique » (*die mythologische Novelle*). Loin donc d'être un témoin, Snorri est un créateur. Et son immense travail n'est pas utilisable, n'est pas une « source » valable pour l'étude du paganisme.

Une telle reconstitution est cohérente, plausible. Mais est-elle vraie ? Si pourtant Snorri, deux cents ans non pas après une disparition brusque du paganisme mais après une adhésion pacifique de l'île au christianisme, avait connu, entendu, sur les mythes, des choses que nous ne pouvons plus entendre ? Sæmundr, Ari, l'école d'Oddi s'y étaient intéressés antérieurement et les scaldes appelés à « l'atelier » de Reykjaholt ne devaient pas être sans tradition ancienne... On peut discuter à perte de vue, peser et repeser les probabilités contraires. C'est l'expérimentation, et elle seule, qui décidera, pourvu qu'on réussisse à introduire la méthode expérimentale dans l'affaire, et l'expérimentation appliquée à des cas précis. Aussi bien Eugen Mogk, dans son manifeste même, a-t-il aussitôt complété l'exposé de principe par deux exemples tirés de la *Gylfaginning* ; puis, au cours des années suivantes, il a multiplié les illustrations de la méthode critique inaugurée en 1923 ; ainsi ont vu le jour, coup sur coup, les essais suivants : « Die Überlieferungen von Thors Kampf mit dem Riesen Geirröd » dans la *Festskrift Hugo Pipping*, 1924 ; « Lokis Anteil am Baldrs Tode », 1925 ; « Zur Gigantomachie der Völuspá », 1925. Et la thèse a été encore reprise, cette fois en Allemagne, appuyée d'une dissection de la cosmogonie de Snorri, dans un opuscule de dix-huit pages : *Zur Bewertung der Snorra-Edda als religionsgeschichtliche und mythologische Quelle des nord-germanischen Heidentums*, 1932 ; l'auteur avait soixante-dix-huit ans.

C'est en effet sur des cas particuliers, et notamment sur ceux-là mêmes que Mogk a désignés comme le plus favorables à sa manœuvre, qu'il faudra discuter. Mais il ne sera pas mauvais d'énoncer d'abord à mon tour quelques considérations générales, non plus historiques, mais simplement psychologiques, propres à éclairer l'acharnement avec lequel E. Mogk vieillissant a brisé le principal instrument des études qui avaient occupé toute sa vie ; propres aussi à orienter le lecteur dans les contre-attaques auxquelles il sera ensuite procédé.

Je disais tout à l'heure que l'hypercritique est comme la maladie naturelle de toute philologie livrée à elle-même. En effet, du moment où j'ai rencontré (et comment ne la rencontrerais-je pas, s'agissant d'une œuvre humaine ?) la preuve que l'exposé systématique fait par un auteur ancien, d'un mythe, d'une légende, d'une scène d'histoire, est en désaccord avec une autre tradition, ou avec un « fait », ou bien laisse paraître une contradiction interne ou du moins une maladresse, ou trahit de quelque manière un effort, ou encore — suprême joie ! — ne contient pas ce qu'il « devrait », me semble-t-il, contenir, autrement dit du moment où je me sens autorisé à imaginer le vieil auteur à sa table, travaillant sur des fiches, s'appliquant à les relier et à les accorder sans en rien négliger et à combler les lacunes, bref du moment où, moi, philologue et

critique, je vois dans cet auteur un *collègue* dont la tâche
était de monter, par des moyens inverses des miens,
un édifice philologique que ma tâche à moi est de
démonter, il est inévitable que je me pique au jeu, que
je m'engage dans une sorte de duel et que, m'appliquant à percer les intentions, les artifices, les ruses du
partenaire, je lui en prête généreusement qu'il n'a
jamais eus. Comme il n'est pas devant moi pour se
défendre, je suis régulièrement vainqueur et chacune
de mes victoires diminue le crédit que je crois pouvoir
concéder à un témoin *a priori* suspect. Bientôt il ne
reste rien : de même qu'aucun prévenu, fût-il le plus
innocent du monde, ne garde sa sérénité, son
assurance, son air d'innocence, au sortir d'un interro-
gatoire « scientifiquement » mené, de même aucun
texte ne garde son sens, sa cohésion, sa valeur
documentaire au sortir d'un examen critique conduit
selon les méthodes modernes.

Il est difficile de montrer au philologue qu'il passe
ses droits. On fait devant lui figure de naïf, voire
d'ignorant ou de mystique : on se laisse berner par
ces récidivistes du truquage que sont Hésiode, Virgile,
Ovide, Snorri ; on ne sait pas le métier, on a la nostalgie
de la foi... Somme toute, je ne connais que trois
moyens d'intervenir. Les deux premiers peuvent
presque toujours être employés, mais ils suffisent
rarement à faire tomber la fièvre de l'hypercritique.
Le troisième est radical, mais il n'est pas toujours
applicable.

Le premier moyen est de rendre le critique sensible
à des faits autres que ceux qu'il retient, à des faits qui
sont en général non moins apparents, et même plus
massifs, mais dont sa pente d'esprit le distrait. Il s'agit
simplement, sans sortir de la méthode *analytique* qui
est la sienne, d'obtenir qu'il fasse une revue plus
attentive et plus complète des données du problème,
qu'il tienne compte, en particulier, des *harmonies* et
des *ensembles*. A-t-il, d'une contradiction interne,
conclu que le texte a été constitué de pièces et de
morceaux, par le mélange de deux ou trois « va-

riantes » ? On lui demandera de regarder de plus près, et plus philosophiquement, les données qui lui paraissent contradictoires et de bien vérifier, d'abord, qu'elles le sont. A-t-il réussi à expliquer entièrement un récit comme un puzzle, formé par la réunion artificielle, plus ou moins habile, d'éléments hétérogènes, dont il a trouvé les sources indépendantes ? On lui montrera que, au-dessus des éléments, irréductibles aux éléments, il y a encore le fait qu'ils forment *un* tout, dessinent *un* schéma qui a peut-être sens et valeur, qui n'est peut-être pas le résultat d'une addition fortuite des éléments, mais au contraire le principe de leur organisation et de leur choix même. Est-il, dans un récit, parvenu à tout expliquer sauf un trait, qu'il déclare alors volontiers sans importance ? On pourra parfois lui montrer que ce trait est essentiel, que tout le récit est au contraire orienté vers lui. De ces diverses argumentations, on trouvera plus loin assez d'exemples pour qu'il soit inutile d'en donner ici.

Le second moyen est de rendre le critique sensible à la fragilité et à l'arbitraire de ses propres constructions. A-t-il montré qu'un vieil auteur s'est posé tel problème, s'est trouvé devant tels documents et tel embarras, a fait telle réflexion qui a abouti à telle invention ou telle maladresse ? On lui rappellera l'infinie souplesse de l'esprit humain, et qu'on ne parvient jamais, sauf peut-être en mathématiques, à l'enfermer dans un authentique dilemme, sans *tertia* ni *quarta via*. On lui rappellera aussi la pauvreté de son information, de notre information de modernes, et qu'il est toujours imprudent de dire, par exemple, que « Snorri ne disposait pas (ou ne disposait "guère") d'autres sources que celles qui nous sont accessibles ». On lui rappellera enfin la différence des siècles et que, plus il se représente Snorri à l'image d'un de ces auteurs d'histoire romancée qui foisonnent à notre époque, même dans les universités, plus il a de chances d'altérer sa vraie physionomie.

Malheureusement, contre ces deux moyens de révision, il est facile au critique de s'armer. Il peut épiloguer sans fin sur ce qui, dans un ensemble, est essentiel et secondaire ; sur le sens et sur l'unité même de l'ensemble ; sur la réalité et sur l'ampleur d'une contradiction. Il peut retourner contre son contradicteur le grief d'hypercritique et affirmer qu'il est autant et plus que lui, sensible à ce qui distingue le XIIIᵉ siècle du XXᵉ ainsi qu'à la fertilité de l'esprit humain. L'amour-propre s'en mêlant, comme il est usuel quand on en vient à discuter sur les principes et sur les méthodes, on verra même les thèses se raidir et se durcir les ripostes.

Chaque fois qu'il est possible, le plus sage est de recourir au troisième moyen que nous avons annoncé. Celui-là dépasse la simple exploration analytique des documents et par conséquent ne laisse plus autant de marge aux appréciations subjectives : c'est le moyen *comparatif*, c'est-à-dire la forme que revêt naturellement, dans les sciences humaines, la méthode expérimentale.

L'étude comparative des religions et des mythes et notamment (puisqu'il s'agit de Snorri) des mythes indo-européens est assez avancée pour que, quand on a à déterminer si telle des *Élégies romaines* ou tel hymne védique ou tel chapitre de la *Gylfaginning* consigne une légende ancienne ou au contraire n'est qu'imagination tardive, on ne soit pas *toujours* réduit à l'analyse interne du texte considéré, mais qu'on puisse *parfois* au contraire se prononcer objectivement : exactement, cela arrive chaque fois que le texte considéré raconte une légende dont la comparaison avec des légendes conservées sur d'autres points du domaine indo-européen permet d'affirmer qu'elle était déjà indo-européenne pour l'essentiel. Ce procédé est, par chance, souvent applicable aux sources de la mythologie germanique, notamment à l'*Edda* en prose, et en particulier à la plupart des récits qu'Eugen Mogk ou d'autres critiques ont choisis pour y dénoncer, pour y démontrer les procédés « créateurs » de Snorri. Je commencerai par un exemple auquel ne s'est pas attaché Mogk, mais qui est typique.

2. Týr manchot

Soit le chapitre de la *Gylfaginning* qui raconte comment le dieu Týr perdit sa main droite. Le terrible loup Fenrir est encore tout jeune et déjà très fort ; à moins qu'on ne parvienne à le lier, il dévorera les dieux quand il sera grand. Après que les dieux eurent vainement recours à deux grosses chaînes qui ont cédé au premier effort du loup, Óðinn, savant en magie, fait fabriquer par les Elfes Noirs un lien qui a l'air d'un misérable petit fil, mais que rien ne peut rompre. Ils proposent au loup de se laisser attacher par manière de jeu, pour voir s'il réussira à se dégager. Il se méfie, les dieux piquent son amour-propre, il accepte enfin, mais à la condition que, pendant le jeu, un dieu mette la main droite dans sa gueule, « comme gage que tout se passera loyalement ». Les dieux s'entre-regardent : aucun ne veut sacrifier sa main. Seul Týr se dévoue. De fait, le loup ne peut se dégager et restera ficelé jusqu'à la fin du monde, mais il mord la main de Týr, qui est dorénavant le dieu manchot.

Deux stances de la *Lokasenna* (38-39) disent aussi que la main de Týr a été mangée par le loup Fenrir qui, de son côté, attend dans les liens la fin des Ases. De plus, de vieux poèmes norvégiens-islandais appellent Týr « celui des Ases qui n'a qu'une main » (*einhendr ása*). Et c'est tout.

Qu'y a-t-il d'ancien dans cela ? Et d'abord le point central, le fait que le grand dieu Týr n'ait qu'une main, d'où vient-il ? Que veut-il dire ? Ne rappelons pas les exégèses naturalistes défuntes, les combats périmés de la Lumière et des Ténèbres ; mais écoutons Kaarle Krohn : ce mythe repose sur une interprétation tardive et bizarre donnée en Scandinavie aux figurations chrétiennes où l'on voit « le » bras de Dieu sortant dans les nuages. Alexander Haggerty Krappe, lui, pense que le fait de la mutilation et la scène qui l'explique reposent sur une interprétation, à peine moins tardive, des représentations gallo-romaines où l'on voit un carnassier, un loup avalant un membre humain. Mais d'autres, rappelant l'Irlandais Nuadu à la Main d'Argent, ou le Sūrya indien qui a une main d'or, répliquent qu'il se peut bien qu'on se trouve devant un très vieux dieu manchot. Comment décider ? — De plus, quant à l'affabulation qui met en œuvre cette donnée première, quel peut être le rapport entre la brève mention de la *Lokasenna* et le récit très circonstancié de Snorri ? Somme toute, de la *Lokasenna* et de la périphrase poétique *einhendr ása*, ressortent seulement le fait de la mutilation du dieu et le fait de l'immobilisation du loup, mais rien n'y précise la relation de ces deux disgrâces, rien n'y garantit celle que Snorri expose dans une affabulation compliquée. La manière la plus simple et la plus probable de concevoir cette relation n'est-elle pas, négligeant Snorri, d'y voir une relation de cause à effet, l'immobilisation du loup n'ayant été primitivement, et n'étant encore dans la *Lokasenna,* que la conséquence, la sanction de la mutilation du dieu, le loup ayant été lié par précaution tardive, après un premier méfait gratuit, inattendu, comme le sont en général les premières preuves d'un tempérament malfaisant ? Si tel est le cas, la riche affabulation de Snorri, que ne recoupe aucun texte et que n'appuie aucune citation poétique — la ruse des dieux, leur jeu frauduleux rendu possible par la science d'Óðinn et couvert par le sacrifice de Týr, la perte de la main de Týr comprise comme la « liquidation » régulière et prévue d'un gage —, tout cela n'est que l'ingénieuse invention d'un érudit qui aura cherché à établir une liaison amusante, originale entre les deux faits bruts qui étaient seuls enregistrés dans sa source.

Et cette hypothèse, *a priori* vraisemblable, n'est-elle pas confirmée par maint détail du texte de Snorri ? Ce texte n'ignore rien : il connaît les noms des deux grosses chaînes du début *(Lœðingr, Drómi)*, — qui ont donné lieu, nous dit-il, à des expressions proverbiales qui nous sont, comme par hasard, inconnues elles aussi par ailleurs ; il sait que c'est Skirnir, le serviteur de Freyr, qui a passé aux Elfes Noirs la commande du lien magique ; que ce lien s'appelle Gleipnir ; qu'il a fallu six ingrédients pour le fabriquer : le bruit du pas d'un chat, la barbe des femmes, les racines des montagnes, les tendons des ours, le souffle des poissons et la salive des oiseaux ; il sait que c'est dans l'île Lyngvi, du lac Amsvartnir, que les dieux ont convoqué le loup ; il sait les noms des rochers auxquels, finalement, le loup est fixé et que les dieux enfoncent profondément en terre (Gjöll, Þviti), etc. Ces précisions, évidemment artificielles, ne dénoncent-elles pas que Snorri s'est abandonné à sa virtuosité ? Et s'il l'a fait en imaginant tant de noms et de menus traits, n'at-il pas dû le faire aussi pour le thème du récit, qu'aucun autre texte, encore une fois, ne confirme ?

Tout cela est possible, plausible. Voilà Snorri pris sur le fait. Voilà décelé le travail auquel il se livre habituellement à partir d'une mince donnée, elle-même peut-être récente, qu'il ne comprenait plus. Certes, on peut répondre que si Snorri a inventé son récit pour établir un lien entre la mutilation de Týr et l'immobilisation du loup, il est allé chercher midi à quatorze heures ; on peut faire valoir que les trop nombreuses précisions de détail qu'il donne, même si elles sont suspectes, ne suffisent pas à dévaloriser le thème du récit ; qu'il n'est d'ailleurs pas si sûr qu'elles soient suspectes puisque, comme l'a remarqué J. de Vries, même de très vieux mythes, authentiques et garantis par des usages rituels, regorgent parfois de puériles notations onomastiques du même genre. Cela aussi est vrai. Mais, en mettant les choses au mieux, on voit qu'on se trouve engagé dans une discussion interminable, où les arguments se réduisent, en fin de compte, à des impressions.

Or nous sommes maintenant en état de rendre un jugement objectif [1]. Nous savons qui est Týr : il

---

1. Je résume, très brièvement, dans ce qui suit, l'argumentation développée dans *Mitra-Varuṇa*, chap. IX, *Le Borgne et le Manchot*, et améliorée dans *ME*, III, p. 268-281. Elle a été défendue contre une critique de M. R.I. Page dans *Esq.* 73 (*L'Oubli de l'homme...*,

représente, à côté du grand *sorcier* Óðinn, le second aspect de la Souveraineté bipartite dont les Germains, comme les autres peuples de la famille, avaient hérité la conception de leur plus lointain passé indo-européen ; il est le souverain *juriste*. Nous savons aussi, notamment par le couple légendaire des deux héros qui ont sauvé la république romaine naissante lors de la première guerre — Coclès et Scævola, Horatius le Cyclope et Mucius le Gaucher — que cette conception bipartie de l'action souveraine s'exprimait par un double symbole : le personnage qui triomphe par le prestige ou l'action magique n'a qu'un œil, est *borgne* ; le personnage qui triomphe par un artifice juridique (serment, gage de vérité) perd, dans une entreprise fameuse, sa main droite, devient *manchot*. Or l'Óðinn scandinave est bien borgne et Týr est bien manchot. Et si Týr est devenu manchot, dans le récit de Snorri, c'est bien parce qu'il a engagé son bras droit dans une procédure juridique, de *gage frauduleux,* destiné à *faire croire* à l'ennemi un mensonge que la société divine avait un intérêt vital à lui faire croire.

Dès lors comment admettre que ce ressort (la trompeuse mise en gage de la main droite), *qui est l'essentiel,* puisque, aujourd'hui, grâce à l'étude compara-tive des religions nous connaissons le symbolisme de la mutilation du dieu (le dieu *Juriste* devant être paradoxalement manchot de sa *dextre* comme le dieu *Voyant* devait être *borgne*), ait été oublié des Germains, puis retrouvé, réimaginé au XIIIᵉ siècle par un caprice de Snorri, — alors surtout que Snorri ne percevait certainement pas avec la même clarté que nous pouvons le faire aujourd'hui, grâce à l'étude compara-tive des religions indo-européennes, la solidarité antithétique d'Óðinn et de Týr ni la complémentarité de leurs deux mutilations, de l'œil de l'un (antérieure à l'événement) et de la main droite de l'autre (dans l'événement), et que, par conséquent, il ne comprenait

1985, p. 261-265). Les germanistes qui voudront bien discuter le présent livre devront se reporter d'abord à ces pages.

peut-être plus bien le rapport entre la dextre perdue et le caractère juriste du dieu Týr ? En d'autres termes, la comparaison romaine nous assure que la notion de *gage*, que le *sacrifice héroïque* qu'un individu fait de sa *main* dans une *tromperie juridique* dont un redoutable ennemi de sa société est la dupe, étaient fondamentaux, dès les temps indo-européens, dans le mythe du souverain manchot ; or, c'est justement cela, c'est ce thème « improbable » que donne Snorri ; donc, à moins de s'engager dans d'invraisemblables complications et d'admettre un extraordinaire jeu du hasard, on reconnaîtra que c'est bien la vieille mythologie germanique, héritée des Indo-Européens, que Snorri — et lui seul — a ici transmise.

Qu'on entende bien. Je ne prétends pas, n'en sachant rien, que tel détail, tel nom propre du récit soit ancien, que Snorri ou des prédécesseurs de Snorri n'aient rien ajouté ni changé à la tradition. Je ne prétends même pas, n'en sachant rien, que le loup, certainement antérieur à Snorri, soit primitif : il a pu y avoir, pour le mythe germanique, soit une évolution, soit une ou plusieurs réfections, comme ç'a été sûrement le cas à Rome, où Porsenna et Mucius lui-même ne sont évidemment que des incarnations tardives, des historicisations du « héros sauveur » et de l'« ennemi », des *rajeunissements* de personnages *préromains*. Mais ce que j'ai le droit d'affirmer, c'est que l'histoire du loup, lorsqu'elle s'est formée chez les Germains, et à quelque époque qu'elle se soit formée [1], s'est coulée dans un cadre bien antérieur aux Germains et fidèlement conservé. Or, ce cadre est autrement important que les détails, forcément changeants, qui l'ont rempli au cours des siècles. Snorri n'a au moins pas inventé la *ruse juridique*, c'est-à-dire le thème central, le sujet même de son récit.

---

1. Elle a eu, par emprunts, une certaine extension (Abbruzes, Val d'Aoste ; Ukraine ; Lettonie ; Finlande, Laponie...).

J'ai insisté sur cet exemple, bien que Mogk ne l'ait pas mis à l'honneur, parce qu'il est très clair et suffirait à établir que, lorsque Snorri est seul à nous avoir conservé un « mythe », il se peut bien que ce mythe soit authentique. Voici maintenant un des morceaux de l'*Edda* en prose où Mogk a cru trouver un argument de choix.

3. Naissance et meurtre de Kvasir

Dans l'*Edda* de Snorri, il est raconté que, après une guerre dure et incertaine, les deux peuples divins des Ases et des Vanes conclurent la paix. Pour sceller leur entente, ils crachèrent ensemble, des deux côtés, dans un même vase (*til eins kers*). Les Ases ne voulurent pas laisser perdre ce gage de paix et en firent un homme qui s'appelle Kvasir. Kvasir est si sage (*vitr*) qu'il n'y a question au monde à laquelle il n'ait réponse. Il se mit à parcourir le monde pour enseigner aux hommes la sagesse (*at kenna mönnum frœði*). Un jour, les deux nains Fjalarr et Galarr l'invitèrent à un entretien et le tuèrent. Ils distribuèrent son sang dans deux vases et dans un chaudron (*létu renna blóð hans í tvá ker ok einn ketil*) ; le chaudron s'appelle Óðrœrir et les deux vases Són et Boðn. Ils mêlèrent au sang du miel et il se forma un hydromel tel que quiconque en boit devient poète et homme de savoir. Les nains dirent aux Ases que Kvasir avait étouffé dans son intelligence (*at Kvasir hefði kafnat í mannviti*) parce qu'il n'y avait personne d'assez savant pour épuiser son savoir par des questions (*fyrir því at engi var þá svá fróðr, at spyrja kynni hann fróðleiks*). Suit le récit de la conquête du précieux hydromel par Óðinn qui en sera, en effet, le grand bénéficiaire.

Sur ce texte, E. Mogk a fait des remarques fort précieuses. Il a montré d'abord que Kvasir n'est qu'une personnification d'une boisson enivrante dant le nom rejoint le « kvas » des peuples slaves. En effet, *Kvasir* est, avec un substantif *kvas*, dans le même rapport que *Eldir,* nom d'un des serviteurs d'Ægir, avec *eldr* « feu », *örnir,* nom d'un géant, avec *örn* « aigle », *Byggvir,* nom du serviteur du dieu de la fécondité Freyr, avec *bygg* « orge », etc. Or, si les textes vieux-scandinaves n'ont pas conservé ce substantif *kvas,* il est bien attesté dans plusieurs dialectes modernes : dans le danois du Jutland, *kvas* désigne les fruits écrasés et, en norvégien, le moût des fruits écrasés.

Mogk a montré ensuite que la naissance de Kvasir à partir d'un crachat communiel des Ases et des Vanes repose sur une vieille technique élémentaire, sur un des procédés par lesquels beaucoup de peuples, d'une part, obtiennent la fermentation et, d'autre part, concluent amitié. Entre autres exemples il cite celui-ci : un jour, en Sibérie, comme Humboldt et Klaproth pénètrent chez un chef tatar, on prépare le kvas en leur honneur ; pour cela, on demande à toute personne qui entre dans la tente de cracher dans une cruche de lait placée près de la porte ; il doit s'ensuivre une fermentation rapide et, de fait, la fermentation obtenue, la boisson est offerte aux hôtes.

Mais, ayant ainsi justifié le crachat communiel qui marque la réconciliation solennelle des Ases et des Vanes, et le nom de Kvasir qui est donné au résultat de ce crachat, il ajoute : « Créer un homme à partir d'un crachat, c'est une chose dont il n'y a pas d'autre exemple dans l'ethnographie ni dans la mythologie comparées, quelle que soit l'importance du rôle qu'a joué et que joue encore le crachat dans les usages populaires. Ce que nous lisons dans l'*Edda* est à mettre au compte de Snorri ou de quelqu'un de son école. Mais comment a-t-on pu en arriver à cette incarnation ? Nos sources nous donnent une indication... » Et, sûr qu'il n'y a plus qu'à défaire le travail artificieux de Snorri, il se lance dans un admirable jeu philologique. « La source principale des récits eddiques » serait une *kenning,* une périphrase scaldique, qu'on rencontre chez un auteur du Xe siècle, que Snorri lui-même a citée dans les *Skáldskaparmál,* et qui désigne la poésie en deux mots : *kvasis dreyri.* Snorri traduit *dreyri* par *blóð* « sang », ce qui est en effet le sens ordinaire du mot. Mais, remarque Mogk, le mot est employé dans d'autres *kenningar* avec le sens plus large de « liquide ». Loin donc que la *kenning kvasis dreyri* prouve que, au Xe siècle, les scaldes aient connu l'histoire de Kvasir tué et de l'origine sanglante de l'hydromel de poésie, il est bien probable que l'expression a signifié « le liquide kvas » (*kvasir* étant encore un nom commun et le génitif *kvasis* s'expliquant comme dans *Óðrœris haf* « la mer Oðrœrir », *Fenris úlfr* « le loup Fenrir », etc.) et que c'est d'un faux sens double commis par Snorri et sur *dreyri* et sur *kvasir* que vient toute l'histoire. Je cite les propres termes de Mogk : « Du moment où l'école de Reykjaholt avait compris *dreyri* au sens de sang, on en vint à personnifier Kvasir et ainsi se forma l'histoire de sa mort, — et de sa naissance par laquelle l'origine de l'hydromel des poètes fut reliée à la paix qui termina la guerre des Vanes. Si l'on dénoue ce lien, nous nous trouvons devant un tout autre mythe relatif à l'origine de l'hydromel des poètes, un mythe qui cadre fort bien avec les conceptions des Germains septentrionaux. » Ce « tout autre mythe », Mogk va le reconstituer très librement.

La mixture de sang et de miel n'est pas attestée dans le folklore : elle est donc, elle aussi, une invention. Comme les Scandinaves avaient pris l'habitude d'attribuer aux nains la fabrication de tout l'équipement divin (l'épée d'Óðinn, le marteau de Þórr, le bateau de Freyr, etc.), ils auront attribué aux nains la fabrication de l'hydromel et l'idée de mêler du miel, pour les faire fermenter, aux « fruits écrasés » que désignait primitivement le nom commun *kvasir*. Et c'est de là qu'est partie l'imagination de Snorri... Quant aux noms propres du chaudron et des deux vases entre lesquels les nains partagent le sang de Kvasir, Mogk montre comment ils sont nés, eux aussi, de faux sens commis par Snorri sur trois kenningar.

Tout cela est ingénieux à souhait. Mais, à cette ingéniosité, le progrès des études comparatives permet d'opposer des faits que ne connaissait pas Mogk.

Qu'est-ce que la guerre des Ases et des Vanes, c'est-à-dire des dieux du « cercle » d'Óđinn, de Týr, de Þórr, etc., d'une part, des dieux du cercle de Njörđr, de Freyr, de Freyja d'autre part [1] ? Ce n'est pas, comme le croyait Mogk sur les frêles arguments de quelques auteurs, le souvenir *historique* d'une guerre religieuse entre deux peuples adorateurs l'un des Ases, l'autre des Vanes [2] ; non, c'est la forme germanique prise par le mythe indo-européen — bien attesté à Rome comme dans l'Inde — qui expliquait la formation de la société des dieux ou des hommes : après une dure guerre ou une violente querelle sans résultat, par un accord, mais un accord définitif, qui ne sera plus jamais mis en question, les représentants de la troisième fonction, de la fonction de fécondité et de richesse (les grands dieux Vanes chez les Scandinaves ; Titus Tatius et ses Sabins dans la légende du synœcisme romain ; les Nāsatya dans l'Inde) ont été associés, sur le pied d'égalité, aux représentants des deux autres fonctions, fonction de souveraineté magique et de force guerrière (les Ases chez les Scandinaves ; Romulus et ses compagnons dans la légende du synœcisme romain ; Indra et les deva dans l'Inde épique).

Or, le mythe indien se termine par le trait suivant [3] :

1. Je résume ici brièvement *Jupiter Mars Quirinus* I, chap. v, et le cinquième essai du recueil *Tarpeia* : qu'on se reporte aux démonstrations qui sont développées dans ces deux livres. V. la note suivante.

2. Je suis plusieurs fois revenu sur la comparaison d'ensemble, structurale, de la guerre des Ases et des Vanes et de la guerre des proto-Romains et des Sabins de Tatius. Les principales étapes ont été *NR* (1944), p. 188-193 ; *Tarpeia* (1947), p. 249-287 ; *L'Héritage indo-européen à Rome* (1949), p. 125-142 (avec un complément dans *Du mythe au roman*, 1983, p. 95-105) ; *ME* (1980), p. 285-303.

3. V. *Jupiter Mars Quirinus* I, p. 176 ; III (= *Naissance d'archanges*), p. 159-170. On verra là qu'une tradition judéo-musulmane prolongeant certainement un mythe iranien parallèle au mythe indien garantit que l'intervention de l'« Ivresse » se trouvait déjà dans la forme « indo-iranienne commune » du récit. La question sera reprise au début du quatrième volume d'*Esquisses de mythologie* (Esq. 76-101) à paraître. Aux germanistes qui voudront bien discuter, je fais la même prière que p. 263, n. 1.

comme Indra et les autres dieux refusent obstinément d'admettre les deux Nāsatya dans la communauté divine, un ascète ami de ceux-ci fabrique, par la force de son ascèse, un être gigantesque qui menace d'engloutir le monde : c'est le monstre *Mada,* c'est-à-dire « Ivresse ». Aussitôt Indra cède, la paix se fait, les Nāsatya sont définitivement incorporés aux dieux. Reste à « liquider » le dangereux personnage qui a obtenu ce résultat : l'ascète le morcelle, le divise en quatre parties, — et c'est ainsi qu'aujourd'hui l'ivresse se trouve distribuée entre la boisson, les femmes, le jeu et la chasse.

Certes, les différences éclatent entre le mythe germanique et le mythe indien, mais aussi l'analogie des situations fondamentales et des résultats. Voici les différences : chez les Germains, le personnage « Kvas » est fabriqué *après* la paix conclue et il est fabriqué suivant une *technique* précise, réelle, de fermentation par le crachat, tandis que le personnage « Ivresse » est fabriqué *pour* contraindre les dieux à la paix, et il est fabriqué *mystiquement* (nous sommes dans l'Inde), par la force de l'ascèse, sans référence à une technique de fermentation. Puis, quand « Kvas » est tué et son sang divisé en trois, *ce n'est pas par les dieux* qui l'ont fabriqué mais par deux nains, tandis que c'est son fabricateur même, dans l'Inde, *pour le compte des dieux,* qui divise « Ivresse » en quatre. De plus, le fractionnement de « Kvas » est simplement *quantitatif,* se fait en parties homogènes (trois récipients de sang de même valeur), tandis que celui d'« Ivresse » est *qualitatif,* se fait en parties différenciées (quatre sortes d'ivresse). Dans la légende germanique, c'est seulement après coup, dans l'explication mensongère que les nains donnent aux dieux qu'est mentionné l'excès de force intolérable (d'une force d'ailleurs purement intellectuelle), hors de proportion avec le monde humain, qui *aurait* amené la suffocation de « Kvas », tandis que, dans la légende indienne, l'excès de force (physique, brutale) d'Ivresse est *authentiquement* intolérable, incompatible avec la vie du monde, et entraîne authentiquement son morcellement. Enfin la légende germanique présente « Kvas » comme *bénéfique* dès le début, bien disposé pour les hommes — une sorte de martyr — et son sang, convenablement traité, produit cette chose précieuse entre toutes qu'est l'hydromel de poésie et de sagese, tandis que, dans l'Inde, « Ivresse » est *maléfique* dès le début et que ses quatre fractions sont encore le fléau de l'humanité.

Tout cela est vrai, mais tout cela prouverait seulement, s'il en était besoin, que l'Inde n'est pas l'Islande et que les deux histoires se racontaient dans deux civilisations qui avaient évolué dans des sens et dans des décors extrêmement différents, et pour lesquelles notamment les idéologies de l'ivresse étaient devenues presque inverses [1]. Il n'en existe pas moins un schéma commun : c'est au moment où se constitue définitivement, et difficilement, la société divine par l'adjonction des représentants de la fécondité et de la prospérité à ceux de la souveraineté et de la force, c'est donc au moment où les représentants de ces deux groupes antagonistes font leur paix, qu'est suscité artificiellement un personnage incarnant la force de la boisson enivrante ou de l'ivresse et nommé d'après elle. Comme cette force s'avère trop grande au regard des conditions de notre monde — pour le bien ou pour le mal — le personnage ainsi fabriqué est ensuite tué et fractionné en trois ou quatre parties dont bénéficient ou pâtissent les hommes, dans ce qui, aujourd'hui, les enivre.

Ce schéma est original. On ne le rencontre, à travers le monde, que dans ces deux cas. De plus, il se comprend bien, dans son principe, si l'on a égard aux conditions et conceptions sociales qui devaient être celles des Indo-Européens : en particulier, l'ivresse intéresse à des titres divers les trois fonctions : elle est,

---

1. Dans l'Inde, toute boisson enivrante autre que le *soma* (spécifiquement indo-iranien, sans antécédent indo-européen) est « mauvaise ».

d'une part, l'un des ressorts fondamentaux de la vie du *prêtre*-sorcier et du *guerrier*-fauve de cette civilisation, et, d'autre part, elle est procurée par des plantes qu'il fallait *cultiver* et *cuisiner,* on comprend donc que la « naissance » de l'ivresse avec tout ce qui s'ensuit soit située au moment de l'histoire mythique où la société se constitue par la réconciliation et l'association des prêtres et des guerriers d'une part, des agriculteurs et des dépositaires de toutes les puissances fécondantes et nourricières de l'autre. Il y a donc, entre cet événement social mythique et l'apparition de l'ivresse, une convenance profonde, et il n'est pas inutile de remarquer ici que cette convenance, ni les poètes du Mahābhārata ni Snorri ne pouvaient plus en avoir conscience, ce qui fait que leurs récits ont un air étrange : pour les poètes du Mahābhārata, les Nāsatya ne sont plus ce qu'ils étaient au temps de la compilation védique, les représentants de la troisième fonction ; et Snorri non plus, quoiqu'il mette bien en valeur dans ses divers traités les caractères différentiels d'Óðinn, de Þórr et de Freyr, ne comprend sûrement plus la réconciliation des Ases et des Vanes comme le mythe fondant la collaboration harmonieuse des diverses fonctions sociales.

Les germanistes et les épigones d'Eugen Mogk devront s'accommoder de ce fait massif. Certes, le récit de Snorri contient des éléments déposés à des âges divers de l'évolution de la pensée religieuse scandinave ; il contient peut-être même (encore que les « intuitions » philologiques de Mogk au sujet des noms propres Óðrœrir, Bodn, Són ne s'imposent pas) des interprétations ou adjonctions propres à Snorri. Mais l'essentiel, le schéma avec sa signification, sa direction et ses moments successifs, est bien antérieur à Snorri, est authentique. Et l'on sent combien il est tendancieux et inopérant de dire, avec Mogk, que « la fabrication d'un homme à partir d'un crachat étant une chose inouïe dans l'ethnographie et dans la mythologie comparées », il ne peut s'agir d'un vrai mythe et qu'il faut donc que ce soit une fantaisie de Snorri. Non ;

ce que présentait, ce qu'imposait la mythologie traditionnelle, c'était, à ce moment de l'histoire du monde, la fabrication, puis le meurtre et le fractionnement d'un personnage surhumain, de type humain, incarnant l'ivresse, exprimant l'ivresse dans son nom (cf. *Mada*) ; l'imagination germanique (peut-être plus fidèle, d'ailleurs, au prototype indo-européen, dont l'Inde s'est sûrement écartée) a seulement *précisé* cette donnée en nommant le personnage « Kvas » et en le fabriquant à partir d'une technique réelle de fermentation par le crachat[1]. D'autre part on saisit la forte liaison de ces épisodes, liaison que Mogk niait, n'y voyant qu'un caprice de Snorri : la réconciliation et l'association des Ases et des Vanes d'une part, d'autre part le meurtre et le fractionnement de Kvasir avec l'explication donnée par les nains aux Ases, tout cela se suit, est uni par une logique profonde. Et l'édifice superficiellement rationnel, déductif, que Mogk attribue à « l'école de Reykjaholt », c'est, en définitive, dans son cerveau, dans son cabinet de philologue ignorant de la préhistoire indo-européenne, en l'an de grâce 1923, qu'il l'a ingénieusement monté, comme il a été dit plus haut, pour se donner l'illusoire plaisir de le démonter. Ne disons pas que c'est Snorri qui a « inventé » un mythe absurde parce qu'il ne comprenait plus d'anciennes périphrases scaldiques ; disons que c'est Eugen Mogk qui « invente » de fausses difficultés parce qu'il a perdu le sens des vieux mythes.

4. *Snorri contre Eugen Mogk*

J'aurai plus loin, à propos de la participation de Loki au meurtre de Baldr, une autre occasion d'accepter le débat sur un terrain choisi par Mogk et de réhabiliter ainsi un autre chapitre de l'*Edda* en prose, — comme

---

1. Cf. mon étude : « Un mythe relatif à la fermentation de la bière » (à propos du xxe runo du Kalevala) dans l'*Annuaire de l'École des hautes études, section des Sciences religieuses*, 1936-1937, p. 5-15.

j'ai d'ailleurs restauré, contre sa discussion hâtive et légère, la valeur des strophes de la *Völuspá* relatives à la guerre même des Ases et des Vanes. Mais les deux exemples qui viennent d'être examinés suffisent à ruiner, dans son principe et dans l'application qui en est faite à Snorri, la nouvelle forme de critique mise à la mode par E. Mogk. Snorri n'est pas le suspect permanent qu'on prétend ; même isolé, son témoignage est grave, et l'on perçoit aujourd'hui quelque outrecuidance dans la protestation agacée que, résumant sa démolition des années précédentes, l'érudit allemand publiait en 1932.

Sans tomber dans l'excès inverse, sans prétendre tout utiliser de l'*Edda* en prose (on ne contestera pas les fantaisies du prologue de la *Gylfaginning*, ni les influences chrétiennes qui ont marqué une partie de la cosmogonie qui suit), on ne peut qu'enregistrer le *fait* capital que la nouvelle mythologie comparée a mis en évidence [1] : pour les aventures des dieux, pour celles notamment qui semblaient à E. Mogk ou à ses disciples les plus sujettes à caution, Snorri a au contraire fidèlement enregistré une vieille tradition.

---

1. Ce fait en rejoint quelques autres, très précieux, déjà découverts par une autre application de la méthode comparative, par l'examen des survivances du paganisme scandinave dans les religions des Lapons et des Finnois. Dans son récit de l'expédition de Þórr contre le géant Geirrøðr (ci-dessus, n° 3 *a*), Snorri dit que, pour sortir du fleuve Vimur, Þórr s'accrocha à un sorbier ; « de là, ajoute-t-il, vient l'expression que *le sorbier est le salut de Þórr* » (*þvi er þat ordtak haft, at reynir er björg Þórs*). Snorri est seul à signaler une liaison entre Þórr et le sorbier. Mais Setälä et Holmberg ont rappelé que *Rauni,* dans la mythologie finnoise, est la femme d'Ukko, dieu du tonnerre, et que les baies du sorbier sont consacrées à cette Rauni ; que, dans la mythologie lapone, *Raudna* est également la femme de *Horagalles* (c'est-à-dire le Þórr scandinave), auquel est, d'autre part, consacré le sorbier sauvage. Or il est clair que le finnois *Rauni* (et, avec une légère variante explicable, le lapon *Raudna*) est un emprunt admirablement conservé de la forme préhistorique (**rauni-*) du nom vieux-scandinave du sorbier, *reynir.* Snorri dit donc vrai.

Conclusion pratique : dans les récits de l'*Edda* en prose concernant Loki, il ne suffira plus, comme le faisaient volontiers les récents critiques, d'écarter comme suspects les traits pour lesquels Snorri est notre unique source, — et, du coup, voici reconquise, en droit, la plus grosse partie de notre dossier.

LES ABUS DE LA « SCIENCE DES CONTES »

Une seconde forme de critique abusive qui, combinée ou non avec la précédente, a souvent paralysé ou dévoyé l'étude de Loki, s'inspire non plus de la philologie, mais du folklore, exactement de l'étude des contes populaires. En 1899, Friedrich von der Leyen a commencé sa brillante carrière en publiant à Berlin un petit livre de moins de cent pages, intitulé *Das Märchen in den Göttersagen der Edda*, qui a fait quelque bruit et suscité des vocations. Sous l'action de ses recherches ultérieures, l'auteur a vite rectifié lui-même ses vues de jeune homme enthousiaste, mais, comme il arrive souvent, l'opuscule dont il paraît s'être détaché a continué sa vie propre : dans les pays scandinaves en particulier, en Finlande, en Suède, où les études de folklore et de *Märchenkunde* connaissent depuis un demi-siècle un admirable renouveau, il est fort imité et, il faut bien le dire, malgré les immenses services que rend l'érudition des spécialistes de la littérature populaire, ce n'est pas toujours pour le plus grand bien de l'étude complète, équilibrée, de l'ancienne religion. En gros, la méthode consiste à noter diligemment les concordances qui existent entre des *détails* des mythes scandinaves (notamment, mais non uniquement, dans la forme discursive où Snorri les a transmis) et des *détails* des divers contes populaires qui vivent et circulent en Europe et dans le vieux monde. Ces concordances sont en effet extrêmement nombreuses : dans les mythes scandinaves, il n'y a pour ainsi dire pas de ligne qui ne se prête à de tels rapprochements. On conclut alors que les mythes sont ainsi entièrement expliqués, qu'ils ne sont que des sortes de dunes littéraires, des amoncellements pittoresques, capricieux, instables formés d'une foule de motifs arrachés, par une érosion qu'on explique de façons diverses, aux quelque quinze cents ou deux mille contes parmi lesquels les vieilles personnes de notre Europe se découpent des répertoires.

Il est amusant de transposer cette méthode en termes linguistiques : elle ramènerait toute l'étude à un commentaire phonétique. Devant l'accusatif pluriel latin *deos*, on dirait : « *-e-* se retrouve dans *ex*, *et*, etc. ; *-eo-* se retrouve dans *leo*, *reor*, etc. ; *-eos-* se retrouve dans *meos*, *reos*, etc. ; *-deo-* se retrouve dans *adeo*, *deorsum*, etc. ; et voilà *deos* expliqué. » Cette recherche peut avoir un petit intérêt : étendue de proche en proche, elle révélerait les séquences de sons, rares ou fréquentes, admises par le latin. Pourtant, sur *deos*, il y a des remarques plus importantes à faire.

Naturellement une telle pente d'esprit porte à un aimable scepticisme : il n'y a plus de réel, donc d'intéressant, de notable, que la poussière des menus motifs ou des groupes de motifs, cette poussière qui s'est en effet glissée partout, dans tous les folklores et dans toutes les mythologies du monde. Quand les *Légendes sur les Nartes* ont paru, en 1930, avec des notes finales mettant en valeur quelques-uns des thèmes originaux qui font l'intérêt et l'unité de ces légendes et qui, rapprochés de textes classiques sur la religion des Scythes, laissent transparaître de belles survivances mythiques ou rituelles, un critique a souri avec indulgence : au lieu de rêver ainsi à un lointain passé, que n'avais-je fait ce travail autrement sérieux, qui eût consisté à relever les « motifs de contes » qui, bien sûr, abondent aussi dans les légendes sur les Nartes ! Voilà qui eût été solide et utile !... Ainsi parlait au jeune héros de l'*Oncle Scipion* son autre oncle et tuteur, le sage commerçant retiré des affaires, qui, dans une grammaire espagnole qu'il ne prenait pas la peine de lire, soulignait en vert les adjectifs, en rouge les substantifs, en bleu les verbes : ce travail d'identification et de distinction était un travail sérieux, exhaustif, qu'il donnait volontiers en exemple. Je persiste pourtant à penser — et peut-être les développements ultérieurs de l'étude l'ont-ils prouvé — qu'il était au moins aussi urgent de signaler ce qui, dans les légendes sur les Nartes, n'est précisément pas justiciable du folklore moyen, du« Motif-Index » ou du Bolte-Polívka.

Quand elle est conséquente (et elle l'est générale-ment, et elle l'était chez le jeune auteur en 1899), une telle méthode conduit à négliger totalement, à nier ce qui fait l'unité d'un récit, à ne s'attacher qu'aux détails, attribuant au hasard complaisant le rôle d'assembleur et de coordinateur. En cela, elle est intenable, l'*ensemble* étant presque toujours plus important que ses parties, premier par rapport à ses parties, et remarquablement constant sous le rajeunissement perpétuel de ses parties. Le dossier de Loki fournit de bons exemples de cet abus : les chapitres v-x ainsi que les chapitres XIII et XVIII de von der Leyen sont intitulés respectivement « Baldr », « Lokis Fesselung », « Skaði und Þjazi », « Der Riesenbaumeister », « Þór bei Utgarð aloki », « Geirrøðr », « Þrymskviða », « Die kostbaren Besitztümer der Götter », c'est-à-dire qu'ils intéressent ou recouvrent ce qui a été classé plus haut sous les cotes 10, 11, 1, 2, 8, 3, 4, 6 [1].

Considérons la dernière étude, « Les trésors des dieux ». L'auteur note des analogies plus ou moins précises pour beaucoup de détails : la chevelure d'or promise à Sif rejoint certains dons merveilleux faits aux

---

1. Des discussions qui suivent, on rapprochera celle que E. Tonnelat a faite de l'explication du *Nibelungenlied* par la « Märchenkunde », par les thèmes du *Bärensohn* et du *starker Hans* (Panzer) : *La Chanson des Nibelungen*, 1926, p. 309 sq. : « Mais il est vain de chercher dans des récits aussi instables que les contes populaires l'armature résistante, l'intrigue complète d'une œuvre poétique... Ce que la légende héroïque semble avoir emprunté au conte, ce sont beaucoup moins des affabulations complètes que des motifs de cette sorte, ou parfois des enchaînements réguliers de motifs, etc. »

princesses de contes ; le bateau qui a toujours bon vent et qu'on peut plier dans sa poche, l'infaillible épée, l'anneau talisman de richesse, le sanglier aux soies éclairantes, et généralement les « objets agissant d'eux-mêmes » sont fréquents dans les contes. La triple tentative que fait Loki — mué en mouche — pour empêcher le nain de souffler sur la forge, et la légère malformation qui s'ensuit dans le marteau de Þórr, trouvent les parallèles suivants, à vrai dire un peu lâches [1] : (Grimm, *Kinder- und Hausmärchen*, 60) le petit lièvre dort ; un bourdon se pose sur son nez, il l'écarte de sa patte ; le bourdon revient, il le chasse encore ; la troisième fois, le bourdon le pique dans le nez et il s'éveille ; — (Grimm, *ibid.*, 102) pendant la guerre des quadrupèdes et des oiseaux, le renard, comme gage que la victoire appartiendra aux quadru-pèdes, veut tenir sa queue en l'air ; les oiseaux envoient le frelon qui le pique de plus en plus fort sous la queue, une fois, deux fois, trois fois ; à la troisième fois, il ne peut plus supporter la douleur, il abaisse la queue, et les quadrupèdes fuient. — Ces rapprochements sont intéressants, mais qui ne voit qu'ils laissent échapper l'essentiel ?

On a montré ailleurs, en effet, que les trésors sont destinés non pas à des dieux quelconques, mais à la vieille triade des dieux fonctionnels Óðinn, Þórr, Freyr [2], et que l'une des deux listes [3] est elle-même en rapport avec les trois fonctions : l'anneau magique, régulateur du temps, le marteau de combat, enfin le sanglier aux soies d'or conviennent respectivement au Souverain magicien, au Frappeur, au Riche fécondant, c'est-à-dire qu'ils font système. Ils rejoignent par là les trois joyaux que les forgerons mythiques du RgVeda

---

1. Encore plus lâche est la comparaison proposée entre Loki-mouche et la guêpe d'un chant magique finnois sur l'origine du fer (la guêpe décharge son venin dans l'eau où sera trempée l'arme de fer et l'arme sera ainsi empoisonnée, donc *améliorée*) ; J. de Vries a eu raison de la rejeter, *The Problem of Loki*, p. 94.

2. *NA*, p. 50 sq. ; *Tarpeia*, p. 210-214.

3. La plus ancienne.

forgent aussi pour les trois niveaux fonctionnels de dieux. Certes, dans l'Inde et en Islande, les listes de joyaux sont bien différentes, sans doute ont-elles été maintes fois rajeunies, et il se peut bien, comme le veut von der Leyen, que la liste des trésors divins des Scandinaves ait été en partie reconstituée par emprunt à des objets courants dans les contes (l'anneau, le sanglier, — sinon le marteau, qui est essentiel au « type » de Þórr) ; mais ces opérations de rajeunissement ont laissé subsister ce que le critique méconnaît et ce que ne sauraient fournir les contes, elles ont même été *dirigées* par ce solide fil conducteur, qui n'est autre que le système classificatoire des trois fonctions.

De même, à supposer que les rapprochements avec les deux contes de Grimm fussent plus démonstratifs qu'ils ne sont, en quoi cette coïncidence expliquerait-elle le *caractère* qui est attribué d'un bout à l'autre du récit à Loki ? Pourquoi, d'abord, est-ce Loki et nul autre qui prend ici la place du bourdon, du frelon ? Et son rôle ne se réduit pas à cet épisode : il y a la malfaisance initiale (les cheveux de Sif coupés), il y a le concours d'habileté, la légèreté avec laquelle Loki accepte le pacte et l'enjeu, enfin l'habileté avec laquelle il réduit son risque, pour finir, à un minimum pénible, mais à un minimum ; bref, la légende présente toute une psychologie de Loki, complexe et non pas incohérente, que l'étude du folkloriste n'éclaire nullement.

Le lecteur fera sans peine, pour les autres mythes émiettés par les folkloristes, une contre-critique du même genre[1]. Je signalerai seulement la forme particulière que prend la discussion pour le récit de

---

1. Il est rare qu'on puisse ramener un *long* ensemble narratif de l'*Edda* en prose à un type de conte attesté et, quand c'est le cas, ce conte n'est attesté qu'une ou deux fois, en sorte qu'on doit se demander si les récits populaires ne dérivent pas du mythe scandinave. C'est peut-être le cas de l'histoire de Þjazi et des trois Ases. Les répertoires tziganes sont faits de pièces et de morceaux.

la naissance de Sleipnir ; je serai bref, Jan de Vries ayant dit l'essentiel.

Dans une brillante étude, le folkloriste suédois C. W. von Sydow, précisant une indication de von der Leyen, a montré que les ennuis que les Ases éprouvent avec le maître-ouvrier, le *smiðr*, qui construit leur château, sont ceux-là mêmes qui se rencontrent dans un type de conte bien connu notamment dans l'Europe scandinave, et aussi centrale et occidentale, et hors d'Europe. Il s'agit de la construction d'une église, ou d'un moulin, ou d'un château, ou d'une route, ou d'un ouvrage d'art (pont, digue...) ; pour cette construction, un homme (le prêtre, le saint, le meunier, etc.) a conclu un pacte avec le diable (ou un géant, un troll, etc.) : si l'ouvrage est achevé en une (ou trois...) nuit, avant le lever du soleil (ou le chant du coq), le diable recevra en paiement l'âme de son employeur (ou une autre âme, ou le soleil et la lune) ; l'habileté de l'employeur tend à mettre, au dernier moment, le diable en défaut ; alors, souvent, le diable détruit son œuvre, ou finit pétrifié à côté de l'édifice inachevé, — dont on montre volontiers, dans les rochers, « les ruines ». Je n'entre pas dans les détails d'une discussion que J. de Vries, je le répète, a déjà menée à son terme : ce qui demeure incontestable, du travail de von Sydow, c'est le fait que ce « mythe », dans sa plus grande partie, reproduit non plus seulement, comme c'était le cas dans le mythe de Þjazi, des motifs de contes pris de droite et de gauche et artificiellement associés, mais exactement *un type de conte* fidèlement suivi. Il y a pourtant un résidu, et d'importance : *le cheval Svaðilfari, Loki-jument, et la naissance du poulain Sleipnir.* Cela, von der Leyen l'avait loyalement noté, n'est pas dans le conte, dans aucune variante. Pour trouver un cheval, d'ailleurs anodin, von Sydow a recouru à une unique version, irlandaise, où les rôles du saint et du diable sont inversés : saint Mogue (ou Aidan) construit une église en une nuit, avec l'aide d'un cheval qui lui transporte ses matériaux, et c'est le diable qui empêche l'achève-ment du travail. Par la suite, Kaarle Krohn a trouvé mieux ; après avoir rappelé l'affinité ordinaire du diable et du cheval, qui n'explique rien, et mobilisé une tradition finlandaise qui n'a évidemment rien à faire ici, il a signalé une version *islandaise* du conte du « Baumeister » où apparaît un cheval singulier : un Islandais, qui doit participer à la construction d'une église et qui n'a pas d'animal de trait, prend un cheval gris qui fait à lui seul plus de besogne que tous les autres ; mais, une fois déchargé de son fardeau, l'animal donne un coup de pied dans le mur de l'église et y ouvre un trou qui ne peut plus être bouché, — c'était un « cheval d'eau ». Même là, nous sommes loin de la seconde partie du « mythe » scandinave [1] : Loki se métamorphosant en jument, détournant de son service le cheval du géant et mettant bas, lui-même, quelques mois plus tard, le cheval à huit pieds, le coursier d'Óðinn, Sleipnir. Faut-il attribuer tout cela, que l'*Edda* en prose est seul à nous transmettre, à l'imagination de Snorri et de son école ? C'est peu vraisemblable : d'abord, aux yeux de Snorri, quand il rédigeait l'*Edda*, c'était là l'essentiel, car toute l'histoire du « Baumeister » n'est contée par lui que pour sa conclusion, que pour répondre à la question *initiale* : « Qui est possesseur du cheval Sleipnir et qu'y a-t-il à dire de lui ? » De plus, le ridicule, l'infamie, si l'on veut, qui est ici attribuée à Loki rejoint un trait bien attesté par ailleurs : ce n'est pas le seul cas où ce dieu a fonctionné comme femelle ; le fait que le « cheval à huit pieds » soit son enfant rejoint un autre trait, non moins bien attesté : père ou mère, il a mis en circulation les grands monstres de la mythologie germanique, le méchant loup Fenrir, le terrible serpent ; enfin, si Loki se transforme ici en jument, c'est que, seul des dieux scandinaves, il a une faculté

---

1. D'ailleurs, puisqu'il s'agit d'une version *islandaise*, et unique en son genre, il se peut bien que, dans la mesure où elle rappelle le mythe (cheval diabolique, qui d'abord favorise l'œuvre et finalement est responsable de l'échec), elle lui ait emprunté ce détail, loin de le lui avoir fourni.

illimitée de métamorphoses animales, — celle-là même qui a donné naissance à une curieuse tradition des îles Færöer qui a été citée plus haut. Certes on peut supposer — on peut tout supposer — que c'est justement en se fondant sur ces trois traits authentiques de Loki (son aspect de femelle intermittente, son aspect de *parens monstrorum*, ses incarnations animales) et en les combinant que le faussaire (Snorri) a inventé la dernière partie de son récit ; mais, vraiment, pourquoi supposer cela ? D'abord, deux de ces traits, dans le récit, prennent une forme originale, qui ne recouvre aucun autre épisode de la « vie » du dieu : nulle part ailleurs il n'est cheval ou jument, ni ne met au monde un monstre *utile aux dieux*. Et surtout il a été prouvé plus haut que Snorri n'est pas le suspect, le présumé coupable que les critiques les plus savants parviennent mal à écarter de son horizon de juge d'instruction ; rendons-lui, simplement, sa vraie qualité : pour la naissance de Sleipnir comme pour Týr manchot, comme pour Kvasir assassiné, Snorri est très probablement un *témoin*.

CINQUIÈME PARTIE

LE THIASE DES SYCOPHANTES

A côté de discussions scientifiques, souvent très vives, sur des résultats particuliers de ses recherches (par exemple, avec Paul Thieme sur l'*ari*), Georges Dumézil a dû faire face à une mise en cause « dans son principe même, [de] la légitimité de la comparaison génétique et non seulement typologique, que j'essaie de mettre au point, c'est-à-dire, en fin de compte, à la notion d'héritage indo-européen ». Les opposants se répartissent en deux catégories.

Les uns se sont appliqués « à défigurer, à ridiculiser mon travail pour se débarrasser plus facilement de résultats qui les gênent dans leurs propres constructions ». À cette catégorie appartiennent les historiens de la religion romaine Herbert Rose, Henrik Wagenwoort et Kurt Latte, les indianistes John Brough et Jan Gonda, l'iranisant Illya Gershevitch, le germaniste R.I. Page... Tous ont prétendu se livrer à une critique scientifique. À défaut d'être toujours de bonne foi, ils s'en sont cependant tenus à une dénonciation des résultats eux-mêmes, et non des intentions supposées de leur auteur.

Les autres ont eu recours à un procédé beaucoup plus déplaisant : ils se sont efforcés de débusquer, notamment dans les travaux de jeunesse de Dumézil, une inspiration raciste, voire nationale-socialiste, en arguant du fait qu'il avait été proche de l'Action française durant la première moitié des années vingt. Arnaldo Momigliano, dont les livres d'histoire ancienne sont assez connus, avait ouvert le feu en 1963, de manière encore discrète, dans un article sur les origines de Rome. Vingt ans plus tard, il a récidivé, cette fois ouvertement, dans un article entièrement consacré à l'œuvre de Dumézil. On peut notamment y lire : « Le livre de Dumézil de 1939, *Mythes et Dieux des Germains*, porte des traces claires de sympathie pour la culture nazie. » L'accusation sous-jacente est claire : la quête des « ancêtres aryens » (terme auquel Dumézil a d'ailleurs toujours préféré celui d'Indo-Européens, réservant l'appellation d'Aryens aux sociétés qui la revendiquaient, en Inde et en Iran) révèle l'antisémitisme refoulé de son auteur.

Par l'odeur du fromage alléchés (prendre à parti un personnage aussi universellement connu que Dumézil à la fin de sa vie assure à celui qui s'y livre une renommée que ses travaux personnels ne lui conféreraient pas), plusieurs historiens plus jeunes ont entrepris à leur tour de rechercher les vers racistes dans la mythologie dumézilienne. L'attaque la plus ignoble est venue d'un historien italien, Carlo Ginzburg, dans un article au titre tout à fait expressif : « Mythologie germanique et nazisme. Sur un livre ancien de Georges Dumézil. » Cet article est d'abord paru en italien, mais les *Annales E.S.C.* ont cru utile de lui assurer une publicité supplémentaire. L'argumentation, d'une insigne mauvaise foi, prolonge celle de Momigliano : si Marc Bloch a fait un compte rendu favorable de *Mythes et Dieux des Germains*, c'est qu'il a été abusé ; non seulement Dumézil était l'ami de Gaxotte, comme l'a dit Momigliano, mais en outre il était très lié avec Caillois, dont les opinions étaient des plus douteuses... Plusieurs écrivains de moindre enver- gure se sont joints au chœur, notamment l'archéologue français Alain Schnapp, d'un marxisme assez confus, et l'historien américain Bruce Lincoln, disciple de Mircea Eliade (ami fidèle de Dumézil pendant quarante ans), qui a profité de la mort de son maître pour régler un vieux compte : jeune chercheur, Lincoln avait envoyé ses premiers articles à Dumézil, qui avait eu l'immense tort de ne pas les trouver géniaux...

Dumézil avait toujours ferraillé sans mollesse, et même avec une certaine allégresse, contre ses contradicteurs. John Brough, Paul Thieme, Jan Gonda et quelques autres ont eu droit à des réponses circonstanciées, assorties d'une ironie acérée et proportionnée à la gravité de l'offense. Contre Momigliano, il était d'abord resté silencieux, avant que l'attaque de 1983 ne le fasse sortir de sa réserve. Dans « Une idylle de vingt ans » (paru dans *La Courtisane et les Seigneurs colorés*), il a répondu sèchement à « un Fouquier-Tinville costumé en Rollin », publiant pour qu'il n'y ait pas d'ambiguïté les passages sur lesquels Momigliano s'était appuyé, dénonçant son « phantasme politique » (l'étude des liens entre la première et la troisième fonctions, que Dumézil a menée dans les années quarante, correspondrait à « une phase vaguement marxiste dans laquelle les producteurs ont leur mot à dire dans la souveraineté ») et la déformation de l'une de ses thèses que Momigliano avait prise comme exemple. Contre Ginzburg, la réponse a été immédiate (« Réponse à Carlo Ginzburg », *Annales E.S.C.*, n° 5, 1985) et a tourné à la confusion de l'attaquant (Dumézil avait quelques munitions dans ses archives, notamment des lettres de félicitations de Marc Bloch et d'Émile Benveniste) et de la revue qui l'avait accueilli (le traducteur avait dénaturé par un contresens un passage important). Dumézil envisageait une réponse d'ensemble au gang des diffamateurs, qu'en fin lettré il préférait appeler « le thiase des sycophantes [1] », mais il n'en a pas eu le temps [2].

Le texte qui suit tenait lieu de conclusion à *L'Héritage indo-européen à Rome*, paru en 1949. Repris trente-cinq ans plus tard dans *L'Oubli de l'homme et l'Honneur des dieux*, avec des notes explicatives, il a une portée générale.

1. Le thiase est une confrérie qui s'adonne à des cultes bruyants, parfois orgiastiques. Un sycophante dénonce soit les exportateurs illégaux de figues soit de riches citoyens dans l'espoir de recevoir une partie de leurs biens en cas de condamnation ; par extension, dénonciateur, calomniateur.
2. Voir la mise au point de Didier Eribon, *Faut-il brûler Dumézil ?*, Flammarion, 1992.

CHAPITRE VIII

PRO DOMO REVISITED

Il me paraît amusant de reproduire le plaidoyer qui terminait mon premier bilan romain, bien pauvre encore, dix ans après le « départ » de 1938 (L'Héritage indo-européen à Rome, 1949, p. 237-254). Peu de chose sont à changer quant au fond : je les indique dans de brèves notes. D'autres notes, par le rappel de l'« environnement », expliqueront, quant au temporel, les illusions que je me faisais à cette époque.

Tel est, au bout de dix ans, l'état des recherches. Etat, comme il a déjà été dit, tout provisoire. Des chantiers sont ouverts, des formes archaïques ont apparu, ont été hâtivement dégagées, inventoriées, des cheminements mènent de l'une à l'autre. Mais des vestiges considérables dorment peut-être encore en des points où nous ne songeons pas à porter la pioche ; peut-être tout ce que nous voyons est-il appelé à changer de sens, à prendre place dans un ensemble plus vaste et différemment organisé. Du moins en voyons-nous assez pour être assuré qu'il ne s'agit ni d'un mirage fugitif ni d'une construction gratuite.

A ceux qui voudront bien discuter, deux prières instantes doivent être adressées. D'abord, qu'ils ne perdent pas de vue la solidarité de toutes ces enquêtes, sur quelque plan qu'elles se situent : théologie, histoire légendaire, institutions. Ensuite, qu'ils se reconnaissent le devoir, et qu'ils l'assument, s'ils rejettent l'explication par l'héritage indo-européen, de rendre compte autrement, par leurs propres hypothèses, en tout cas de rendre compte de tous les faits romains convergents qui ont été ici réunis et de toutes les analogies qui ont été signalées entre Rome et l'Inde ou la Scandinavie [1]. En d'autres termes, qu'ils sentent qu'il n'y a qu'un seul problème, et qu'ils sachent qu'ils ne se débarrasseront plus de ce problème en le niant.

Pour finir, le plus utile sera peut-être d'analyser brièvement et en toute sérénité quelques grosses erreurs d'appréciation qui ont été déjà plusieurs fois commises sur les conditions générales de ce travail, et aussi quelques-uns des facteurs de la résistance étonnante, parfois de l'hostilité, qu'il rencontre chez certains spécialistes des choses romaines [2].

Il est curieux que deux groupes d'opposants formulent deux reproches inverses et incompatibles. Suivant les uns, les *Jupiter Mars Quirinus* enfoncent, comme on dit, une porte ouverte. On trouve à Rome, dans les institutions, dans l'histoire des origines, dans la religion, de nombreuses traces d'une conception tripartite [3] du monde et de la société ? C'est vrai. C'est même trop vrai. Comment en serait-il autrement, puisqu'il y a là une condition universelle de la vie collective et peut-être de la pensée, puisque tout groupement humain est obligé, sous peine de disparaître, d'assurer pratiquement et de concilier les trois fonctions de souveraineté politico-religieuse, de force combattante, de productivité ? Dès lors, devant ces

1. La réponse ordinaire est que ces « faits romains » ne convergent pas, que ces « analogies » n'existent pas.

2. En 1949, en France, j'avais affaire à l'hostilité, déclarée par l'un, discrète mais efficace dans l'autre, d'André Piganiol et de Jérôme Carcopino. À l'étranger je n'avais alors enregistré que l'opposition, mais combien vive, de Herbert Jenkins Rose, fervent du primitivisme, responsable de l'équation *mana = numen*. Ensuite sont venus deux adversaires considérables, Henrik Wagenvoort et Kurt Latte.

3. Très tôt, j'ai préféré la forme « triparti(e) ». Je persiste.

faits romains, et même si l'Inde, l'Iran, la Scandinavie, etc. présentent des faits analogues, de quel droit conclure à un héritage indo-européen ? Suivant les autres au contraire, les *Jupiter Mars Quirinus* voient à Rome des choses qui n'y sont pas. Si elles y étaient, comme on dit encore, cela se saurait : depuis deux mille ans que le dossier est ouvert, à la disposition d'érudits infatigables et de critiques pénétrants, on n'eût pas manqué de les apercevoir. Un groupe de faits dont on ne s'avise qu'au XXe siècle est par là même suspect. Jusqu'à il y a dix ans, les historiens de Rome avaient assurément de bonnes raisons pour renoncer à savoir ce qu'était en vérité Quirinus, le Quirinus originel : ont-elles cessé de valoir ? On n'a pas souligné plus tôt le schéma directeur de tout le récit légendaire qui va de l'enlèvement des Sabines à l'incorporation des Sabins : n'est-ce pas tout simplement parce que ce schéma n'existe pas ou du moins n'a pas l'importance que le nouveau système d'interprétation lui attribue ? On n'a pas reconnu, malgré Properce, malgré Virgile, la valeur fonctionnelle qui se serait encore attachée sous Auguste aux noms des Ramnes, des Luceres et des Titienses [1] : donc, en mettant les choses au mieux, ne doit-on pas penser qu'on se trouve devant une rencontre fortuite entre la fantaisie des poètes du grand siècle et les conceptions indo-iraniennes, amusante certes, mais sans valeur documentaire, sans portée historique ?

Aux censeurs du premier groupe on peut soumettre plusieurs moyens de défense.

Il est clair que la tripartition consciente et explicite de la société ou de la partie directrice de la société [2]

---

1. Cette formulation est juste : elle n'engage pas la *réalité* des trois tribus, mais indique seulement qu'une des trois valeurs fonctionnelles de l'idéologie préromaine, et encore romaine archaïque, a été attachée à chacune des trois tribus, au moins dans la légende des origines. Cf. *Idées romaines*, p. 209-223, et l'*Esquisse 75* dans *L'Oubli de l'homme...*

2. Ceci est moins juste. Je ne préjuge plus rien de l'organisation réelle, même des Indo-Européens. La bonne formulation est dans

en prêtres, guerriers et agriculteurs n'est pas propre au monde indo-européen. Le fait est pourtant qu'un tel mode d'organisation n'a pas le caractère d'universalité que certains prétendent. Nombre de peuples, certes, sur tous les continents, assurent les trois fonctions correspondant à cette division type, puisqu'il n'est pas possible qu'ils subsistent autrement ; mais ils le font sans y prendre garde et sans affecter à chacune un organe — de direction ou d'exécution — particulier. Que l'on considère, par exemple, les peuples sibériens, les anciens Sémites nomades ou même, parfois, sédentarisés. Chez les premiers, les chamanes existent bien, mais comme des artisans spécialistes parmi les autres, et le cavalier turc ou mongol serait bien en peine de dire s'il est pasteur avant d'être pillard. Dans la Bible, dans ces textes chargés d'une réflexion profonde et renouvelée sur la vie sociale et sur les rythmes du monde, on chercherait vainement, semble-t-il, une expression dialectique ou imagée du système des trois fonctions, soit du point de vue de Dieu, soit du point de vue des hommes [1] ; ce qui domine l'idéologie, c'est bien plutôt le sentiment de l'omnivalence — moyennant la volonté divine — de chaque être et de l'équivalence de tous : le petit berger David tue le champion philistin sur la ligne de bataille et bientôt il sera l'oint du Seigneur [2]. La Chine, prise entre la

---

l'Introduction de *Mythe et Épopée* I, p. 15 : « Un progrès décisif fut accompli le jour où je reconnus, vers 1950, que l'"idéologie tripartie" ne s'accompagne pas forcément, dans la vie d'une société, de la division tripartie *réelle* de cette société selon le modèle indien ; qu'elle peut au contraire, là où on la constate, n'être (ne plus être, peut-être n'avoir jamais été) qu'un idéal et, en même temps, un moyen d'analyser, d'interpréter les forces qui assurent le cours du monde et la vie des hommes. Le prestige des *varna* indiens se trouvant ainsi exorcisé, bien des faux problèmes ont disparu... »

1. Voir ma discussion avec John Brough, reprise dans *Mythe et Épopée* III, appendice III, p. 338-361, et l'*Esquisse* 50, dans *La Courtisane...*, p. 239-243.

2. Le récit biblique ne suggère pas que la promotion de David soit sentie comme une montée à travers les trois niveaux fonctionnels.

forme binaire de ses principales représentations et son goût des catégories, n'oppose couramment dans la société, comme elle fait du ciel et de la terre, dans le *cosmos,* que l'empereur et « les sujets » ; mais elle répartit ceux-ci en un grand nombre de spécialités parmi lesquelles il serait tout à fait artificiel de considérer comme fondamentales celle du soldat et celle du sorcier.

Très précisément, si l'on considère la portion d'humanité déjà vaste que connaissaient les anciens, on constate qu'un système triparti [1] conscient et explicite ne se rencontrait que dans des civilisations où une puissante composante indo-européenne est incontestable, en Perse par exemple, ou dans des civilisations, comme celle des Lydiens [2], qui venaient de subir l'occupation et l'influence contraignante d'Indo-Européens. L'Égypte ne fait pas exception : si Hérodote, si le *Timée,* si Diodore y signalent la tripartition, il n'y a aucune raison de ne pas les croire ; mais il n'y a non plus aucune raison de sous-estimer le fait qu'ils parlent d'une Égypte décadente qui, après les invasions des « peuples de la mer » en partie indo-européens, a subi la conquête, l'administration, le prosélytisme des Achéménides ; ni cet autre fait que, dans les documents proprement égyptiens antérieurs à ces dures épreuves, rien ne suggère qu'il ait existé une organisation ni une idéologie tripartite [3]. À s'en tenir donc aux peuples de l'Antiquité dite classique, Rome, dans la mesure où elle présente des traces d'une conception tripartite du monde et de la société, non seulement a peu de chances, *a priori,* de les devoir à

1. Précisons : avec ou sans une expression de classes sociales.

2. L'exemple lydien est mal choisi, malgré l'*Esquisse* 55 dans *L'Oubli de l'homme...,* et malgré Hérodote, I, 93, qui suggère une division de classes sociales : trois inférieures, nommées (courtisanes, paysans, artisans), et deux supérieures non nommées ; en tout cas, il y a cinq pierres, non trois.

3. Pour l'Égypte et les trois fonctions, voir *Mythe et Épopée* III, p. 343.

l'influence de Méditerranéens non indo-européens, mais au contraire a toutes chances de les devoir directement à son passé, à son élément indo-européen.

Que l'idéologie tripartite soit conforme à la nature des choses, c'est probable et peut-être est-ce justement l'une des raisons de l'incontestable succès temporel des Indo-Européens que d'avoir, mieux que d'autres sociétés parfois non moins bien douées, pris conscience de cette division naturelle des fonctions de la vie collective [1] ; ce n'est sans doute pas un hasard si quelques-unes des grandes réussites ou des grands efforts de puissance, jusque dans la plus moderne histoire de notre Europe, reposent sur des reviviscences claires et simples du vieil *archétype,* comme dit avec bonheur M. Mircea Eliade : les trois ordres sous la monarchie française (clergé, noblesse, tiers état [2]), les trois rouages essentiels de l'État soviétique (le parti avec la police, l'armée Rouge, les ouvriers et paysans), ceux de l'État nazi (la *Partei* avec la police, la *Wehrmacht,* l'*Arbeitsfront*) constituaient ou constituent des machines dont l'efficacité n'est pas contestable [3].

Ce caractère naturel ne dispense pas pourtant d'examiner, dans chaque cas où une telle tripartition s'observe, les formes particulières qu'elle revêt. La paternité, elle aussi, est conforme à la nature des choses

---

1. De la vie collective humaine. Dans les sociétés d'insectes (abeilles, fourmis, termites), les « classes », qui sont souvent des « formes », constituent des structures différentes.

2. Le problème est moins simple depuis l'article-programme de Jean Batany : Georges Duby, Claude Carozzi, Daniel Dubuisson, Batany lui-même et, derrière eux, quelques-unes de mes *Esquisses* (21-25 dans *Apollon sonore,* 48 dans *La Courtisane*) ont continué à l'étudier.

3. Je dois dire que des critiques marxistes ont contesté ce parallélisme. Il existe pourtant, quelles que soient l'origine et la justification des trois niveaux de la société soviétique : les grands journaux sont la *Pravda* et les *Izvestija* (I), la *Krasnaja Zvezda,* organe de l'armée (II), *Trud,* organe économique (III), organes du parti et du gouvernement ; j'espère que M. Momigliano ne verra dans ce paragraphe aucun penchant pour l'un ou l'autre des régimes ici mentionnés (cf. l'*Esquisse* 75, dans *L'Oubli de l'homme...*).

et a donné lieu, dans un grand nombre de sociétés, à un statut de la puissance paternelle ; la « grande famille patriarcale » s'observe en maint pays ; dira-t-on que la *potestas* du *pater* romain, le système romain de parenté, parce qu'ils ne sont que des cas particuliers de faits largement répandus dans le monde, ne méritent pas d'être étudiés séparément ni comparativement ? Bien au contraire : on doit, à l'intérieur du genre, les définir comme espèce, avec le souci de les situer par rapport aux autres espèces du même genre ; et si, au cours de cette enquête, on remarque, par exemple, que la nomenclature de la famille romaine, dans ce qu'elle dit et dans ce qu'elle ne dit pas, offre de nombreuses, remarquables et systématiques correspondances avec la nomenclature de la famille indienne, grecque, arménienne, slave, germanique, etc., on sera fondé à parler d'une espèce indo-européenne de « grande famille patriarcale [1] » et c'est non plus typologiquement, mais génétiquement, à partir de [2] cette espèce indo-européenne définie par la comparaison, que devra être interprétée sa dérivée, la *gens* romaine.

Il en est de même pour la tripartition. On n'a pas prétendu ici qu'elle fût le monopole des Indo-Européens. On a seulement précisé les formes ou les représentations *spéciales,* parfois très spéciales, et *concordantes* que la tripartition [3] revêtait ou suscitait chez les divers peuples indo-européens anciens. Ce n'est pas isolée, nue, abstraite, la simple idée d'une tripartition que la Rome primitive montre à l'observateur ; ce sont en outre, autour de cette idée, d'abord les vocables techniques indo-européens où elle

---

1. Émile Benveniste, *Le Vocabulaire des institutions indo-européennes* I, 1969, p. 205-276.

2. « À partir de », mais non pas, bien entendu, par une évolution linéaire spontanée, indépendante des facteurs extérieurs.

3. Toujours la même réserve quant à l'organisation sociale primitive. Au lieu de « tripartition », mieux vaudrait « cadre idéologique triparti ».

s'exprime directement (le triple *flamonium* [1] ; *Jupiter, Mauors* ; *Quirinus* de **co-uir-ī-no-*) et généralement tout le vocabulaire politico-religieux dont M. Vendryes a montré l'étroite parenté avec l'indo-iranien et qui, par conséquent, fait attendre *a priori* que la structure politico-religieuse de la plus vieille Rome, à commencer par le *regnum,* ait été pour une large part indo-européenne. Ce sont encore, en grand nombre, des traits théologiques, légendaires, institutionnels qui enrichissent ou nuancent l'idée de la tripartition et dont certains sont assez singuliers pour que leur accord avec des traits homologues indiens ou scandinaves ne soit pas fortuit [2]. Par exemple, la première fonction est bipartite chez les Indo-Européens et cette bipartition se traduit parfois dans des figures inattendues : l'histoire des deux sauveurs de Rome, le Borgne et le Manchot, Cocles et Scaeuola [3], contient le même symbolisme et les mêmes rapports que celle des dieux germaniques de la première fonction, Óðinn qui n'a qu'un œil et Týr qui a perdu sa main droite dans une procédure juridique [4] ; on attend toujours que ce diptyque, qui a des correspondants en Irlande et dans l'Inde [5], soit signalé ailleurs que chez des Indo-Européens, au Mexique ou en Polynésie ou au Dahomey, dans l'un quelconque des lieux où la tripartition des fonctions s'est plus ou moins clairement exprimée. De même, semble-t-il, nulle part, en dehors du monde indo-européen, on ne rencontre [6] le mythe

---

1. Je continue à regarder le rapprochement *flāmen-brahmán (bráhman)* comme probable, mais cela n'a aucune importance.

2. Ajouter tous les résultats ultérieurs de la recherche « indo-romaine » qui n'ont pas tous trait à l'idéologie tripartie.

3. Dans l'« histoire » ; dans la théologie, ce sont Jupiter et Dius Fidius — dont le second a perdu jusqu'à son flamine, le Dialis, au profit de son grand associé.

4. Voir la discussion des objections de R.I. Page dans l'*Esquisse* 73 de *L'Oubli de l'homme...*

5. Erreur : pas dans l'Inde, où Bhaga *complètement* aveugle, Savitṛ privé de ses *deux* mains, relèvent d'un autre symbolisme.

6. Il vaudrait mieux dire, pour rassurer M. Page, « ne s'est jusqu'à présent rencontré ».

précis de la *formation* de la société tripartite que laissent paraître les récits sur les conflits des Ases et des Vanes, de Romulus et des Sabins, d'Indra et des Aśvin. De même encore, entre la notion védique des *Viśve Deváḥ* et la notion romaine des *Quirites* [1], entre la subdivision de chacun des trois groupes de dieux védiques fonctionnels (33 étant soit $3 \times 10 + 3$, soit 3×11) et la subdivision en curies des *Ramnes*, des *Luceres* et des *Titienses* fonctionnellement caractérisés (compte tenu des circonstances dans lesquelles, par $3 \times 10 + 3$ ou par 3×11, ce système romain ternaire et dénaire produit des formes à 33 membres [2]), on relève des correspondances précises qui, elles, ne sont sûrement pas imposées par la « nature des choses ». C'est là que sont à la fois la justification et la matière de l'effort comparatif limité au monde indo-européen. Il n'exclut pas naturellement la nécessité ni la possibilité d'une étude comparative générale de la tripartition à travers le monde. Peut-être en est-il — avec beaucoup d'autres enquêtes *génétiques* semblables, à entreprendre en des points très différents de la terre — une condition préalable.

Au second groupe de censeurs, il est moins facile de répondre : comment contraindre à voir quelqu'un qui ne voit pas et qui, souvent, ne tient pas à voir ? On peut répéter, certes, pour le « mystère » de Quirinus par exemple, que l'analogie des triades scandinaves et indiennes et l'explication phonétique que M. Benveniste vient de donner de l'homologue ombrien de Quirinus [3] sont des « faits » considérables dont on ne

---

1. Sur cette question, beaucoup de choses restent valables dans *Jupiter Mars Quirinus* IV, 1948, p. 155-170, sauf bien entendu l'« histoire », que j'essayais encore de reconstituer, et ce que j'appelais encore la « pratique sociale ». La mise au point a été faite, juste vingt ans plus tard, dans *Idées romaines*, p. 215-223. Sur les *Viśve Deváḥ* et leur transposition épique dans les *Dranpadeya*, voir *Mythe et Épopée* I, p. 246-249.

2. Cette rencontre chiffrée reste frappante : *Jupiter Mars Quirinus* IV, p. 164, n. 1, et p. 167.

3. En fait, Benveniste a retrouvé indépendamment une explica-

disposait pas il y a deux mille ans ni il y a dix ans. On peut insinuer aussi que l'étude des offices du *flamen quirinalis* n'a guère encore été entreprise objectivement, mais toujours en fonction d'hypothèses [1] ; plus généralement, que, depuis deux mille ans, pour les origines de Rome, la science vit sur des conceptions qui s'accordent, qui ont le tort de s'accorder surtout en ceci qu'elles ne tiennent pas compte du fait que Rome a été fondée par des Indo-Européens déjà pourvus d'un passé [2] ; qu'il n'est pas surprenant, dans ces conditions, que, depuis deux mille ans, et malgré deux mille ans d'observation attentive et peut-être même à cause de ces deux mille ans, et des deux ou trois orthodoxies qu'une étude si prolongée n'a pas manqué d'interposer entre le donné et les plus récents observateurs, certains vestiges archaïques, le sens même de certains faits aient échappé aux regards. Tout cela paraît peu efficace.

Ici se place le point le plus délicat de ce plaidoyer, mais comment l'éluder ? Il est remarquable que, conduit à modifier sensiblement les opinions reçues quant aux origines et quant à la structure de la théologie zoroastrienne ou de la mythologie védique aussi bien que de la légende royale de Rome, le comparatiste a rencontré sur ces divers domaines des accueils bien différents. Très vite, beaucoup d'orientalistes ont accepté de prendre en considération les interprétations nouvelles [3] ; pour celle des archanges

tion de V. Pisani, passée inaperçue. Sur Iguvium et sa triade divine, voir maintenant l'exploitation que j'ai faite de la découverte de Maurizio del Ninno (les trois saints de la grande fête de *Gubbio*) dans *Mariages indo-européens*, p. 123-143.

1. Voir le chapitre sur Quirinus, qui reste bon malgré tout ce qui a été proposé par la suite, dans *La Religion romaine archaïque*, 1974, p. 257-282.

2. Ceci reste d'actualité.

3. Jusqu'à 1949, cela était vrai : en France, après l'action décisive de Sylvain Lévi, qui m'avait téléphoné ma nomination à l'École des Hautes Études cinq jours avant sa mort subite, l'appui de Jules Bloch, obstinément bienveillant depuis mes débuts, d'Armand Minard, bientôt de Jean Filliozat, d'Émile Benveniste à partir de

zoroastriens notamment, plusieurs iranisants considérables s'y sont immédiatement ralliés [1] et aucun des autres, même de ceux qu'elle contredit le plus directement ne l'ont considérée comme un manque d'égards personnel : ils la critiquent, ne l'incorporent que partiellement à leurs systèmes ou lui opposent des arguments du même ordre que ceux qui la soutiennent, et qui par conséquent permettent, promettent d'utiles controverses. Cette heureuse situation s'explique par plusieurs raisons [2]. L'orientalisme est jeune, tout proche même de ses origines, et par suite il a le souvenir et la fierté de récentes « revisions » qui ont eu parfois l'ampleur de métamorphoses. Il est de plus habitué à vivre dans l'attente, dans l'espérance, dans le respect du « fait nouveau ». Il est enfin, sur quelques-unes de ses grandes provinces, le frère à peine aîné et, dans le travail, le plus précieux auxiliaire du comparatisme : il y a cent ans, on a vu des latinistes et des hellénistes résister à la notion de langue indo-européenne, mais pas un indianiste ; à vrai dire, c'est même de l'indianisme qu'est née la linguistique comparative indo-européenne.

L'accueil des latinistes, des archéologues et des historiens comme des philologues, est souvent bien différent [3]. Si l'effort poursuivi depuis dix ans a obtenu,

---

1938, me donnaient cette agréable illusion, confirmée par l'attitude de Stig Wikander et de Geo Widengren dès les lendemains de la guerre.

1. Je pense, outre Benveniste et le P. Jean de Menasce en France, à Kaj Barr, à Jacques Duchesne-Guillemin, à Tavadia, à Georg Morgenstierne.

2. Cette « heureuse situation » a changé par la suite, il suffira de citer mes discussions peu agréables, pour l'Inde, avec John Brough et Jan Gonda ; pour l'Iran, avec M. Gershevitch (*Les Dieux souverains...*, p. 247). L'orientalisme aussi vieillit, sécrète des hiérarchies, des chapelles, des orthodoxies. Il garde cependant plus de malléabilité que les philologies dites classiques.

3. Voir ci-dessus, p. 290, n. 2. Le cas des hellénistes est différent. Je touche d'ailleurs peu aux faits grecs, au « miracle grec », dont j'ai souvent souligné la spécificité. D'autre part, en France, le soutien constant et puissant de Louis Robert, l'attention de quelques-uns de mes plus brillants cadets, tels que Francis Vian, semble avoir

de plusieurs, une adhésion énergique, courageuse, dévouée, d'autres ont réagi avec vivacité. Rien ne sera dit ici qui puisse envenimer une situation déjà difficile. Il est seulement à craindre que ces savants, pour des raisons qui tiennent à l'histoire de leurs études et aux conditions actuelles de leur travail, n'aient pas, devant la nouveauté en général et notamment devant une extension de l'usage des procédés comparatifs, la même souplesse, la même liberté que les orientalistes de tous ordres.

Depuis de longs siècles, sur ces domaines, le progrès, et souvent un immense progrès, n'a été conçu et réalisé que par l'affinement, le perfectionnement de techniques déjà existantes. Qu'il s'agisse d'établir un texte, de dégager un monument enseveli, d'étudier la langue ou la pensée ou l'art d'un auteur, les savants de notre époque font mieux, ils ne font pas fondamentalement autre chose que leurs prédécesseurs. Le développement de l'archéologie et de toutes les disciplines qui en dépendent a considérablement modifié ce qu'on pourrait appeler la répartition de la matière de l'humanisme, elle n'y a pas ajouté de province vraiment inédite, imprévue. Seule la linguistique comparative, non sans peine, est parvenue au siècle dernier à faire admettre des vues et des méthodes radicalement nouvelles ; encore, pour beaucoup de latinistes et d'hellénistes, est-elle dans leur savoir comme un corps étranger [1], un hôte qu'ils admettent, qu'ils honorent même, mais qu'ils n'utilisent guère et qu'ils ne souhaitent pas voir proliférer. Sans doute y a-t-il là une première raison des résistances que rencontrent des démonstrations d'un type trop aberrant.

---

engagé la critique à la modération, ou au silence. Paul Mazon était plus que sceptique, mais discret. Paul Chantraine, d'abord hostile, a été impressionné par la conversion de Benveniste : sur le tard, en 1970, il a été l'un de mes parrains à l'Académie des inscriptions.

1. Récemment encore, un de mes collègues s'étonnait d'entendre dire que le mot grec *theos* n'avait rien à voir avec le latin *deus*.

Il faut joindre à celle-là une raison moins raisonnable, mais émouvante. Depuis toujours, le latin et les ordres de connaissances qui supposent le maniement du latin, et aussi, depuis la Renaissance, le grec avec ses annexes, ont été doublement à l'honneur : en eux-mêmes, comme objet d'étude, et aussi comme disciplines auxiliaires, nécessaires longtemps à toute étude approfondie et, aujourd'hui encore, à beaucoup. L'idée que cette situation puisse partiellement se retourner, que Rome, la pensée latine, Tite-Live et Virgile, aient à recevoir des lumières essentielles d'autres philologies — disons le mot : d'autres humanismes —, paraît sûrement à de bons esprits dangereuse [1] pour l'autorité, déjà fortement menacée, des études classiques ; elle paraît surtout attentatoire à la grande et mystique idée de Rome, de la mission éternelle de Rome que les générations se transmettent pieusement dans les académies et dans les facultés. On a été un peu scandalisé, dans certains milieux humanistes, quand les anthropologues ont commencé d'expliquer quelques faits « classiques » par l'analogie de faits récemment enregistrés chez les peuples sauvages. Mais, en dépit des apparences, c'était là un sacrilège véniel, en tout cas limité à quelques *minora* du trésor antique, et l'on en a pris son parti. Il n'en est pas de même pour un ensemble comparatif à la fois plus restreint et plus ambitieux, dans lequel des penseurs comme Zoroastre, de grands et beaux textes comme les hymnes védiques, des philologies denses et peuplées comme la philologie scandinave sont également appelés à donner un sens nouveau à des pages bien connues, à d'illustres *exempla* politiques et moraux de Rome, à la structure même de la cité naissante et de ses principales représentations religieuses. Pour la majorité des contradicteurs, il ne faut

---

1. Dans une séance de la Société des études latines, en ma présence, André Piganiol a révélé que Franz Cumont lui avait dit, parlant de moi : « C'est un collègue dangereux. » Peut-être. Mais pour qui ? Pour quoi ?

sûrement pas faire intervenir une chose aussi mesquine que la répugnance à s'engager dans des études latérales longues et multiples ; la querelle est plus pure : c'est une promiscuité envahissante, c'est une sorte d'avilissement que prévoit et que refuse l'aristocratie de la République des Lettres.

À considérer de sang-froid les périls et les chances de l'humanisme classique, il semble pourtant qu'il ne s'affaiblirait pas en renonçant, sur ce point comme sur plusieurs autres, à une primauté et à un isolement qui n'ont plus ni sens ni avenir et en acceptant de siéger au concile des études humaines, *par inter pares*, reconnu irremplaçable et se sachant incomplet. L'histoire et l'exploration de la pensée sous toutes ses formes — intuitions, systématisations, expressions, évolutions, destructions — ne peut plus se limiter aux cadres que le XVIe siècle a cru dessiner généreusement mais dont l'étroitesse et l'artifice sont aujourd'hui évidents. Un temps viendra peut-être où des techniques éducatives hardies et des manuels bien faits permettront d'enseigner à l'élite de la jeunesse des écoles assez de latin, de grec, de sanscrit, d'hébreu, d'arabe et de chinois pour qu'elle soit en mesure sinon de dominer, du moins d'utiliser dans sa formation générale les six plus grands monuments qu'ait élevés l'humanité ancienne [1]. En attendant, dès aujourd'hui, dans l'enseignement supérieur, et plus encore dans la recherche scientifique, pourquoi répugne-t-on à rendre de la force aux études dites « classiques » en les avouant égales, à la fois auxiliaires et tributaires d'autres études auxquelles il ne manque, en nos pays, pour mériter la même épithète, que quelques siècles de pratique, mais non plus déjà les

1. Utopie ? Voire... L'avance prodigieuse de l'informatique créera peut-être un équivalent, plus puissant, de ces « techniques éducatives » et de ces « manuels ».

plus grands artisans ? Veuille le ciel que l'alliance ne se conclue pas trop tard [1] !

Il y a malheureusement autre chose encore : les plus nobles fidélités ont leurs petits côtés. Le passé prestigieux de l'humanisme classique a légué à ses représentants actuels des statuts corporatifs, des traditions de caste ou de chapelle impérieuses et aussi un code, une jurisprudence que les intéressés prennent tout à fait au sérieux. Ce ritualisme a des avantages et des inconvénients. Il est admis, par exemple, qu'on peut risquer (et les philologues ne s'en font pas faute) sur n'importe quel sujet n'importe quelle thèse saugrenue pourvu que les formes traditionnelles soient respectées, toute la bibliographie mentionnée, tous les documents littéraires, épigraphiques et archéologiques utilisés : c'est ce qu'on appelle « renouveler un sujet » ; il semble qu'une grande indulgence, une sorte de scepticisme de bon goût quant à l'usage qui est fait de la matière s'allie à une non moins grande susceptibilité quant à l'orthodoxie, à la qualité de la matière elle-même. À l'inverse, qu'un livre apporte une thèse bien charpentée, appuyée sur l'essentiel, mais néglige plus ou moins délibérément la « littérature antérieure », ou encore qu'une erreur ait été commise dans la traduction d'un texte mineur : aussitôt la docte assemblée, suivant les circonstances et l'humeur de ses dignitaires, se voile la face ou mène un charivari et refuse en tout cas d'entendre un novateur si évidemment profane. On imagine quelle audience, dans ces conditions, peut espérer le comparatiste : obligé de manier une vingtaine de langues et de s'orienter dans les philologies qu'elles desservent, comment serait-il, pour chacune, aussi complet, aussi agile, aussi informé des plus récents engouements que les savants qui consacrent tout leur temps à elle seule ? Même en latin, il lui échappera des contresens ; il ne citera pas l'édition qu'il faut, ne choisira pas la meilleure variante, ne se

---

1. Peut-être est-il plus sage d'espérer une lointaine Renaissance, en dehors, sans doute, de l'Europe.

référera pas à une illustre discussion. On ne l'écoutera donc pas : insensible à ce qu'il apporte d'inédit et de fécond, l'École lui appliquera la *nota* préalable qui, d'âge en âge, écarte de la bonne compagnie ceux qui savent mal ce qu'on doit *d'abord* bien savoir. Peu importe le détail des formes que prend une opposition à la fois si explicable et si regrettable. Elles sont variées, depuis la caricature naïve jusqu'au refus consciencieux, douloureux, d'examiner. Un jour, quand elles n'auront plus qu'un intérêt anecdotique, il sera amusant de publier, sur ces luttes du début, une petit « Livre blanc ». On en pourra léguer les éléments à de plus jeunes [1].

Pour ne pas quitter le moment présent, peut-être devrait-on dire hardiment que des recherches comme celles-ci, loin de nuire à la majesté de Rome et au prestige des études romaines, les servent au contraire en faisant ressortir la vraie grandeur et la distinction originale de la civilisation qui s'est formée au bord du Tibre. Elle ne s'est pas faite de rien ? Elle n'a pas tout créé ? L'étrange disgrâce ! Avoir lentement, constamment progressé vers l'égalité, avoir approfondi et réalisé la notion du « citoyen » à partir d'un état social hiérarchisé [2] dont l'Inde, dans le même temps, par une évolution inverse, ne savait tirer que le morcellement sans espoir, la maison cellulaire de ses castes ; sous le *rex*, sous les trois fantomatiques *flamines maiores*, témoins respectés et vains de l'héritage indo-européen, avoir développé le système des *honores* civils, militaires et religieux avec le nouveau type de pensée et de conduite qui a donné à Rome l'empire légitime de la Méditerranée, avoir assagi en une belle, attachante et instructive histoire nationale les imaginations bizarres, barbares des ancêtres ; avoir par exemple proposé aux générations à venir un Horatius Cocles et un Mucius

---

1. Je ne le ferai certainement pas. L'*Esquisse* 75, dans *L'Oubli de l'Homme...*, suffit pour l'essentiel.
2. Reste d'une illusion tenace (ci-dessus, p. 291, n. 2) ? L'expression juste serait : « à partir d'un *modèle idéal de société* plus ou moins réalisé ».

Scaeuola presque plausibles, en tout cas fraternels et pathétiques, à partir des représentations qui survivent dans le dieu borgne et dans le dieu manchot de ce qu'on a spirituellement appelé « la cour des Miracles » scandinave, tout cela et tant d'autres innovations ou transmutations de même style et de même ampleur assurent à ce peuple, dans la galerie des réussites intellectuelles de l'homme, la même place privilégiée qu'il a eue dans l'évolution politique du monde.

Si l'on se place au point de vue de l'éducation — ce qui est et restera l'un des soucis dont les maîtres de l'enseignement classique ont le droit de s'enorgueillir — on voit bien ce que la pédagogie gagnera, on ne voit pas ce qu'elle perdra au nouvel éclairage des origines romaines. Les *exempla* seront toujours des *exempla*, efficaces par leur noblesse et leur beauté, non par leur véracité : mais, depuis deux mille ans, beaucoup d'écoliers et d'écolières ont-ils cru que l'adversaire des Curiaces, que les héros et l'héroïne de la guerre contre Porsenna avaient fait ce que Tite-Live lui-même ne raconte qu'avec un visible embarras ? Quel enrichissement, en revanche, pour les jeunes cerveaux, que de toucher, d'explorer les mécanismes mystérieux qui font que, d'une même idéologie préhistorique, Zoroastre a pu former une théologie abstraite et philosophante, la Scandinavie des légendes divines volontiers monstrueuses, et Rome, l'histoire de ses propres origines ! Le résultat de cette alchimie n'y perdra rien en saveur ni en puissance, mais ce qu'on découvre, ce qu'on pourra montrer aux jeunes humanistes du processus de l'alchimie elle-même, contient des leçons précieuses sur tout autre chose : sur le travail séculaire auquel l'esprit humain soumet ses traditions, sur la genèse et sur le vieillissement des équilibres qu'il réalise [1].

Quant au travail comparatif lui-même, est-il besoin de dire les immenses services qu'il espère des

1. De ce point de vue, un psychologue, un logicien pourraient déjà tirer parti de ce qui a été découvert entre 1938 et 1984.

« philologies classiques séparées », quand elles voudront bien se faire attentives aux problèmes qu'il leur pose ? Il se produira ce qui s'est produit en linguistique dès la troisième génération : la grammaire comparée indo-européenne a surtout progressé par la « grammaire comparée du sanscrit », par la « grammaire comparée du grec », par la « grammaire comparée du latin », etc., c'est-à-dire par des études comparatives distributivement centrées, ou décentrées, sur chacune des langues de la famille et poursuivies par des linguistes indianistes ou hellénistes ou latinistes, etc., instruits des méthodes nouvelles. De même, quand les maîtres de la philologie et de l'histoire romaines se seront ouverts eux aussi à ces méthodes et mis en état de les pratiquer, ils reprendront à leur compte les questions que le « comparatiste pur » est seul aujourd'hui à envisager [1]. Ils les feront avancer avec une assurance et un succès qui démoderont vite le présent essai. Mais il n'y a pas de plus agréable récompense pour les pionniers que d'être rejoints et dépassés.

En relisant mon vieux discours avant de le transcrire, j'ai eu parfois l'impression que ces reproches polis recouvraient en moi, dès cette époque où j'étais encore dans la force de l'âge, déception et impatience. En écrivant les trois controverses qui vont maintenant le précéder, en rectifiant tant d'altérations infligées à la matière, à mes propositions, à l'histoire même de l'étude, peut-être ai-je été aussi au bord de l'irritation. Si tel est le cas, j'en demande pardon à mes lecteurs et à mes contradicteurs et je les convie à méditer deux pages d'un grand philosophe qu'on ne cite plus guère, sans doute parce qu'il a courageusement lié sa démarche aux débuts de la révolution relativiste, et que *panta rhei*.

1. De plus jeunes générations de chercheurs, pour l'Inde, pour l'Iran, pour la Grèce, pour Rome, sont maintenant au travail, évitant sagement de former une École.

Même en mathématiques, dit Émile Meyerson (*Du cheminement de la pensée*, 1931, II, p. 544-546, §§ 339-342), il faut parfois être Galois ou Laplace, pour céder sur-le-champ à une démonstration, pour être saisi, convaincu par « l'évidence ». À plus forte raison dans tout le reste :

> Qu'il en aille de même hors du domaine des mathématiques, c'est ce que nous croyons avoir établi autrefois, et nous demandons la permission de reproduire ici ce passage : « Qui dit phénomène, dit changement. Comment dès lors pourrait-il y avoir identité entre l'antécédent et le conséquent ? J'ai fait entrer un rayon de lumière par un trou fait dans un volet et ce rayon a formé une tache blanche sur le mur opposé. J'interpose un prisme et j'aperçois un spectre. Vous me démontrez fort savamment que la lumière blanche réfractée par le prisme a produit le spectre multicolore. Je veux bien vous croire, à condition que vous n'essayiez pas de me persuader qu'il y a identité, et que la lumière blanche, plus le prisme interposé, est égale au spectre. Cela, je ne le croirai jamais, de même que je ne croirai pas qu'il ne s'est rien passé lors de l'oxydation du mercure. Je sais bien qu'il n'y pas identité, qu'il s'est passé quelque chose, sans quoi vous n'eussiez pas eu à vous mettre en peine d'explication » (*La Déduction relativiste*, p. 321). Ainsi, là encore, la nécessité d'une démonstration prouve clairement que l'identité ne *pouvait* préexister...

340. *Aucune démonstration ne force l'assentiment*

Il s'ensuit qu'à l'encontre d'une opinion quelquefois expressément affirmée, mais le plus souvent tacitement agréée, il ne saurait y avoir de démonstration forçant absolument l'assentiment : il faut que celui que nous entendons convaincre consente à exécuter avec nous le bond qui constitue l'essentiel du raisonnement, c'est-à-dire qu'il soit d'accord avec nous sur le divers que nous entendons mettre de côté.

341. *La parole extérieure et la parole intérieure*

Aristote a dit : « Pas plus que le syllogisme lui-même, la démonstration ne s'adresse au raisonnement extérieur, mais au raisonnement qui est dans l'âme. » Et H. Poincaré écrit, à peu près dans le même sens : « D'une contradiction, on peut toujours se tirer d'un coup de pouce, je veux dire, par un distinguo. » Ainsi la démonstration logique, tout en étant un procédé d'exposition, ne fait cependant que fournir des arguments sur lesquels on *peut* fonder une conviction. La démonstration doit servir en premier lieu à nous convaincre nous-mêmes, à nous assurer si, en faisant progresser notre pensée, nous ne nous sommes pas fourvoyés. Son succès auprès d'autrui est infiniment plus chanceux.

Et voici sans doute le plus utile pour notre vie d'Écoliers perpétuels :

342. La bonne volonté et la bonne foi
C'est ce qui explique le rôle bien connu que joue dans les discussions la bonne volonté de l'adversaire, que nous sommes trop souvent, hélas, portés à qualifier de bonne foi, quand il s'agit d'opinions auxquelles nous tenons fortement. Empruntant la forme de ce dicton de droit bien connu : *volenti non fit injuria,* l'on pourrait énoncer : *nolenti non fit demonstratio.* En ce qui concerne les mathématiques cependant, où le processus de la scission nécessaire entre l'identique à retenir et le divers à rejeter est, nous l'avons vu, guidé par des règles précises, on peut affirmer qu'une fois la bonne démonstration trouvée et exposée de manière convenable (c'est-à-dire sans bonds trop amples), un homme d'intelligence moyenne, s'il a véritablement saisi la portée de ces règles, doit pouvoir se convaincre que la déduction est valable. Et comme il s'agit de pensées abstraites, où l'intérêt ne saurait, en général, intervenir, nous aurons le droit, si l'interlocuteur se montre rétif, d'incriminer la vigueur de son esprit. Mais dans l'extra-mathématique, la bonne volonté jouera un rôle bien plus accentué, et l'intérêt matériel ou spirituel étant susceptible d'y agir très fortement, aucun de nous ne doit s'étonner de voir les autres refuser leur assentiment aux raisonnements qui lui paraissent le plus élémentaires et le plus rigoureux. Il n'est déjà pas toujours si facile de se convaincre soi-même : nous n'avons qu'à nous rappeler combien nous avons eu de peine à saisir telle déduction mathématique qui nous paraît à présent d'une simplicité presque enfantine. Et quant à autrui, nous

ne pouvons guère que fournir les éléments qui permettront à notre interlocuteur de se convaincre lui-même, s'il le veut bien.

Car par aucun effort — il faut bien nous résigner à cette constatation — nous ne saurions parvenir à lui communiquer réellement, à faire pénétrer en lui le contenu intact de notre pensée, si simple qu'elle nous paraisse. C'est qu'il nous faut toujours passer par le langage qui la déforme, parce qu'il la fige, en s'efforçant de se conformer aux exigences de la logique.

Je ne puis tout citer et je saute à l'une des conclusions (p. 548, § 344) :

La vraie leçon que nous inculque l'étude de la marche de la pensée est celle de la tolérance absolue, du respect de la pensée d'autrui.

EN GUISE DE CONCLUSION

LUDUS SCIENTIAE

Georges Dumézil a fréquemment souligné le caractère perfectible et provisoire de ses conclusions. Un opposant en avait tiré argument dans le débat assez vif qui avait eu lieu lors de son élection au Collège de France : « Monsieur Dumézil a deux sortes d'opinions : celles auxquelles il est obligé de renoncer et celles auxquelles il s'accroche et dont il résulte des controverses sans fin. » Dans sa préface à la réédition de *La Cité antique* de Fustel de Coulanges, Dumézil avait lui-même opposé deux types de savants : ceux qui s'accrochent à tout prix à leurs idées et ceux qui se corrigent sans cesse en fonction des progrès de la recherche. Fustel appartenait à la première catégorie, lui qui disait en parlant de son *opus magnum* : « Tout est là. » Dumézil se rangeait résolument dans la seconde, définissant son œuvre comme « une longue suite de repentirs ». Il a réaffirmé cette idée dans la conclusion du discours prononcé lors de la remise de son épée d'académicien. Il expliquait qu'il avait failli ne pas faire de latin en sixième par suite de l'opposition du principal du collège. Cet incident avait eu deux conséquences. La première était un latin resté défectueux. Voici la seconde.

Le second effet du risque que j'ai eu conscience de courir, il y a soixante-douze ans, dans le salon de M. Vosgien, vous surprendra moins : il relève de la psychologie la plus ordinaire. Je lui attribue du moins le sentiment que j'ai, très fort, que toute ma vie intellectuelle, toute mon étude a été un jeu, et que je n'ai été, au total, qu'un joueur impénitent et quelque peu chanceux. Notre cher Roger Caillois, dans un livre célèbre qui parut en ces lieux et qu'on n'est pas parvenu à prendre en défaut, a divisé les jeux, toutes les activités ludiques, en quatre classes : *alea,* le jeu de hasard, *agôn,* le jeu de compétition, *mimicry,* le jeu d'imitation, de singerie, et l'*helix,* le jeu d'excitation, de vertige, proprement de tourbillon. La belle simplicité de ce tableau m'a toujours parue digne d'être défiée et j'ai passé des jours à tâcher de découvrir un jeu qui n'y rentrât point. Mais chaque fois Caillois me montrait avec rigueur qu'il y rentrait. Un jour je lui ai proposé, comme cinquième catégorie, *studium,* l'étude, la recherche de l'invention capable de résoudre de vieux problèmes. Il ne contesta pas le caractère ludique de l'étude, mais il dit qu'elle était une collection de jeux des quatres catégories, non une catégorie nouvelle : le hasard, la rivalité avec les contemporains ou les prédécesseurs, l'imitation des maîtres, la jouissance vertigineuse que donne une solution naissante, tout cela s'y trouve, disait-il, mais sans résidu, sans rien qui justifie l'ouverture d'une rubrique spéciale. Eh bien, si, l'étude, le développement d'une province de la connaissance, est un jeu *sui generis* — je n'ai pas qualité pour parler des sciences en général, des exactes ni des autres, pas même des sciences humaines ; je m'en tiens à mon petit domaine, à mon étude comparée des idéologies indo-européennes. Il est bien vrai que ce *studium* est d'abord ludique en ce sens que les quatre formes canoniques de jeu selon Caillois y ont leur place : heureux hasard d'un texte rencontré au bon moment, compétition et même polémique, imitation ou inspiration, et aussi vertige, ivresse des solutions brusquement apparues. Mais il y a autre chose, deux autres choses, qui en font une espèce autonome de jeu, deux caractères solidaires.

D'abord, c'est un jeu où l'on peut être perdant, bien entendu, si l'on s'entête dans des sottises, mais non pas gagnant. Ou plutôt si l'on gagne, c'est-à-dire si l'on réussit à proposer une solution plausible à un problème important et préexistant, on n'encaisse pas son gain ; quoi qu'on fasse, il entre aussitôt dans le jeu, qu'il change et complique : ou bien la solution est visiblement incomplète, ou elle n'est qu'un cas particulier de quelque chose qu'on pressent et qu'on ne conçoit pas, ou elle a des conséquences qui, par choc en retour, modifieront tôt ou tard les données sur lesquelles on l'a fondée.

Le second caractère du *studium*, du *ludus scientiae*, c'est qu'il se joue à la fois dans l'individu, sur une génération, et par-delà l'individu, à travers les générations. D'un ordre de recherches légitime, sain, vous pouvez dire en général qu'il a été institué par tel homme ; il ne s'achève avec aucun, pour la simple raison qu'il ne s'achève pas. Prenez les noms qui sont gravés sur ma lame, ceux de nos pères fondateurs : plus une page de Franz Bopp ne subsiste comme telle, la mythologie de Max Müller est périmée, Michel Bréal a introduit et enseigné la grammaire comparée au Collège de France sans reconnaître ce qui est l'*alpha*, sinon l'*oméga*, des linguistes ses successeurs, le principe de constance des lois phonétiques. Et pourtant ils ont vécu dans l'évidence et dans l'enthousiasme de la réussite et, sans eux, rien n'existerait. Puisque j'en suis aux confidences, après mes livres des dix ou quinze dernières années qui corrigent et complètent ceux d'avant, je suis sûr d'avoir résolu correctement l'essentiel de mes problèmes. Aux objections de principe qui me sont faites, j'ai des réponses fortes, décisives. J'ai envie de dire au Seigneur « *nunc dimittis servum tuum*, puisque tu m'as permis de voir ma petite part de vérité ». Et en même temps je *sais*, parce que c'est une loi sans exception, je sais que cette œuvre, dans cinquante, peut-être dans vingt, dans dix ans, n'aura plus qu'un intérêt historique, qu'elle sera, en mettant les choses au pis, ruinée, en mettant les choses au mieux — ce qui est mon espérance — élaguée, retaillée, transformée. Transformée selon quel modèle ? Si je le devinais, je commencerais l'opération moi-même. Mais non : ou bien la mécanique que je suis est fatiguée, encrassée, ou bien les éléments extérieurs du nettoyage ou de la métamorphose ne sont pas réunis. Je vis donc avec ces deux certitudes, qui ne seraient contradictoires que si l'on faisait abstraction de notre maître à tous, le temps : j'ai raison, et j'aurai tort.

Ce n'est d'ailleurs pas un drame, rassurez-vous. Je vis au contraire fort agréablement, ce qui prouve que cette cinquième espèce de jeu est bien un jeu. Simplement, j'aimerais vivre encore pendant un demi-siècle, en spectateur, pour voir avec quels outils des cadets respectueux ou ironiques régleront mon sort. Mais, mon cher Perpétuel, la fabrique d'immortalité que tu administres est-elle capable d'assurer une rallonge, si courte soit-elle, à quatre fois vingt ans ?

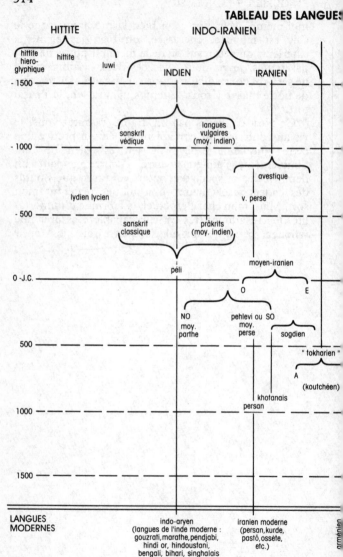

314

TABLEAU DES LANGUES

HITTITE — INDO-IRANIEN

hittite hieroglyphique — hittite — luwi

INDIEN — IRANIEN

- 1500

sanskrit védique — langues vulgaires (moy. indien)

- 1000

avestique

lydien lycien — v. perse

- 500

sanskrit classique — prâkrits (moy. indien)

moyen-iranien

pâli

0 -J.C.

O — E

NO moy. parthe — pehlevi ou SO moy. perse — sogdien

500

" tokharien "

A (koutchéen)

khotanais persan

1000

1500

LANGUES MODERNES — indo-aryen (langues de l'inde moderne : gouzrati, marathe, pendjabi, hindi or, hindoustani, bengali, bihari, singhalais etc.) — iranien moderne (persan, kurde, pastô, ossète, etc.) — arménien

NDO-EUROPÉENNES

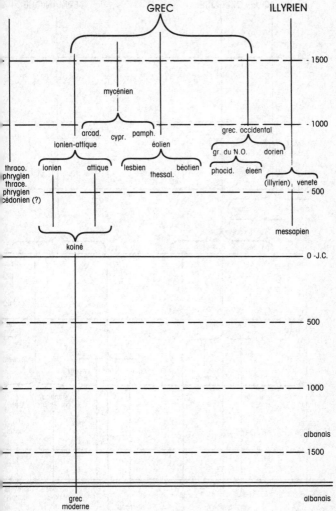

316

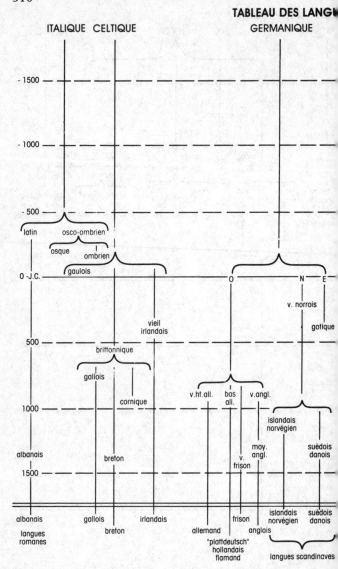

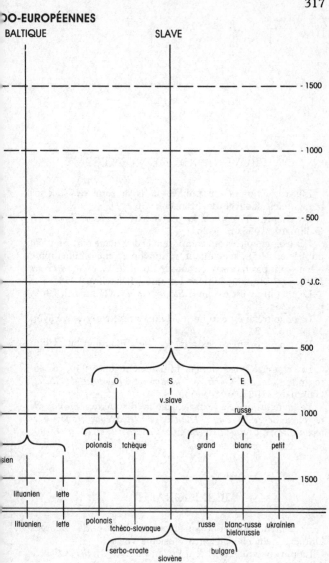

DO-EUROPÉENNES

BALTIQUE   SLAVE

- 1500

- 1000

- 500

0 -J.C.

500

O   S   E
v.slave   russe

1000

polonais tchèque   grand blanc petit

1500

lituanien lette

lituanien lette   polonais   russe blanc-russe ukrainien
   tchéco-slovaque   bielorussie

serbo-croate   bulgare
   slovène

PROVENANCE DES TEXTES

L'introduction a été publiée dans la série des Leçons inaugurales, Collège de France, 1950.

Le chapitre I reprend la préface de *Mythe et Epopée I*, Gallimard, 1968, p. 9-26.

Les trois chapitres qui composent la deuxième partie ont été publiés en 1958, avec une introduction et une bibliographie qui ne sont pas reprises ici, sous le titre *L'Idéologie tripartie des Indo-Européens*, aux éditions Latomus, Bruxelles, 1958.

Le chapitre V est extrait d'*Idées romaines*, Gallimard, 1969, p. 193-335.

Le chapitre VI est extrait de *Mariages indo-européens*, Payot, 1979, p. 77-82.

Le chapitre VII est extrait de *Loki*, Flammarion, 1986, p. 61-91.

Le chapitre VIII, publié initialement en 1949, a été reproduit dans *L'Oubli de l'homme et l'Honneur des dieux*, Gallimard, 1985, p. 319-335.

La conclusion est extraite de la plaquette *Discours de réception de M. Georges Dumézil à l'Académie française et réponse de M. Claude Lévi-Strauss*, Gallimard, 1979, p. 95-99.

BIBLIOGRAPHIE

Le lecteur qui voudrait explorer l'œuvre de Georges Dumézil peut choisir entre plusieurs voies.

La plus logique consiste à lire en premier *Mythe et Epopée I*, Gallimard, « Bibliothèque des sciences humaines », dernière édition, 1986. Dumézil lui-même définissait ce gros livre (655 pages) comme une « sorte de manuel », et il contient une présentation des grands thèmes de l'œuvre. On peut ensuite le compléter par *Mythe et Epopée II*, Gallimard, « Bibliothèque des sciences humaines », dernière édition, 1986, qui présente des « types indo-européens » (un héros, un sorcier, un roi), et *Mythe et Epopée III*, Gallimard, « Bibliothèque des sciences humaines », dernière édition, 1981, qui présente des « Histoires romaines ».

Il est également possible d'aborder l'œuvre de Dumézil par l'étude séparée de chaque fonction. La première a été présentée dans *Les Dieux souverains des Indo-Européens*, Gallimard, « Bibliothèque des sciences humaines », dernière édition, 1986 ; la deuxième dans *Heur et Malheur du guerrier*, Flammarion, 1985. Il n'existe pas l'équivalent pour la troisième fonction.

Le lecteur pressé ou curieux de variété peut recourir directement à la série des Esquisses de mythologie qui traite des problèmes les plus divers, toujours de manière concise : *Apollon sonore* 1982, *La Courtisane et les Seigneurs colorés* 1984, *L'Oubli de l'homme et l'honneur des dieux* 1985, les trois chez Gallimard, « Bibliothèque des sciences humaines ».

Le lecteur déjà initié pourra approfondir la mythologie germanique et scandinave dans *Du mythe au roman : la saga de Hadingus*, PUF, « Quadrige », dernière édition, 1982, et *Loki*, Flammarion, 1986 ; la mythologie caucasienne dans *Romans de Scythie et d'alentour*, Payot, dernière édition, 1988. *La Religion romaine archaïque*, Payot, dernière édition, 1987, est une somme d'accès plus difficile.

Georges Dumézil n'a pas écrit de Mémoires, mais il a livré beaucoup d'informations sur son itinéraire intellectuel dans des entretiens, notamment les *Entretiens avec Didier Éribon*, Gallimard, « Folio », 1987, et dans l'entretien qui ouvre le volume collectif *Georges Dumézil*, Cahiers pour un temps, éditions Pandora, 1981.

Et bien sûr, il faut lire le livre très savoureux consacré a Nostradamus, « *Le Moyne noir en gris dedans Varennes...* », Gallimard, 1984.

Ne sont cités ici que les principaux livres de la dernière période, celle des « bilans ». Un catalogue complet et commenté des très nombreuses publications de Georges Dumézil se trouve dans Hervé Coutau-Bégarie, *L'Œuvre de Georges Dumézil*, Economica, 1992.

TABLE DES MATIÈRES

Achevé d'imprimer en Août 1998
sur les presses de l'imprimerie Maury Eurolivres
45300 Manchecourt
N° d'Éditeur : FH123205.
N° d'Imprimeur : 98/08/65718.
Dépôt légal : Novembre 1992.